Bernard Bonnevaux

Le carnet gourmand du Vignoble Français

Les coups de cœur de 40 chefs de renom

Préface de Georges Blanc

Préface

Mariage de cœur et de raison à la fois, le vin et la cuisine ont toujours été alliés depuis des siècles.

En France, comme ici en Bourgogne, la nature généreuse, le savoir-faire des habitants, le respect des traditions et des bons produits ont largement contribué à ce que notre pays demeure un lieu privilégié.

Riches par leur diversité dans chaque terroir, notre cuisine et nos vins sont l'expression authentique de ceux qui ont su maintenir et développer ces fameuses traditions qui font partie d'un art de vivre bien français.

J'ai donc accepté volontiers de parrainer l'idée de ce Carnet Gourmand du Vignoble Français, qui compose un des paysages les plus attrayants pour les amateurs de belles et bonnes choses.

C'est avec plaisir que je retrouve dans cet esprit, tous mes amis cuisiniers de renom en Pays de vin, qui illustrent ainsi leur attachement aux produits de qualité dans leurs terroirs respectifs.

Cette reconnaissance sous forme de coup de cœur est sans nul doute le plus précieux des encouragements pour nos partenaires, artisans au service de la qualité.

Pour tous nos visiteurs, touristes ou gastronomes avertis, venant découvrir nos belles contrées, je souhaite que ce carnet d'adresses puisse, à l'instar d'autres publications prestigieuses, leur ouvrir les portes de la gourmandise.

Georges BLANC

Introduction au Carnet gourmand du Vignoble Français

La profonde évolution des modes de vie a modifié sensiblement le paysage de la restauration : le client d'aujourd'hui attend des chefs de cuisine des repas plus légers, plus rapides, des saveurs plus naturelles et plus franches, mais aussi le retour à une cuisine de terroir. Le génie de nos chefs est de savoir concilier ces exigences, en apparence contradictoires.

Le vigneron moderne, de son côté, doit faire face à des impératifs de même nature. Tout en conservant leur typicité (attention aux vins trop techniques), les vins d'aujourd'hui doivent dispenser de véritables plaisirs sensoriels, certes différents, mais cela à tous les stades de leur évolution.

Au début du siècle, les plus grands restaurants parisiens étaient pour la plupart dirigés par des "patrons-maîtres d'hôtel", qui employaient des chefs. Depuis lors, c'est surtout en province que le chef a gagné son prestige, en acquérant son propre restaurant. Il s'est transformé en "chef-patron". Paul Bocuse, Pierre et Jean Troisgros comme bien d'autres chefs de file de cette révolution, ont été à l'origine d'une génération de cuisiniers imaginatifs et entreprenants.

Le vigneron d'hier limitait son rôle à la culture de la vigne, à la vinification, mais s'en remettait le plus souvent aux négociants pour élever et commercialiser son vin qui, de la sorte, tombait fréquemment dans une sorte d'anonymat générique.

Depuis trente ans, mais avec plus d'acuité dans les quinze dernières années, nombre de vignerons de la génération nouvelle, ont pris leur destinée en mains et proposent désormais une multitude de vins personnalisés. A partir de leur micro-terroir, fidèles à la Tradition, ils s'investissent passionnément dans une conception à la fois originale et moderne de leur produit.

Ces nouveaux chefs et ces nouveaux vignerons, rigoureux et exigeants, étaient faits pour se rencontrer : de leur réelle complicité est née une approche nouvelle du vin dans la restauration.

Dans un passé récent, la cave comme la carte des vins, dans un grand restaurant, se devait de refléter le standing de l'établissement : nombre impressionnant de références, appellations prestigieuses, millésimes rares et bien sûr... prix élevés ! La direction et le chef sommelier décidaient des choix sans tenir compte de la nature de la cuisine proposée. Ils privilégiaient tel ou tel négociant pour aboutir à des cartes plus ou moins standardisées.

Les chefs-patrons, responsables de l'ensemble des prestations proposées à leur clientèle, se sont intéressés au vin, d'abord par obligation. Mais, pour la majorité, aujourd'hui, l'obligation s'est mutée en passion.
Seuls ou associés à une équipe de sommeliers, ils ont imprimé au choix de leurs vins une empreinte originale, reflétant leurs goûts et leur savoir-faire. Ainsi, ils s'attachent souvent à proposer des vins variés, au rapport qualité-prix intéressant (à noter que plusieurs ***Michelin proposent des vins à partir de 90 ou 100 francs).

Cependant, par un manque de temps souvent lié à l'éloignement des vignobles, nombre de ces chefs, généralement installés en milieu urbain, ne peuvent approfondir leurs recherches et se contentent du réseau traditionnel d'informations.

Une catégorie de chefs de cuisine échappe à cette contrainte : **les grands chefs de cuisine en pays de vin.**

Vivant quotidiennement au contact des vignerons de sa région, confronté et quelquefois associé à la production ou à la promotion du vignoble qui environne son établissement, le chef-patron est devenu au fil des ans, un parfait connaisseur de son terroir. Sa cave, comme sa carte des vins, est la prestigieuse vitrine des meilleurs vignerons de sa région.

Au cœur des appellations réputées, il accueille une nouvelle clientèle : **le touriste en pays de vin.** De plus en plus nombreux, de toutes les nationalités, ces amateurs, gastronomes avertis, découvrent les terroirs, les traditions et les hommes de caractère qui contribuent à l'enchantement de leur palais. Leurs étapes en pays de vin sont autant d'occasions de prolonger agréablement leurs dégustations, grâce à l'heureux mariage d'une cuisine régionale inspirée et de vins locaux de renom.

Les grands restaurateurs du vignoble français ont pris conscience de leur devoir de répondre à l'attente de ces œnophiles : offrir un large choix de vins régionaux, choisis rigoureusement et remis en question régulièrement. Ils se doivent d'encourager les jeunes vignerons de talent dont les vins sont source de belles joies sensorielles (voir le point de vue de M. Xiradakis page 31) pour un prix plus raisonnable que celui d'une bouteille prestigieuse. Ils se doivent aussi d'apporter leur réflexion personnelle sur le mariage des vins et des mets qu'ils créent, sur l'introduction des vins locaux dans certaines de leurs recettes. Ils se doivent enfin d'entraîner leurs clients hors des sentiers battus, vers une aventure culinaire esthétique et sensuelle, comme celle si chère à Jean-Marie Amat.

Leur mission d'ambassadeurs du vignoble ne s'arrête pourtant pas là : leurs clients attendent encore d'eux un dialogue enrichissant, le point de vue informé et compétent d'hommes qui sont des acteurs, mais aussi des observateurs privilégiés du milieu vigneron qui les entoure.

LE CARNET GOURMAND DU VIGNOBLE FRANÇAIS donne la parole à ces grands chefs de cuisine en pays de vin. Ceux-ci vous livrent leurs coups de cœur, vous ouvrent généreusement un carnet d'adresses exceptionnel, fruit d'un patient travail de recherche et de dégustations.

Ce palmarès inattendu met en scène non seulement des vignerons confirmés, des appellations réputées, mais aussi une nouvelle génération de producteurs, comme des appellations plus discrètes ; avec deux objectifs majeurs : qualité et accentuation de la **typicité** du terroir.

En aucun cas nos chefs n'ont souhaité recréer une hiérarchie. Ils se sont, plus modestement, remémoré les joies procurées par telle ou telle dégustation, faite dans les deux précédentes années.

Agrémenté d'interviews, de renseignements pratiques nombreux, de cartes et de pastels, **Le Carnet Gourmand du Vignoble Français** vous entraînera de châteaux en domaines, de foudres en barriques. Comme au sortir d'un repas exceptionnel pris dans l'un de nos quarante meilleurs restaurants en pays de vin, il vous glissera à l'oreille l'adresse d'un bon vigneron de la région, chez lequel vous pourrez acquérir quelques précieuses bouteilles.

Bernard BONNEVAUX

Le vin
au fil des saisons

C'est une évidence : on ne boit pas tout à fait de la même manière au creux de l'hiver
qu'au cœur de l'été, au printemps naissant qu'à l'automne finissant.
Selon le temps qu'il fait, selon la température extérieure, selon votre humeur,
selon votre forme physique, selon votre cuisine (celle du marché — la plus
recommandable — étant elle-même intimement liée aux saisons), vos convoitises en matière
de bonnes bouteilles varient, se modifient, évoluent insensiblement tout au long de l'année.

Et cela est bien. Certes, vos goûts profonds, vos préférences marquées, vos inclinations
secrètes demeurent : si vous êtes un fanatique des Bordeaux (syndrome fort répandu
chez les amateurs de vin), il est probable que vous sacrifierez régulièrement
— qu'il fasse grand soleil ou qu'il gèle à pierre fendre — à votre dévorante passion,
avec la constance inébranlable des vrais "accrochés". Pourtant, même dans ces cas aigus,
l'idolâtrie ne doit pas exclure la recherche de certaines harmonies.

Sachez donc décliner le vin avec les saisons et offrez-vous dans votre verre,
à l'unisson des grands cycles naturels, un joli périple à travers la richissime palette
des vignobles de France.

Il vous sera source de plaisir autant que de découverte.

Carte du Vignoble Français

Sommaire

Le dernier millésime...

Le millésime est une notion bien relative. Certes la vigne est éminemment météorolabile : les conditions climatiques de l'année, leurs fluctuations, les accidents qu'elles peuvent induire (destruction par le gel ou la grêle, accidents de floraison, maladies cryptogamiques...) pèsent lourdement, à l'époque des vendanges, sur l'état sanitaire et la maturité des raisins, comme sur le volume de la récolte, et par conséquent sur le vin futur.

Mais bien d'autres facteurs viennent influer dans la genèse du vin, eux-mêmes variant en fonction de l'intervention humaine. Le terroir d'abord, qui crée le caractère propre du vin : si elle est géologiquement fixée au départ, la nature du sol peut être modifiée en surface par divers amendements (fumures organiques, apport d'engrais de synthèse...) ou, en profondeur, par des systèmes de drainage. Les cépages (variétés de plants) ensuite, qui modèlent directement le type du vin : jouent leurs qualités spécifiques, leur rendement, leur cycle végétatif (tous ne viennent pas à maturité dans les mêmes délais), leur proportion dans la composition des cuvées (pour les vins — nombreux — qui résultent de l'assemblage de cépages).

Mais aussi l'exposition de la vigne, l'âge des ceps, leur densité de plantation, le mode de taille (dont dépend en grande partie le rendement), les traitements appliqués. La vinification enfin, dans laquelle s'expriment hautement le goût et le savoir-faire des hommes qui la conduisent. Grâce à la fantastique amélioration des techniques, elle joue désormais un rôle prépondérant : cela va du choix de la date des vendanges jusqu'à celui du temps d'élevage, en passant par toutes les opérations délicates et complexes qui permettent à la grappe fraîche de se transmuer en un liquide digne du nom de vin.

...et les autres

Méfiez-vous donc des idées toutes fabriquées au sujet des millésimes. Si une météorologie favorable est loin d'être négligeable, elle ne fait pas à elle seule le bon vin. D'autres éléments, plus constants, y concourent à titre au moins égal. Evidemment les ''grands'' millésimes — ces récoltes bénies des cieux — existent bel et bien, on en rencontre même une grosse poignée d'ans par siècle. Mais il y a aussi quelque exagération — le phénomène s'accuse depuis plusieurs saisons — à crier chaque automne au ''millésime du siècle''.

La nature des hommes et la nature tout court exigent quand même plus de nuances. La production des trois derniers millésimes se caractérise avant tout par l'abondance. Trois années de suite, de 1986 à 1988, la récolte totale des A.O.C. et V.D.Q.S. vient de franchir la barre, jamais atteinte auparavant, des 20 millions d'hectolitres. Volumes énormes mais qui ont, bien sûr, recouvert des qualités disparates selon les régions. 1986 a été une très belle année pour Bordeaux, avec des vins promis à la garde, que rejoindront probablement ceux de 1988, après le médiocre interlude de 1987. Si la Bourgogne et l'Alsace n'ont guère brillé en 1986 et 1987, en revanche elles se sont largement rattrapées en 1988, avec des rouges et des blancs dont certains deviendront sans doute des vins d'anthologie. Vallée de la Loire et Jura ont sensiblement enregistré la même progression qualitative, tandis que les Côtes du Rhône et les vins du Midi provençal et languedocien demeurent plus épargnés par les aléas climatiques. Enfin, après deux années faibles, la Champagne va pouvoir renouer, grâce à la qualité de la récolte 1988, avec la pratique de millésimer ses meilleures cuvées.

Quant au 1989, il est naturellement trop tôt pour en juger. Gageons toutefois que ce millésime saura célébrer dignement le bicentenaire d'un moment capital de notre Histoire nationale, sans lequel les terroirs de France ne dispenseraient peut-être pas aujourd'hui leurs inépuisables richesses de la table et du vin.

Alsace

Ruche industrieuse, toute bourdonnante du labeur de ses ouvriers vignerons, l'Alsace vineuse est sans nul doute le vignoble le plus pittoresque de France. Adossée au flanc oriental des Vosges et regardant droit le Levant, elle lance ses légions de ceps à l'assaut des versants sous-vosgiens, dont les coteaux les plus escarpés forment ses meilleures situations.

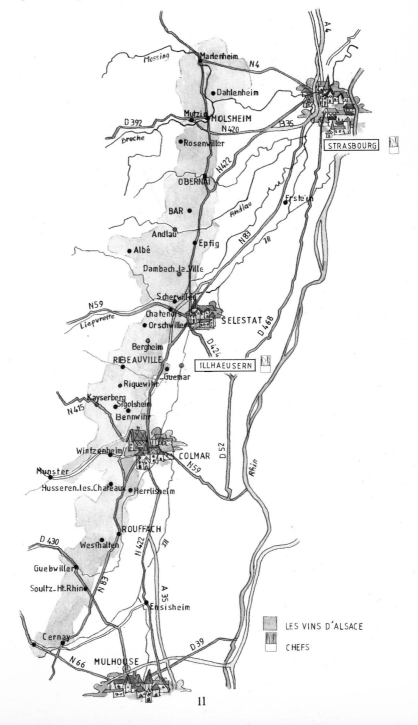

LES VINS D'ALSACE

CHEFS

Dominé par les formes fantasmagoriques de la montagne et des moyenâgeuses forteresses qui coiffent ses premiers sommets, ce véritable jardin de vignes, méticuleusement entretenu, est sillonné par une ondulante ''route du vin'', que ponctuent de ravissants villages-musées, admirablement épargnés par le temps.

Quoique aussi septentrional que son homologue champenois, mais protégé des vents humides de l'ouest par la barrière vosgienne, le vignoble alsacien jouit d'un climat semi-continental, caractérisé par des étés chauds et ensoleillés, par des automnes cléments et se prolongeant tardivement, par une pluviométrie relativement faible (450 à 500 mm d'eau par an). Etiré sur une centaine de kilomètres de long, depuis le village de Marlenheim au nord jusqu'à la petite cité de Thann au sud (pour être complet, il faut y ajouter l'îlot viticole de Wissembourg), il recouvre une superficie d'environ 12 000 hectares, sur un éventail de sols extraordinairement variés (argiles, calcaires, granits, sables, grès roses, marnes, etc.), et sa production annuelle atteint quelque 120 000 millions de bouteilles. Les vignes de coteaux, généralement exposées à l'est, au sud ou au sud-est, sont conduites en forme haute et palissées sur fils de fer. Grâce aux belles arrière-saisons, les vendanges ont lieu assez tard et les techniques de vinification, qui marient volontiers la tradition et le modernisme ultra-fonctionnel, cherchent au maximum à préserver la fraîcheur et les arômes spécifiques des cépages.

Incroyablement morcelé, le vignoble est réparti entre une multitude de petits propriétaires-récoltants (la grande majorité ne possède pas 1 ha de vignes). Les uns vinifient et commercialisent leur propre récolte, d'autres sont adhérents de l'une des nombreuses coopératives, très florissantes en Alsace et magnifiquement équipées (comme par exemple la cave vinicole d'Eguisheim), ou écoulent encore leurs vendanges auprès de quelque grande maison de négoce.

L'Alsace aligne une gamme de vins extrêmement diversifiée. Ceux-ci ont la particularité de prendre le nom de leur cépage d'origine et — autre originalité — ont l'obligation depuis 1972 d'être mis en bouteilles exclusivement dans la région de production. Tous issus de cépages ''nobles'', ils sont au nombre de sept : le *Sylvaner,* frais, léger et vif ; le *Pinot blanc* (dit aussi *Klevener),* souple, très fruité et bien coulant ; le *Muscat d'Alsace,* très typé avec sa saveur musquée ; le *Riesling,* sec, élégant et racé (fort demandé, il représente actuellement 20 % de la production alsacienne) ; le *Tokay Pinot gris (*anciennement *Tokay d'Alsace),* onctueux et odorant ; le *Gewurztraminer,* corsé et puissamment aromatique ; le *Pinot noir,* fin et bouqueté, vinifié en rosé ou en rouge. S'y ajoute un dernier venu, le *Crémant d'Alsace,* issu des cépages précités (mais surtout du pinot blanc et du sylvaner) et vinifié selon la méthode champenoise, qui connaît un succès croissant et souvent mérité. Il faut encore citer l'*Edelzwicker,* résultant de l'assemblage de plusieurs cépages et qui est un agréable vin de carafe quand il est bien fait, et quelques spécialités, comme le *Klevener d'Heiligenstein* ou le *Rouge d'Ottrott.*

Excellents vinificateurs, généralement soucieux de leurs produits — ce qui n'empêche pas de rencontrer des vins médiocres, plats et sans relief, ou au contraire fardés et pommadés à l'excès — les Alsaciens déploient de louables efforts en faveur de la qualité. Certains se sont lancés depuis plusieurs années dans la production de vins de ''vendanges tardives'', récoltées sur les meilleurs coteaux et qui sont un peu la quintessence du savoir-faire alsacien. Ces vins splendides peuvent facilement rivaliser avec d'autres vins prestigieux, comme les Sauternes ou les grands Anjous liquoreux.

Aussi, par opposition, peut-on déplorer les récentes extensions du vignoble vers la plaine d'Alsace, où de massives plantations ont été effectuées sur des terres limoneuses, bien plus propices aux cultures céréalières qu'à la vigne. Plus d'un millier d'hectares ont été ainsi gagnés depuis une décennie, souvent accompagnés de rendements excessivement élevés : les vins produits là sont hélas ! d'une qualité réellement secondaire. Cette querelle du ''haut'' contre le ''bas'' a d'ailleurs rebondi à l'occasion de l'adoption du décret sur l'appellation *Alsace grand cru,* qui a ravivé le vieil antagonisme entre productivistes à tout crin et défenseurs acharnés de la spécificité des terroirs, hautement juchés sur leurs coteaux multiséculaires.

Les vins d'Alsace traînent la réputation — largement injustifiée — d'être des vins qu'il faut impérativement boire jeunes, dans les deux ou trois ans qui suivent leur récolte. Cela n'est que partiellement vrai. Certes les ''petits'' Alsaces (sylvaner, pinot blanc, edelzwicker, pinot noir) sont expressifs dès leur prime enfance et gagnent rarement à vieillir. Les autres aussi, grâce à leur exubérant fruité, ''parlent'' dès leur mise en bouteilles. Néanmoins tokay, riesling, gewurztraminer et muscat, lorsqu'ils sont de bonne provenance et nés en année de grâce, disposent d'un potentiel de conservation que pourraient leur envier beaucoup d'autres vins français : nombre d'entre eux sont capables de tenir avec avantage leur décennie, quand ce n'est pas plus, en affirmant leurs belles qualités originelles.

Vendanges tardives

Adopté en 1984, un décret édicte les conditions à remplir par les vins de "vendanges tardives". Rappelons que ceux-ci sont issus de la récolte de raisins surmûris, ou même atteints de "pourriture noble". La cueillette s'effectue largement après les vendanges normales et, si l'on recherche la botrytisation complète, par tries successives. Lentement fermentés, les vins ainsi obtenus sont particulièrement opulents, tout en conservant généralement un fond sec, et développent au superlatif toutes les qualités du cépage d'origine. Ils ne sont produits que dans les bonnes années, quand les conditions météorologiques s'y prêtent.

Ne peuvent prétendre à la mention "vendanges tardives" que les vins de gewurztraminer, de riesling, de pinot gris et de muscat. Pour cela, ils doivent présenter une richesse minimale de 243 g de sucre par litre de moût pour le gewurztraminer et le tokay, de 220 g pour le riesling et le muscat. Pour avoir droit à la mention "sélection de grains nobles", ces proportions doivent respectivement s'élever à 279 g par litre (gewurz, tokay) et à 256 g par litre (riesling, muscat). Ces vins ne peuvent en aucun cas être chaptalisés. En outre, ils doivent avoir fait l'objet d'une déclaration préalable lors de la vendange, subir une analyse et une dégustation d'agrément particulières, enfin être commercialisés obligatoirement avec l'indication du millésime.

Au-delà des contraintes (souhaitables), les bons producteurs alsaciens peuvent être fiers d'avoir à se plier à une réglementation aussi stricte qu'à Sauternes, car elle vient couronner la recherche, souvent passionnée, d'une qualité qui faisait injustement défaut à la réputation des vins d'Alsace.

(suite page 18)

Emile Jung
Le Crocodile / Strasbourg (Bas-Rhin)

Emile Jung est issu d'une longue lignée de restaurateurs alsaciens. Ses parents tenaient une petite auberge dans le sud de l'Alsace, à Mazevaux, près de Thann (Haut-Rhin) que sa mère a continué à exploiter après la mort de son mari, survenue alors qu'Emile avait 17 ans.

Celui-ci, après son service militaire, au cours duquel, servant à Lyon, il eut l'occasion de rencontrer Paul Bocuse, chez qui il allait manger tous les quinze jours à Collonges, travailla quelque temps chez Ledoyen puis revint à Lyon apprendre la pâtisserie chez Delorme.

Marié à Monique, il quitte le sud alsacien où l'industrie périclite et où les affaires en restauration se ressentent du marasme économique.

L'établissement de Strasbourg où ils s'installent en 1971, est à l'époque un bon restaurant et une brasserie fréquentée. Emile et Monique Jung tireront vite le meilleur parti du bâtiment, de la terrasse et du parc. Ils leur arrive d'accueillir 150 personnes. Ils ont eu l'occasion (vocation européenne de la ville oblige) de traiter Reagan, Mme Thatcher, Mitterrand, le Roi Hussein, la Reine de Hollande, le Président Alfonsin, etc.

Emile Jung, à 27 ans, avait décroché à Mazevaux le titre de Meilleur Restaurateur de l'Est. A Strasbourg, dans un cadre plus prestigieux, il "prendra" 3 étoiles au Michelin, 3 toques au Gault et Millau, 3 étoiles au Bottin Gourmand. *"Ma cuisine n'est pas compliquée, dit-il, on peut reconnaître ce qu'on mange."*

Ce qu'on mange ? Potage d'oie à l'orge perlée, foie gras frais maison, œufs pochés et petites seiches au coulis de langouste, caille en gelée langouste tiède aux légumes frais, paupiette sole aux huîtres, blanquette de ris-de-veau, canard au sang, etc.

Son père fut son professeur en matière de vin. Il avait un goût très sûr. Il achetait ses bouteilles par 3 000 à la fois. *"C'était un vrai cuisinier, il avait un bon palais, et j'ai eu la chance de l'accompagner dans ses visites aux vignerons. Il ne diversifiait pas trop, de l'Alsace d'abord, et surtout du blanc. C'est un choix."*

Emile Jung devient vite lyrique pour parler des vins de son pays. Il ne méprise pas les autres mais on sent que pour lui l'Alsace est la première région vinicole française. Il a dans sa cave quelque 200 crus différents, près de 40 000 unités. Mais il n'est pour lui de bon vin que d'Alsace. *"Sur chaque bouteille d'Alsace figure le nom du cépage. Un cépage unique. Le dégustateur sait ce qu'il boit. Il n'y a pas de mélange. Si le dégustateur est doué il jouit de tout un éventail de parfums, de goûts, de saveurs, qu'il ne trouvera dans aucune autre région de France. L'amateur Alsacien a la chance de bénéficier des arômes de fruits et de fleurs sauvages : sorbier, sureau, alisier, menthe houx, sarriette, serpolet, de baies des jardins, comme la groseille, des fleurs des arbres fruitiers. La vigne qui est voisine de toute cette végétation joue un rôle de fixateur d'arôme. Quel paradis pour celui qui a le don !"*

Sa préférence va aux vins nerveux, souples, harmonieux, avec une belle finale, même s'il demeure un peu de sucre résiduel, ou une légère amertume, à condition qu'ils soient bien intégrés. *"Si l'attaque est bonne, si la chute l'est aussi, ce qui est situé entre les deux n'est qu'un détail !"*

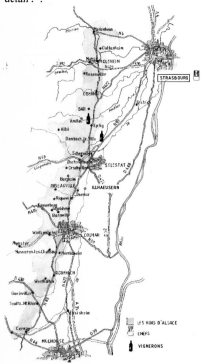

10, rue de l'Outre
67000 STRASBOURG
Tél. 88 32 13 02

Restaurant : Crocodile.
Fermeture hebdomadaire : dimanche et lundi.
Ascenseur. Parking.
Menus : 230 F-290 F.
Carte : 350 F.
Cartes bancaires : Diners Club, Carte Bleue, America
Express, Eurocard.

Sommelier : M. Gilbert MESTRALLET.

Paul et Jean-Pierre Haeberlin
Auberge de l'Ill / Illhaeusern (Haut-Rhin)

Il y a plus d'un siècle que la famille **Haeberlin** est aux commandes de l'Auberge de l'Ill à Illhaeusern.

Détruite durant la guerre, la guinguette au bord de l'eau a été reconstruite sur les ruines, devenant une étape de charme au milieu des fleurs.

Paul, l'aîné des fils, s'est mis au fourneau et a laissé libre cours à son imagination. Au fil des années, il a créé de nouvelles spécialités que trois étoiles Michelin, quatre toques Gault et Millau et quatre bibles de Roland Escaig sont venues couronner. Des distinctions bien accrochées, Marc, le fils de Paul étant venu apporter un sang neuf et son esprit d'innovation dans la sagesse.

La salle est le domaine du frère cadet de Paul, Jean-Pierre, un artiste qui parle merveilleusement de la cuisine de son frère et de son neveu, des vins d'Alsace qu'il sélectionne soigneusement avec Serge Dubs, meilleur sommelier du monde.

'Le Riesling, dit-il, est complet, fruité, délicat. Il est le champion des cépages alsaciens. Très sec, il se marie bien avec les poissons, les crustacés, les viandes blanches, et aussi avec le saumon soufflé de l'Auberge, la mousseline de grenouille, le médaillon de veau et le poulet rôti.

'Le Pinot Gris dont la gamme s'étend du sec au moelleux, est parfait avec le foie gras d'Alsace. Il peut accompagner tout un repas même si du gibier figure au menu, filet de chevreuil ou lièvre à la royale.

'Le Pinot Rouge aime les viandes rouges, les plats corsés et les fromages (tournedos avec Chartreuse de queues et de joues de bœuf, assiette de cochon de lait, filet mignon et rognons de veau poêlés à l'ancienne).'

Les vins de vendanges tardives, issus d'un raisin qui a longtemps mûri sur pied, sont peut-être, selon Hugh Johnson, *"les vins les plus étranges du monde par l'arôme, tout en conservant une netteté et une finesse de goût remarquable"*; Jean-Pierre Haerberlin, qui suit attentivement leur évolution, partage ce point de vue et va jusqu'à en faire des rivaux du Château Yquem.

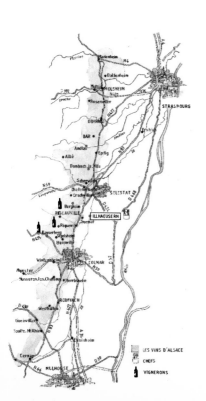

**Illhaeusern
68150 RIBEAUVILLÉ
Tél. 89 71 83 23**

Restaurant : Auberge de l'Ill
Fermeture annuelle : février
Fermeture hebdomadaire : lundi soir et mardi
Visites de caves organisées. Jardin.
Chiens admis.
Menus : 440 F.
Carte : 500 F.
Cartes bancaires : Diners Club, Carte Bleue, American Express, Eurocard.

Sommelier : M. Serge DUBS.

Autres bonnes adresses de J.P. Haeberlin

M. Beyer, 2, rue de la Première Armée Française, 68420 Eguisheim. **Bott Frères,** 13, avenue du Général de Gaulle, 6815 Ribeauvillé. **Hugel et Fils,** 3, rue de la Première Armée Française, 68340 Riquewihr. **André Kientzler,** 50, route de Berg heim, 68150 Ribeauvillé. **M. Kwentz-Bas,** 14, route du Vin, 68420 Husseren-Les-Châteaux. **M. Josmeyer,** 76, rue Clemen ceau, Wintzenheim, 68000 Colmar. **Gustave Lorentz, Charles et Georges Lorentz,** 35, Grande Rue, 68750 Bergheim. **Roll Gassmann,** 1 et 2, rue de l'Eglise, 68590 Rorschwihr. **Domaine Schlumberger,** 100, rue Théodore Deck, 68500 Guebwille **Bernard, Hubert et Jean Trimbach,** 15, route de Bergheim, 68150 Ribeauvillé. **Domaine Zind Humbrecht,** 34, rue du Maré chal Joffre, Wintzenheim, 68000 Colmar.

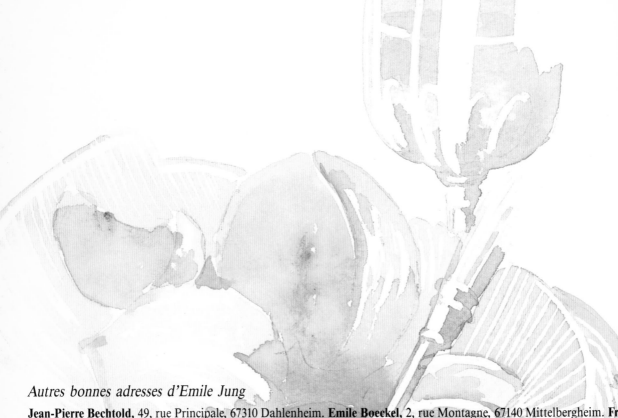

Autres bonnes adresses d'Emile Jung

Jean-Pierre Bechtold, 49, rue Principale, 67310 Dahlenheim. **Emile Boeckel,** 2, rue Montagne, 67140 Mittelbergheim. **Fre déric Mochel,** 56, rue Principale, 67310 Traenheim. **Gérard Neumeyer,** 29, rue Bugatti, 67120 Molsheim. **André Ostertag** 87, rue Finkwiller, 67680 Epfig. **André Pfister,** 53, rue Principale, 67310 Dahlenheim. **Roland Schmitt,** 35, rue des Vosge 67310 Bergbieten. **A. Seltz,** 21, rue Principale, 67140 Mittelbergheim. **Bernard Weber,** 49, rue de Saverne, 67120 Molshei

**Domaine
Marcel Deiss**

5, route du Vin
68750 Bergheim

Tél. 89 73 63 37

Appellation : **ALSACE GRAND CRU CONTROLÉ**
Nom : **RIESLING GRAND CRU ALTENBERG DE BERGHEIM**
Couleur et millésime : **Blanc 86**
Producteur : **M. Marcel Deiss & Fils**
Terroir : **argilo-calcaire de l'Altenberg de Bergheim**
Cépages : **Riesling** / Rendement : **45 hl/hectare**
Vendange et vinification : **manuelle et pressurage en "grains ronds"**
Elevage : **garde sur lies à froid, soutirage, pas de filtration**
Caractère : **Ce vin est un Grand Riesling issu de l'Altenberg de Bergheim qui est un terroir d'exception, qui confère à ce vin l'ensemble de ses caractères : des arômes de menthe, tilleul, d'anis, une attaque vive mais très complexe, soutenue par une corpulence très particulière aux Altenberg, une fin de bouche superbe, très riche et longue, qui laisse une bouche anisée**

**Dopff et Irion
du Château
de Riquewihr**

- 68340
Riquewihr

Tél. 89 47 92 51

Appellation : **APPELLATION ALSACE CONTROLÉE**
Nom : **LES MURAILLES**
Couleur et millésime : **Blanc 86**
Producteur : **Dopff et Irion S.A.**
Terroir : **sols siliceux et marneux**
Cépages : **Riesling** / Rendement : **60 hl/hectare**
Vendange et vinification : **manuelles**
Caractère : **léger, fruité et bonne acidité**
Evolution : **bonne garde pendant 10 ans au moins**

**Domaine Weinbach
Clos des Capucins
Mme Faller
et ses filles**

68240 Kaysesberg

Tél. 89 47 13 21

Appellation : **RIESLING**
Nom : **CUVÉE SAINTE CATHERINE**
Couleur et millésime : **Blanc 87**
Producteur : **Mme Faller et ses filles**
Terroir : **sablonneux, granit à biotite**
Cépages : **Riesling** / Rendement : **50 hl/hectare**
Vendange et vinification : **manuelles**
Elevage : **en fûts de chêne tapissé de tartre.**
Caractère : **jaune pâle, belle brillance, fruité fleur de Riesling, belle ampleur, nerveux, racé, bien charpenté, belle acidité et longue persistance au palais, très typé Riesling**
Evolution : **à boire dès 1989 et jusqu'en 1995**
Observations : **réception et accueil sur RV. Autres vins : Pinot blanc, Gewurztraminer et Tokay**

**Domaine
Marc Kreydenweiss**

12, rue Deharbe
67140 Andlau

Tél. 88 08 95 83

Appellation : **GRAND CRU KASTELBERG**
Nom : **KASTELBERG RIESLING VENDANGES TARDIVES**
Couleur et millésime : **Blanc 85**
Producteur : **M. Marc Kreydenweiss**
Terroir : **schiste de Steigl**
Cépages : **Riesling** / Rendement : **45 hl/hectare**
Vendange et vinification : **manuelle ; vinification sans contrôle de température**
Elevage : **en bois**
Caractère : **arôme de pierre à fusil et cannelle**
Evolution : **grand vin de garde, ne commence à s'ouvrir qu'à partir de la 5e année.
Ample, sec, très belle maturité et long en bouche**

Willy Gisselbrecht

3A, route du Vin
67650
Dambach-la-Ville

Tél. 88 92 41 02

Appellation : **TOKAY PINOT GRIS**
Nom : **GRAND CRU FRANKSTEIN**
Couleur et millésime : **Blanc 85**
Producteur : **M. Willy Gisselbrecht**
Terroir : **granitique**
Cépages : **Tokay Pinot Gris** / Rendement : **55 hl/hectare**
Vendange et vinification : **manuelle, traditionnelle, contrôle de températures**
Elevage : **en foudre, minimum 10 mois**
Caractère : **robe claire brillante, fruité délicieux (fruits secs surmurés), chaleureux, harmonieux au palais, à la fois opulent, plein de noblesse et de finesse, délicat et persistant en fin de bouche**
Evolution : **mérite de vieillir 10 ans mais déjà agréable, belle maturité**
Observations : **Visite de cave sur RV. Autres vins : Riesling, Gewurztraminer**

"Alsace", suite de la page 13

Communes	Appellation "Alsace grand cru" suivie du nom et lieu-dit
Bas-Rhin	
ANDLAU	Kastelberg - Mœnchberg - Wiebelsberg
BARR	Kirchberg
BERGBIETEN	Altenberg
EICHHOFFEN	Mœnchberg
Haut-Rhin	
BEBLENHEIM	Sonnenglanz
BERGHEIM	Altenberg "Kantzlerberg"
BERGHOLTZ	Spiegel
EGUISHEIM	Eichberg
GUEBERSCHWIHR	Goldert
GUEBWILLER	Kessler - Kitterlé - Saering - Spiegel
HATTSTATT	Hatschbourg
HUNAWIHR	Rosacker
KAYSERSBERG	Schlossberg
KATZENTHAL	Sommerberg
KIENTZHEIM	Schlossberg
NIEDERMORSCHWIHR	Sommerberg
RIBEAUVILLÉ	Geisberg - Kirchberg
RODERN	Glœckelberg
SAINT-HIPPOLYTE	Glœckelberg
THANN	Rangen
TURCKHEIM	Brand
VIEUX-THANN	Rangen
VŒGTLINSHOFFEN	Hatschbourg
WINTZENHEIM	Hengst
WUENHEIM	Ollwiller

Bordeaux

Admirable vignoble girondin, grenier à vin de la France, véritable océan de crus, dans lequel peut se noyer avec délices l'amateur de grandes bouteilles... Recelant, sous sa façade un peu austère, parfois même rébarbative, les trésors les plus inestimables, il s'impose de loin comme la première région de vins fins au monde, avec une production annuelle oscillant autour de 4,5 millions d'hectolitres...

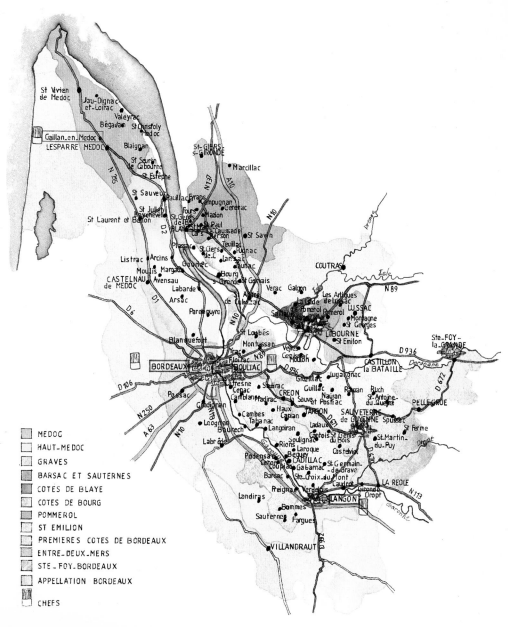

Contrairement aux autres vignobles français, c'est son unité qui frappe de prime abord : unité géographique, climatique, géologique, culturale, historique. Compact, sans la moindre dispersion, le vignoble bordelais est fait d'un seul bloc, articulé autour de la Dordogne, de la Garonne et de leur estuaire commun, et tient entièrement dans le département de la Gironde. Traversé par le 45e parallèle, il jouit idéalement d'un climat doux et tempéré, bénéficiant de surcroît de la protection de la forêt landaise, vaste écran naturel sur lequel se brisent les vents atlantiques. Grosso modo, les sols ont une structure identique selon leur situation : argilo-calcaires à flanc de ''côtes'', graveleux ou sablonneux près des rivières, calcaires ou siliceux sur les plateaux. L'encépagement est caractérisé par la domination sans partage du cabernet-sauvignon et du merlot pour les rouges, du sémillon et du sauvignon pour les blancs. Mais le Bordelais est surtout cimenté par son histoire. Vignoble de tradition urbaine, développé par la bourgeoisie marchande du lieu (les Bordeaux sont d'ailleurs les seuls vins de France à se prévaloir unanimement du nom d'une ville), il entretient depuis le XIIe siècle des rapports étroits et constants avec l'étranger. Plus que jamais aujourd'hui, le Bordelais maintient cette intangible règle de conduite, travaillant aux trois quarts pour l'exportation.

Cette identité générale n'exclut pourtant pas les nuances, voire les différences, à commencer par l'aspect physique des différents ''pays'' qui composent le vignoble : rondeur et certain pittoresque du Libournais, aux coteaux joliment mamelonnés ; sévérité et larges horizons de l'Entre-Deux-Mers ; paysages ondoyants et sylvestres des Graves et du Sauternais, où la vigne surgit des clairières ; platitude et mollesse du Médoc, région peut-être illustre entre toutes mais pas gironde pour un sou. Contrastes de la propriété ensuite : un énorme fossé sépare en effet, avec toutes les variantes intermédiaires, le petit vigneron du Castillonnais, cultivant de père en fils ses quelques hectares de ceps, et le châtelain-manager du Médoc, gérant sa grosse exploitation en prosélyte des technologies nouvelles et du marketing, et plus souvent aux Etats-Unis que dans ses vignes. Incroyable diversité des terroirs et des crus surtout : la gamme est ici richissime, allant du simple *Entre-Deux-Mers* aux vins prestigieux de *Pomerol,* de *Saint-Emilion,* de *Sauternes* ou des *Graves,* du modeste vin des Côtes (de *Blaye,* de *Bourg,* de *Castillon...*) aux joyaux du *Médoc,* véritable boulevard de grands crus où se bousculent littéralement les sommités de *Pauillac, Margaux, Saint-Estèphe* et *Saint-Julien,* en passant par la foule des appellations locales, régionales ou satellites des grands noms.

C'est en Bordelais que la science œnologique moderne a le plus marqué l'évolution des vins. Depuis une quinzaine d'années, de fantastiques progrès ont été enregistrés dans la maîtrise des techniques de culture et de vinification : sélection toujours plus rigoureuse des porte-greffes et des plants, traitements particulièrement efficaces contre les maladies de la vigne (développement du traitement antibotrytis notamment), vendanges de plus en plus mécanisées, contrôle strict des températures de fermentation, nouveaux types de logements vinaires (progression spectaculaire des cuves en acier inoxydable), nouveaux moyens de collage et de filtration, arsenal de traitements physico-chimiques contre les maladies du vin, etc. Cela peut même atteindre un niveau de sophistication extrême, telle la programmation des vendanges par ordinateur au Château Clarke, en Médoc. Ce mouvement général a coïncidé avec une évolution du goût des consommateurs (recherche de vins plus souples et vite prêts à boire), comme avec une demande sans cesse accrue sur les marchés extérieurs. Aussi la conjonction de ces facteurs a-t-elle engendré une nouvelle race de vins, techniquement réussis, d'une qualité incontestablement plus constante qu'autrefois, rapidement commercialisables, mais qui ont perdu dans l'affaire une part notable de leur typicité.

Si les deux écoles — la moderne et l'ancienne — cohabitent encore, la seconde est en recul inquiétant. Il serait dommage que, dans cette frénésie de modernisation, de rentabilisation immédiate et de dévotion à la loi sacro-sainte du marché, les Bordeaux y laissent totalement leur âme, d'autant que cette évolution a particulièrement touché les grands crus, les plus représentatifs en principe de l'appellation. Il reste à craindre que le vin classique de Bordeaux, lent à mûrir mais doté d'un exceptionnel potentiel de longévité, déserte progressivement le verre de l'amateur, au profit d'un produit d'honnête facture, largement adapté aux normes d'un goût ''international'', mais en partie déculturé. Fort heureusement, tous les producteurs n'en sont pas là et il subsiste des poches de résistance, où se conjuguent harmonieusement respect des traditions et modernité raisonnée.

Francis Garcia
Le Chapon Fin / Bordeaux (Gironde)

Le décor du Chapon Fin à Bordeaux est l'un des plus rococo de France. Fort heureusement la cuisine de **Francis Garcia** est suffisamment précise, fine et personnelle pour que l'on ne se laisse pas détourner de ses préparations par l'environnement.

Après une période classique selon les leçons d'Escoffier et une période "nouvelle cuisine", il est parvenu à l'équilibre en adaptant le classicisme au goût du jour sans renier les traditions du terroir.

Du Chapon Fin il a fait le temple du Bordeaux avec quelque quatre cents références à sa fabuleuse carte des vins et des prix qui, faisant fi des coefficients, demeurent accessibles.

Il les aime, les vins de Bordeaux, au point de mettre sa cuisine à leur service, écartant les compositions trop acides, trop épicées ou trop sucrées qui ne les mettent pas en valeur.

Ces Bordeaux, il les apprécie tous car *"aujourd'hui grâce à de nouvelles méthodes de vinification, ils sont tous dignes de confiance, ronds, corpulents, amples, généreux".* Il a cependant une prédilection pour les Graves subtils sans trop de puissance, pouvant accompagner tout un repas. Cette préférence ne l'empêche pas de connaître les spécificités de tous les Châteaux pour guider ses clients suivant les plats choisis mais aussi suivant leurs habitudes et leurs goûts.

Avec le duo de foie de canard il préconise, par exemple, un Graves blanc du Domaine de Faye, un Barsac ou un Sauternes et pour la salade tiède de homard cuit vapeur, un Graves Château Fieuzal, un grand vin du moment. Avec la lamproie, plat typiquement bordelais sa préférence va à un vin tonique, un Latour Haut Brion ou un Pape Clément. Pour l'agneau de Pauillac, il choisit un Pauillac, bien sûr, ou un Saint-Julien, Château Ducru-Beaucaillou ou Château Gloria. Avec le pigeonneau grillé primeur, il préfère un Saint-Emilion Château Carron ou un Pomerol Château Trotanoy. Pour le filet de veau et ris-de-veau aux nouilles, il recommande un deuxième vin de Château. *"Vinifiés avec le même soin que les grands, à boire plus jeunes, mais de qualité très proche."*

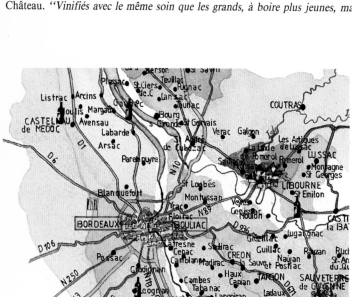

5, rue Montesquieu
33000 BORDEAUX
Tél. 56 79 10 10

Restaurant : Le Chapon Fin.
Fermeture annuelle : 15 juillet au 15 août.
Fermeture hebdomadaire : dimanche et lundi.
Menus : 280 F, 310 F, 360 F.
Carte : 300 F.
Cartes bancaires : Dîners Club, Carte Bleue, American Express, Eurocard.

Sommelier : M. Jean CERNIER.

Autres bonnes adresses

C.V.B.G. (Dourthe N° 1) : 33 Parempuyre. **Ch. Bonnet :** 33 Grezillac. **Ch. de Fieuzal :** 33 Leognan. **Ch. Reynon :** 33 Beguey. **Ch. Lalande-Borie :** 33 St-Julien-de-Beychevelle. **Ch. Saint-Georges :** St-Georges - St-Emilion. **Ch. Cazalis :** 33 Pujols. **Les Ormes de Pez :** 33 Pauillac. **Ch. Maucaillou :** 33 Parempuyres. **Ch. de Pez :** 33 St-Estephe. **Ch. Rochemorin :** 33 Grezillac.

Patrick Doche
Château Cayla

Rions

33410 Cadillac

Tél. 56 62 15 40

Appellation : **BORDEAUX BLANC SEC**
Nom : **CHATEAU CAYLA**
Couleur et millésime : **Blanc 88**
Producteur : **M. Patrick DOCHE**
Terroir : **graveleux**
Cépages : **semillon**
Rendement : **40 hl/hectare**
Mode de culture : **traditionnel**
Vendange et vinification : **manuelles**
Caractère : **l'attaque est franche sur des arômes floraux, développement ample**
Evolution : **entre 1 an et 4 ans**
Observations : **autres vins : Premières Côtes de Bordeaux, blanc liquoreux**

G.F.A.
Labegorce-Zede
Luc Thienpont
gérant

Soussans

33460 Margaux

Tél. 56 88 71 31

Appellation : **MARGAUX**
Nom : **LABEGORCE-ZEDE**
Couleur et millésime : **Rouge 86**
Producteur : **M. Luc Thienpont**
Terroir : **grave**
Cépages : **50% Cabernet Sauvignon, 35% Merlot, 10% Cabernet Franc, 5% Petit Verdot**
Rendement : **45-50 hl/hectare**
Mode de culture : **traditionnel**
Vendange et vinification : **manuelle, traditionnelle**
Elevage : **en barriques 14 mois, 25 à 40% neuves**
Caractère : **vin fruité, élégant, très grande finesse**
Evolution : **vin de garde, tannique, à boire dans minimum 5 à 10 ans**
Observations : **2ᵉ vin Château de l'Amiral jusqu'en 87. A partir de 88, Domaine "Zede". 3ᵉ vin "Cuvée de la Jeune Vigne"**

Société Fermière
du Château
Chasse-Spleen

33480

Moulis-en-Médoc

Tél. 56 58 02 37

Appellation : **MOULIS**
Nom : **CHATEAU CHASSE-SPLEEN**
Couleur et millésime : **Rouge 82**
Producteur : **S.A. Chasse-Spleen (Mme Villars)**
Terroir : **croupe de Graves**
Cépages : **58% Cabernet Sauvignon, 35% Merlot N, 7% Petit Verdot**
Rendement : **45 hl/hectare**
Mode de culture : **10.000 pieds/hectare. Taille Guyot double, peu de fumures**
Vendange et vinification : **traditionnelles**
Elevage : **en barriques, 50% de fûts neufs chaque année. Soutirages manuels, pas de filtration**
Caractère : **vin tannique, corsé. Allie le charme du Merlot à la robustesse du Cabernet Sauvignon**
Evolution : **vin de très bonne garde**
Observations : **La S.A. Chasse-Spleen gère également les Châteaux Haut Bages Libéral à Pauillac et la Gurgue à Margaux**

Société Civile
d'Exploitation
du Château
Malartic-Lagravière

39, avenue de
Mont-de-Marsan
33850 Leognan

Tél. 56 21 75 08

Appellation : **PESSAC-LEOGNAN**
Nom : **CHATEAU MALARTIC-LAGRAVIERE**
Couleur et millésime : **grand cru classé en rouge et en blanc. Millésime 82**
Producteur : **Jacques Marly**
Terroir : **graves argilo-calcaires**
Cépages : **Cabernet Sauvignon, Cabernet Franc, Merlot en rouge, Sauvignon en blanc**
Rendement : **55 hl/hectare en moyenne**
Mode de culture : **traditionnel**
Vendange et vinification : **vendanges manuelles, vinification traditionnelle**
Elevage : **en barriques, dont 50 à 60% bois neuf, pendant 22 mois**
Caractère : **vin charpenté, riche, équilibré**
Evolution : **lente, se laisse boire à partir de 4 à 5 ans, veillit 30 ans et plus**
Observations : **dégustation à la propriété sur rendez-vous**

Château Figeac

33330 St-Emilion

Tél. 57 24 72 26

Appellation : **SAINT-EMILION GRAND CRU** (1ᵉʳ Grand Cru classé)
Nom : **CHATEAU FIGEAC**
Couleur et millésime : **Rouge**
Producteur : **M. Thierry Manoncourt**
Terroir : **3 croupes de graves**
Cépages : **70% Cabernet Sauvignon et Cabernet Franc, 30% Merlot**
Rendement : **35 hl/hectare environ**
Mode de culture : **traditionnel**
Vendange et vinification : **manuelles**
Elevage : **100% en barriques neuves de chêne**
Evolution : **agréable vers 10 ans d'âge. Peut facilement vieillir beaucoup plus longtemps. En dégustation "à l'aveugle" les plus grands dégustateurs placent Château Figeac au milieu des crus les plus célèbres de Bordeaux et quelquefois même à leur tête**

Michel Gautier
Le Rouzic / Bordeaux (Gironde)

Michel Gautier a 34 années de cuisine derrière lui. Formé à l'Hôtel de Lyon, à Montargis, il a roulé sa bosse à travers l'hexagone et à l'étranger avant de se fixer à Bordeaux, d'abord cours Le Rouzic, ensuite 34 bis, cours du Chapeau-Rouge où son établissement a conservé le nom de son implantation primitive. Mme Gautier travaille à ses côtés : maître-d'hôtel, elle est aussi un sommelier hors pair et elle est intarissable sur le sujet : elle soupçonne sa maman d'avoir glissé du Bordeaux ou du Graves dans son biberon et de l'avoir mise au monde dans une barrique.

Au surplus, elle est vice-présidente des Sommeliers d'Aquitaine.

Le Rouzic, une étoile au Michelin, deux toques rouges (16/20) au Gault et Millau, présente une carte qui évolue au fil des saisons. Avec une moyenne de 25 à 30 plats. Parmi lesquels il faut noter au passage des éléments de prestige comme la lamproie à la Bordelaise, la pièce de bœuf grillée sauce Bordelaise, la meurette d'œufs au St-Emilion, tous issus de mariages avec les vins du Bordelais. Quant à l'agneau de Pauillac, création récente, il est élaboré au Pauillac et servi avec du Pauillac. A noter que pour le prochain Vinexpo il sera accompagné par un Château-Laffite !

Dans sa cave voûtée toute en pierre du pays, toute la carte de France des vins attend le connaisseur. Dans le stock 30 Bordeaux supérieur à des prix plus que raisonnables : de 80 à 100 F.

"Le vin est une découverte tardive pour mon mari, dit Mme Gautier. *Pour moi, c'est différent, je l'aime, je le bois, je le supporte bien. Il y a des personnes qui craignent les mélanges. Mais pas moi. Ma mère tenait un restaurant à St-Emilion. On y faisait beaucoup de grands repas ; les noces étaient plus fréquentes, on y invitait beaucoup plus de gens, et elles duraient plus longtemps. Aujourd'hui, on se marie moins, c'est plus bref et c'est très intime."*

M. Gautier lui, est né à Pithiviers où ses parents tenaient un hôtel qui faisait aussi bar-tabac et de temps à autre, restaurant, surtout spécialisé dans les mariages et les enterrements. *"Le Loiret n'est pas une région vinicole ; là-bas, du moins à cette époque, pourvu que le vin soit présenté bouché, les clients étaient contents."*

Bien qu'ayant un très bon sommelier, M. Gautier a présenté un certificat d'aptitude à la connaissance du vin. Et il achète lui-même les éléments de sa cave.

"Le vin inspire le public plus que la cuisine, même si celle-ci est de grande classe. Prenez un exemple : sur notre carte la queue de langoustine au feuilleté léger aux morilles et au ris d'agneau et riz sauvage. Il y a de quoi discuter pendant un bon moment. Tout ce que le client trouve à dire à propos de ce travail si délicat, c'est que c'est délicieux. Ça ne va pas plus loin, on ne détaille pas élément par élément. Par contre, dès qu'on parle du vin qui accompagne le plat, les dithyrambes fusent."

"Le vin se suffit-il à lui-même ?" Là, même Mme Gautier n'est pas vraiment d'accord !

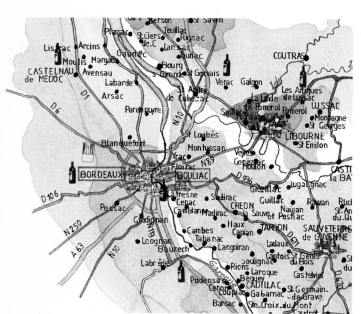

34, cours du Chapeau Rouge
33000 BORDEAUX
Tél. 56 44 39 11

Restaurant : Le Rouzic.
Fermeture hebdomadaire : samedi midi, dimanche toute la journée.
Menus : 195 F, 250 F.
Carte : 350 F, 380 F.
Cartes bancaires : Diners Club, Carte Bleue, American Express, Eurocard.
Chiens admis.

Sommelier : Mme GAUTIER.

S.C. Château Turon-La-Croix

33119 Lugasson

Tél. 56 48 06 75

Appellation : **BORDEAUX BLANC**
Nom : **CHATEAU GRAND PONTARET**
Couleur et millésime : **Blanc 87**
Producteur : **M. Saric**
Terroir : **argilo-calcaire**
Cépages : **60% Sauvignon, 30% Sémillon, 10% Muscadelle**
Rendement : **45 hl/hectare**
Mode de culture : **traditionnel**
Vendange et vinification : **manuelle, vinification 100% barriques de chêne neuf**
Elevage : **sur lies fines en barriques**
Caractère : **fruité, rond et gras en bouche, finale persistante**
Evolution : **vin de garde (5 à 10 ans)**
Observations : **Autres vins : Château Turon-La-Croix, Bordeaux Supérieur rouge, Entre deux Mers. Dégustation sur rendez-vous**

Baron Charles de Montesquieu Château Charles de Montesquieu

Baron

33750 St-Germain-du-Puch

Tél. 57 24 13 64

Appellation : **BORDEAUX SUPÉRIEUR**
Nom : **CHATEAU CHARLES DE MONTESQUIEU**
Couleur et millésime : **Rouge 85**
Producteur : **Baron Charles de Montesquieu**
Terroir : **argilo-calcaire**
Cépages : **45% Merlot, 55% Cabernet Franc + Sauvignon**
Rendement : **42 hl/hectare**
Mode de culture : **traditionnel**
Vendange et vinification : **vendanges : machine et à la main**
Elevage : **en barriques**
Caractère : **boisé, sous-bois**
Evolution : **lente et certaine dans les 6 ans à venir**
Observations : **caractère très particulier s'accommodant bien à toutes les viandes des grillades. Blanc entre 2 Mers Blanc Sauvignon. Château ayant appartenu à l'illustre philosophe, c'est ici que furent écrites les Lettres Persanes**

Jean-Louis Trocard Président Syndicat Bordeaux

33570 Les Artigues-de-Lussac

Tél. 57 24 31 15

Appellation : **BORDEAUX SUPÉRIEUR**
Nom : **CHATEAU TROCARD "MONREPOS"**
Couleur et millésime : **Rouge 85**
Producteur : **M. Jean-Louis Trocard**
Terroir : **argilo-calcaire en coteaux plein sud**
Cépages : **100% Merlot**
Rendement : **45 hl/hectare**
Mode de culture : **traditionnel**
Vendange et vinification : **vinification longue de 4 semaines**
Elevage : **1 an en fûts de chêne Merrain neuf**
Caractère : **vin de caractère, avec une charpente harmonieuse**
Evolution : **longue garde**
Observations : **c'est un vin haut de gamme digne des grands noms de Bordeaux**

Château de Chantegrive

M. et Mme Henri Levêque

33720 Podensac

Tél. 56 27 17 38

Appellation : **GRAVES**
Nom : **CHATEAU DE CHANTEGRIVE**
Couleur et millésime : **Blanc 87**
Producteur : **M. et Mme Henri LEVEQUE**
Terroir : **graviers de quartz roulés et gros sable sur une structure argilo-calcaire**
Cépages : **55% Sémillon, 35% Sauvignon, 10% Muscadelle**
Mode de culture : **labours classiques, pas de désherbage chimique**
Vendange et vinification : **traditionnelle à la main, avec tris, régulation thermique**
Caractère : **arômes fins, fleuris, fraîcheur fruitée**
Evolution : **de suite à 10 ans**
Observations : **autres vins (rouge) : Chantegrive rouge 85. Dégustation et visite des chais sur rendez-vous**

SCA du Château Gassies

Route de Brun

33360 La Tresne

Tél. Château : 56 44 60 10

Tél. Bureau : 56 86 14 27

Appellation : **PREMIÈRES COTES DE BORDEAUX**
Nom : **CHATEAU GASSIES**
Couleur et millésime : **Rouge 86**
Producteur : **M. Jean Egreteaud**
Terroir : **argilo-calcaire**
Cépages : **70% Merlot, 30% Cabernet**
Rendement : **48-50 hl/hectare**
Mode de culture : **traditionnel**
Vendange et vinification : **manuelles**
Elevage : **en fûts de chêne renouvelés par tiers tous les ans**
Caractère : **fin, boisé, imprégné de touches vanillées. Charnu, généreux, harmonieux**
Evolution : **vin de longue garde, peut être bu à partir de 2/3 ans**
Observations : **le vin du Château Gassies se marie avec tous les mets et particulièrement avec les gibiers à plumes et les fromages. Dégustation sur rendez-vous**

G.F.V. S.A.
216, rue
du Jardin Public
33300 Bordeaux
Tél. 56 39 74 64

Appellation : **MARGAUX**
Nom : **CHATEAU PAVEIL DE LUZE**
Couleur et millésime : **Rouge 85**
Producteur : **M. le Baron Geoffroy de Luze**
Terroir : **graves roulées sur sous-sol siliceux**
Cépages : **70% Cabernet Sauvignon, 30% Merlot**
Rendement : **40 hl/hectare**
Mode de culture : **4 labours traditionnels**
Vendange et vinification : **mécanique, vinification en cuves avec contrôle de température, macération pelliculaire**
Elevage : **30% en barriques neuves**
Caractère : **très Cabernet Sauvignon mais tanins adoucis par le terroir. Parfums complexes de fruits rouges et d'épices. Beaucoup de distinction et de finesse**
Evolution : **très souple, sera de bonne garde**

Château du Taillan
Le Taillan-Médoc
33320 Eysines
Tél. 56 39 28 04

Appellation : **HAUT-MÉDOC**
Nom : **CHATEAU DU TAILLAN**
Couleur et millésime : **Rouge 85**
Producteur : **M. Henri Cruse**
Terroir : **argilo-calcaire**
Cépages : **55% Cabernet Sauvignon, 5% Cabernet Franc, 40% Merlot**
Mode de culture : **traditionnel**
Vendange et vinification : **traditionnelles**
Elevage : **fûts neufs 28%, inox et foudres**
Caractère : **tanins fins très présents, charmeur au nez comme en bouche, belle complexité aromatique**
Observations : **autres vins : Château La Dame Blanche (rare vin blanc produit en Médoc - AC Bordeaux). Visite et dégustation. Chai classé Monument Historique**

Société Civile
et Agricole
des Domaines
du Château
Maucaillou
33480 Moulis
Tél. 56 58 01 23

Appellation : **MOULIS-EN-MÉDOC**
Nom : **CHATEAU MAUCAILLOU**
Couleur et millésime : **Rouge 86**
Producteur : **M. Philippe Dourthe**
Terroir : **Grave Garonnaise du Güntz**
Cépages : **58% Cabernet Sauvignon, 35% Merlot, 7% Petit Verdot.** Rendement : **45 hl/ha**
Vendange et vinification : **manuelle et mécanique, vinification à basse température**
Elevage : **fûts de chêne neuf**
Caractère : **couleur intense et profonde, nez de fruits délicatement vanillé, concentration et richesse des saveurs, tanins mûrs fins et élégants, *grande longueur en bouche***
Evolution : **très bonne garde**
Observations : **second vin : Château Cap-de-Haut Maucaillou. Musée des Arts et Métiers de la vigne et du vin. *Unique en Médoc.* Accueil tous les jours, dégustation. Salles de réception pour séminaires et groupes**

Autres bonnes adresses

Château Potensac, 33 St-Julien-de-Beychevelle. **Château Léoville-Lascases,** 33 St-Julien-de-Beychevelle. **Château Poujeaux,** 33 Moulis-en-Médoc. **M. B. Prats,** 33 Bordeaux pour : Château de Marbuzet, Château Petit Village, Château Cos D'Estournel. **Château de Camensac,** 33 St-Laurent-de-Médoc. **Château La Joye,** 33 St-André de Cubzac. **C.V.B.G.,** 33 Parempuyre pour : Dourthe n° 1, Les Ormes de Pez, Château Tronquoy La Lande, Château Capbern Gasqueton, Château La Tour Martillac, Couvent des Jacobins, Le Grand Y. **Château Respide,** 33 Preignac. **Château Gillette,** 33 Preignac.

Classification des vins de Bordeaux

I. LE CLASSEMENT DE 1855 REVU EN 1973

PREMIERS CRUS

Château Lafite-Rothschild (Pauillac)
Château Latour (Pauillac)
Château Margaux (Margaux)
Château Mouton-Rothschild (Pauillac)
Château Haut-Brion (Graves)

SECONDS CRUS

Château Brane-Cantenac (Margaux)
Château Cos-d'Estournel (Saint-Estèphe)
Château Ducru-Beaucaillou (Saint-Julien)
Château Durfort-Vivens (Margaux)
Château Gruaud-Larose (Saint-Julien)
Château Lascombes (Margaux)
Château Léoville Las-Cases (Saint-Julien)
Château Léoville-Poyferré (Saint-Julien)
Château Léoville-Barton (Saint-Julien)
Château Montrose (Saint-Estèphe)
Château Pichon-Longueville-Baron (Pauillac)
Château Pichon-Longueville-Comtesse-de-Lalande (Pauillac)
Château Rausan-Ségla (Margaux)
Château Rauzan-Gassies (Margaux)

TROISIÈMES CRUS

Château Boyd-Cantenac (Margaux)
Château Cantenac-Brown (Margaux)
Château Calon-Ségur (Saint-Estèphe)
Château Desmirail (Margaux)
Château Ferrière (Margaux)
Château Giscours (Margaux)
Château d'Issan (Margaux)
Château Kirwan (Margaux)
Château Lagrange (Saint-Julien)
Château La Lagune (Haut-Médoc)

Château Langoa (Saint-Julien)
Château Malescot-Saint-Exupéry (Margaux)
Château Marquis d'Alesme-Becker (Margaux)
Château Palmer (Margaux)

QUATRIÈMES CRUS

Château Beychevelle (Saint-Julien)
Château Branaire-Ducru (Saint-Julien)
Château Duhart-Milon-Rothschild (Pauillac)
Château Lafon-Rochet (Saint-Estèphe)
Château Marquis-de-Terme (Margaux)
Château Pouget (Margaux)
Château Prieuré-Lichine (Margaux)
Château Saint-Pierre (Saint-Julien)
Château Talbot (Saint-Julien)
Château La Tour-Carnet (Haut-Médoc)

CINQUIÈMES CRUS

Château Batailley (Pauillac)
Château Haut-Batailley (Pauillac)
Château Belgrave (Haut-Médoc)
Château Camensac (Haut-Médoc)
Château Cantemerle (Haut-Médoc)
Château Clerc-Milon (Pauillac)
Château Cos-Labory (Saint-Estèphe)
Château Croizet-Bages (Pauillac)
Château Dauzac (Margaux)
Château Grand-Puy-Ducasse (Pauillac)
Château Grand-Puy-Lacoste (Pauillac)
Château Haut-Bages-Libéral (Pauillac)
Château Lynch-Bages (Pauillac)
Château Lynch-Moussas (Pauillac)
Château Mouton-Baronne-Philippe (Pauillac)
Château Pédesclaux (Pauillac)
Château Pontet-Canet (Pauillac)
Château du Tertre (Margaux)

II. LES CRUS CLASSÉS DU SAUTERNAIS EN 1855

PREMIER CRU SUPÉRIEUR

Château d'Yquem

PREMIERS CRUS

Château Climens
Château Coutet
Château Guiraud
Château Lafaurie-Peyraguey
Clos Haut-Peyraguey
Château Rayne-Vigneau
Château Rabaud-Promis
Château Sigalas-Rabaud
Château Rieussec
Château Suduiraut
Château La Tour-Blanche

SECONDS CRUS

Château d'Arche
Château Broustet
Château Nairac
Château Caillou
Château Doisy-Daëne
Château Doisy-Dubroca
Château Doisy-Védrines
Château Filhot
Château Lamothe (Despujols)
Château Lamothe (Guignard)
Château de Malle
Château Myrat
Château Romer
Château Romer-du-Hayot
Château Suau

III. CLASSEMENT DES GRANDS CRUS DE SAINT-ÉMILION (décret du 11 janvier 1984, arrêté du 23 mai 1986)

SAINT-ÉMILION, PREMIERS GRANDS CRUS CLASSÉS	
A Château Ausone Château Cheval-Blanc	Château Canon Château Clos Fourtet Château Figeac Château La Gaffelière Château Magdelaine

B Château Beau-Séjour
    (Duffau-Lagarosse)
   Château Belair
	Château Pavie
	Château Trottevieille

SAINT-ÉMILION, GRANDS CRUS CLASSÉS	
Château Balestard La Tonnelle	Château La Clusière
Château Beau-Séjour (Bécot)	Château La Dominique
Château Bellevue	Château Lamarzelle
Château Bergat	Château L'Angelus
Château Berliquet	Château Laniote
Château Cadet-Piola	Château Larcis-Ducasse
Château Canon-La-Gaffelière	Château Larmande
Château Cap de Mourlin	Château Laroze
Château Chauvin	Château L'Arrosée
Château Clos des Jacobins	Château La Serre
Château Clos La Madeleine	Château La Tour du Pin-Figeac
Château Clos de L'Oratoire	(Giraud-Belivier)
Château Clos Saint-Martin	Château La Tour du Pin-Figeac (Moueix)
Château Corbin	Château La Tour-Figeac
Château Corbin-Michotte	Château Le Châtelet
Château Couvent des Jacobins	Château Le Prieuré
Château Croque-Michotte	Château Matras
Château Curé Bon La Madeleine	Château Mauvezin
Château Dassault	Château Moulin du Cadet
Château Faurie de Souchard	Château Pavie-Decesse
Château Fonplégade	Château Pavie-Macquin
Château Fonroque	Château Pavillon-Cadet
Château Franc-Mayne	Château Petit-Faurie-de-Soutard
Château Grand-Barrail-Lamarzelle-Figeac	Château Ripeau
Château Grand Corbin	Château Sansonnet
Château Grand Corbin Despagne	Château Saint-Georges Côte Pavie
Château Grand Mayne	Château Soutard
Château Grand Pontet	Château Tertre Daugay
Château Guadet Saint-Julien	Château Trimoulet
Château Haut Corbin	Château Troplong-Mondot
Château Haut Sarpe	Château Villemaurine
Château La Clotte	Château Yon-Figeac

IV. POMEROL

PREMIER CRU SUPÉRIEUR
Château Petrus

V. CLASSIFICATION DES GRAVES

• 40 communes d'appellation GRAVES • Il y a environ 1 700 ha en appellation GRAVES ROUGES et environ 1 500 ha en appellation GRAVES BLANCS • Il y a plus de 160 "Châteaux" principaux dont 15 sont des crus classés en rouge et/ou en blanc (arrêté du 16 février 1959).

Ce sont (par ordre alphabétique)	Blanc	Rouge
Châteaux : Bouscaut	B	R
Carbonnieux	B	R
De Chevalier	B	R
Couhince	B	—
Fieuzal	—	R
Haut Bailly	—	R
Haut Brion (est classé 1er cru 1855 avec les Médoc)	—	R
La Mission Haut Brion	—	R
La Tour Haut Brion	—	R
La Ville Haut Brion	B	—
La Tour Martillac	B	R
Malartic Lagravière	B	R
Olivier	B	R
Pape Clément	—	R
Smith Haut Laffitte	—	R

Jean Ramet
Ramet / Bordeaux (Gironde)

Jean Ramet, l'un des plus grands chefs de la région bordelaise, est né à Vichy. Mais il est inutile de lui demander s'il préfère les eaux de sa ville natale aux vins de sa province d'adoption : la réponse est non !

Le restaurant Jean Ramet, créé en 1982 et situé 7, place Jean-Jaurès à Bordeaux, a déjà obtenu plusieurs distinctions parmi lesquelles 1 étoile au Michelin, 3 toques et une note 17/20 au Gault et Millau, 1 point rouge au Guide Hachette 1984 et 2 étoiles au Bottin Gourmand !

Elevé à Vichy dans une famille de commerçants, il rencontre assez souvent les frères Troisgros de Roanne qui sont des amis de ses parents. Et il attrape le virus. Il devra attendre deux ans et demi avant d'être admis comme apprenti chez les Troisgros. En attendant, il se fait la main sur les douceurs en travaillant chez un pâtissier suisse installé dans sa ville natale.

A 18 ans, il entre enfin chez les frères Troigros... pour 3 ans. *"J'avais de la chance, dit-il, j'étais formé à la haute école du classicisme pendant une période grisante animée par les prémices de la nouvelle cuisine. Je percevais le sens des valeurs sûres en même temps que je goûtais à la volupté de la création."*

Il "passe" ensuite au Pot-au-Feu à Asnières, tenu par Michel Guérard, puis chez Lasserre où il restera 3 ans. Et enfin au Chapon Fin à Bordeaux. Il découvre la ville et décide de s'y fixer. Nous sommes le 18 décembr 1975. Au Chapon, il connaît Raymonde qu'il épouse. Puis il s'installe sur les quais, près de la Bourse, dans un ancien magasin d'accastillag Quelques plats suggérés par Raymonde Ramet : le feuilleté d'huîtres (l'huître, élément onctueux et sucré, conservée dans un feuilletag croquant accompagné d'une sauce légèrement acide, adoucie par de tendres légumes, carottes douces notamment), l'étouffée de homar dans son jus de persil, la jambonnette de volaille farcie de foie gras et de cèpes, cuite en papillotte, le pigeon de Mme Raymonde, le blan de turbot cuit à la vapeur sauce crème de poireaux, l'escalope de foie de canard au caramel, plusieurs des plats de Jean Ramet sont compo sés avec des vins de Bordeaux, de Côtes-de-Blaye, de Graves, de St-Emilion et pour certains desserts de Monbazillac, tirés d'une cav qui héberge au moins 150 crus différents !

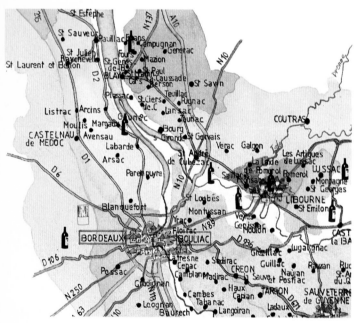

7-8, place Jean-Jaurès
33000 BORDEAUX
Tél. 56 44 12 51

Restaurant : Jean Ramet
Fermeture annuelle : Noël, Pâques et du 10 au 24 août
Fermeture hebdomadaire : samedi et dimanche.
Carte : 265 à 380 F.
Cartes bancaires : Carte Bleue.

Sommelier : M. Bruno RISLADE.

ean-Noël Boidron

Corbin-Michotte

3330 St-Emilion

él. 56 96 28 57

Appellation : **SAINT-EMILION GRAND CRU**
Nom : **CHATEAU CORBIN-MICHOTTE**
Couleur et millésime : **Rouge 86**
Producteur : **M. Jean-Noël Boidron**
Terroir : **silico graveleux**
Cépages : **Merlot + Cabernet Franc**
Rendement : **41 hl/hectare**
Vendange et vinification : **manuelle, sélection manuelle, macération longue**
Elevage : **en barriques 1/3 neuves + 2/3 barriques 1 et 2 ans**
Caractère : **Vin très coloré, intense, finement boisé, arômes complexes et intenses, attaque moelleuse, beaucoup de corps et de volume**
Evolution : **vin à son optimum vers 1992, consommation entre 1990 et 2010**
Observations : **autres vins : Château Calon à Montagne St-Emilion et St-Georges St-Emilion. Réception et dégustation sur rendez-vous, à Calon, Montagne**

Capdemourlin

iticulteur-exploitant

Château Roudier

Montagne

3570 Lussac

él. 57 74 62 06

57 24 74 35

Appellation : **SAINT-ÉMILION GRAND CRU** (grand cru classé)
Nom : **CHATEAU BALESTARD LA TONNELLE**
Couleur et millésime : **Rouge 86**
Producteur : **M. Jacques Capdemourlin**
Terroir : **plateau argilo-calcaire**
Cépages : **65% Merlot, 20% Cabernet Franc, 10% Cabernet Sauvignon, 5% Malbec**
Rendement : **42 hl/hectare**
Vendange et vinification : **manuelle, vinification traditionnelle. Cuvaison minimum de 15 jours. Pressurage : presse hydraulique**
Elevage : **1/3 fûts neufs, 1/3 fûts de moins de 4 ans, 1/3 cuves inox**
Caractère : **belle couleur rubis. Beaucoup de mâche, d'onctuosité.**
Evolution : **vin de garde**
Observations : **Visiteurs reçus sur RV et en semaine. Autres crus : Château Cap de Mourlin, St-Emilion grand cru (grand cru classé). Château Petit Faurie de Soutard St-Emilion grand cru (grand cru classé). Château Roudier Montagne-St-Emilion**

CE Château

a Pointe-Pomerol

I. d'Arfeuille

3500 Pomerol

él. 57 51 02 11

Appellation : **POMEROL**
Nom : **CHATEAU LA POINTE**
Couleur et millésime : **Rouge 85**
Producteur : **M. d'Arfeuille**
Terroir : **couches sablonneuses avec éléments ferrugineux et marneux**
Cépages : **80% Merlot et 20% Cabernet**
Mode de culture : **traditionnel**
Vendange et vinification : **macération : 2 à 3 semaines**
Elevage : **en cuves traditionnelles**
Caractère : **onctueux et velouté**
Observations : **dégustation sur rendez-vous. Autres vins : Château La Serre Grand Cru St-Emilion, Château Tessendey Fronsac, Château Flojague Bordeaux Supérieur Côtes de Castillon, Château Toumalin-Canon Fronsac**

I. Paul Barre

Château La Grave

3126 Fronsac

él. 57 51 31 11

Appellation : **FRONSAC**
Nom : **CHATEAU LA GRAVE**
Couleur et millésime : **Rouge 85**
Producteur : **M. Paul Barre**
Terroir : **sablo-argileux**
Cépages : **60% Merlot, 30% Cabernet Sauvignon, 10% Cabernet Franc**
Rendement : **45 hl/hectare**
Mode de culture : **traditionnel**
Vendange et vinification : **vendange manuelle et vinification traditionnelle**
Elevage : **barriques 100%**
Caractère : **vin fruité et ayant de la mâche**
Evolution : **de garde**
Observations : **Paul Barre produit également les vins des Châteaux La Fleur Cailleau (Canon Fronsac), Esterling (Fronsac). Visites et dégustations sur rendez-vous**

Michel Rullier

Château Dalem

3141 Saillans

él. 57 84 34 18

Appellation : **FRONSAC**
Nom : **CHATEAU DALEM**
Couleur et millésime : **Rouge 85**
Producteur : **M. Michel Rullier**
Terroir : **coteaux et faux plateaux. Molasse argilo-calcaire**
Cépages : **80% Merlot, 15% Cabernet Franc, 5% Cabernet Sauvignon**
Rendement : **45 hl/hectare**
Vendange et vinification : **traditionnelles**
Elevage : **25% barriques neuves**
Caractère : **rouge profond très intense, nez agréablement boisé ; début de dégustation tout en souplesse, la puissance se relève progressivement pour laisser en fin de bouche une impression veloutée**
Observations : **Michel Rullier produit également les vins du Château de La Huste AOC Fronsac. Nos productions sont vendues aux professionnels, dont 80% à l'export sur 14 pays. Visites et dégustations sur RV. Télex 550 626 F. Fax 57 74 07 40**

**Brigitte
Lurton-Belondrade**

123, rue
Georges Mandel
33000 Bordeaux

Tél. 56 06 46 30

Appellation : **MARGAUX**
Nom : **CHATEAU NOTTON**
Couleur et millésime : **Rouge 82**
Producteur : **M. Lucien Lurton**
Terroir : **graves profondes du quaternaire**
Cépages : **70% Cabernet Sauvignon, 15% Merlot, 13% Cabernet Franc, 2% Petit
Verdot**
Rendement : **40 hl/hectare**
Vendange et vinification : **mécanique et manuelle**
Elevage : **vinification en cuve inox. 20 mois en barriques de chêne renouvelées par 1/4**
Caractère : **très arômatique, charnu, tanins fins**
Evolution : **à boire ou conserver cinq à six ans**
Autres vins : **second vin du Château Brane Cantenac**

**S.D.F.
Clauzel-Cruchet**

Château
La Tour de Mons
Soussans
33460 Margaux

Tél. 56 88 33 03

Appellation : **MARGAUX**
Nom : **CHATEAU LA TOUR DE MONS**
Couleur et millésime : **Rouge 86**
Producteur : **Clauzel-Cruchet**
Terroir : **graves**
Cépages : **40% Merlot, 45% Cabernet Sauvignon, 10% Cabernet Franc, 5% Petit
Verdot**
Rendement : **45 hl/hectare**
Mode de culture : **traditionnel**
Vendange et vinification : **manuelle et vinification traditionnelle**
Elevage : **barriques de chêne, rotation bois neuf**
Caractère : **vin tonique, généreux, fruité, plein d'élégance et charme**
Evolution : **peut attendre**
Observations : **visite et dégustation sur rendez-vous**

Château Le Boscq

Philippe Durand
viticulteur
Saint-Estèphe
33250 Pauillac

Tél. 56 59 38 44

Appellation : **SAINT-ESTEPHE**
Nom : **CHATEAU LE BOSCQ**
Couleur et millésime : **Rouge 86**
Producteur : **M. Philippe Durand**
Terroir : **graves**
Cépages : **25% Cabernet Sauvignon, 15% Cabernet Franc, 10% Petit Verdot, 40%
Merlot**
Rendement : **50 hl/hectare**
Mode de culture : **traditionnel**
Vendange et vinification : **mécanique, vinification longue avec contrôle des températures**
Elevage : **25% de barriques neuves**
Caractère : **robe rouge sombre, nez vanillé, note de pain brûlé, finesse et harmonie en
bouche**
Evolution : **vin de garde entre 5 et 10 ans**

Autres bonnes adresses

Château Les Ormes Sorbet, 33 Lesparre Médoc. **Château Pontet**, 33 Lesparre Médoc. **Vieux Château Landon**, 33 Lespar
Médoc. **Château Fourcas Hosten**, 33 Listrac. **Château Troupian**, 33 St-Seurin-de-Cadourne. **Château des Trois Chardon**
33 Margaux. **Château Saransot Dupré**, 33 Listrac. **Château Terrey Gros Cailloux**, 33 Pauillac. **Château Patris**, 33 Sain
Emilion. **Château Petit Faurie de Soutard**, 33 Saint-Emilion. **Château La Clotte**, 33 Libourne. **Château Cadet Piola**, 3
Saint-Emilion. **Château La Croix de Gay**, 33 Pomerol. **Château Vieux Chevrol**, 33 Néac. **Château Haut Surget**, 33 Néa

"Les Bordeaux que j'aime"

Jean-Pierre XIRADAKIS

A vouloir comparer le vin à une œuvre d'art et à intellectualiser son discours, on détourne un produit de la terre de son objectif initial : le plaisir *sensoriel*.

L'émotion est trop souvent remplacée par une référence au prestige et à la notoriété.

Les prix aidant, ces joyaux seront pour le buveur d'étiquette des mythes inaccessibles.

Les vignerons devenus viticulteurs, puis propriétaires pourraient laisser échapper, sans s'en rendre compte, la finalité du vin, qui devrait être consommé dans un esprit de *convivialité* et *d'amitié*.

De nombreux vignerons récoltant de petits crus l'ont compris. Ils sont contraints par la conjoncture, de proposer sur le marché des vins d'une qualité irréprochable, qui peuvent être bus à tous les âges, sans recueillement, pour le simple plaisir.

Ils font eux-mêmes, parfois dans l'ombre des châteaux prestigieux, avec maintenant de très bons moyens techniques, le même travail dans un souci farouche de qualité : vinification, sélection, vieillissement.

Dans le bordelais, ces vignerons sont nombreux, jeunes pour la plupart, vous pourrez les rencontrer sur leurs tracteurs ou dans leur chais, préoccupés par le temps, sensibles au moindre cumulus, attentifs à la floraison, inquiets par une veraison tardive. Prenant à chaque récolte des risques financiers, repoussant toujours plus loin la date des vendanges pour obtenir la meilleure maturité du raisin, ils lancent avec acharnement un défi à la nature. Certaines années, pour garder la quintessence de leur récolte, courageux, ils sauront comme les plus grands, en sacrifier une partie.

Il nous importe donc de savoir ce que l'on veut : ou boire des étiquettes avec une certaine garantie de qualité, ou partir à l'aventure et découvrir à moindre prix ces vins *élevés* par des hommes qui sauront nous recevoir et nous faire partager autour d'un verre leur *passion*. Ils sont aussi la fierté du Bordeaux, de mon Bordeaux.

Jean-Pierre Xiradakis
La Tupiña / Bordeaux (Gironde)

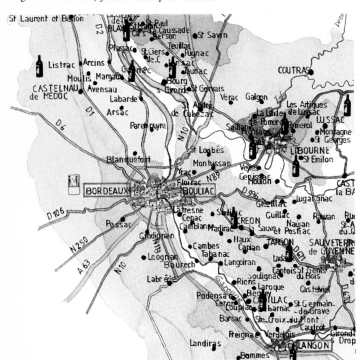

Ce grand restaurateur du Sud-Ouest est (en partie) d'origine grecque (son patronyme l'atteste) et il a appris la cuisine en Espagne : **Jean-Pierre Xiradakis** est donc un cas.

Son Ecole Hôtelière a été une ferme-auberge du Pays Basque d'outre-Pyrénées où il a pu se faire la main mais aussi approcher un type de cuisine qui présente quelques points de rencontre avec celle de sa région.

En 1969, il a créé la Tupiña, dans le vieux Bordeaux, proche des quais, rue de la Porte-de-la-Monnaie.

Il a, chevillé au cœur, l'amour de sa terre natale et il n'hésite pas à prendre la plume pour célébrer le mérite de ses produits. En 1985, avec une centaine d'autres chefs du pays, il lance une association "Défense et Sauvegarde des Traditions Gastronomiques du Sud-Ouest", dotée d'un journal intitulé "Savoir Plus" qui participe, entre autres, à la redécouverte du bœuf de Bazas, de l'agneau de Pauillac et... du haricot tarbais !

L'association a même constitué un dossier juridique à propos de la commercialisation du gibier et travaille actuellement à la remise en valeur dans la région de la culture de la tomate de plein champ !

Le pain local, l'anchois, les poulets, la piballe (en fait la civelle, alevin d'anguille, cf "Le Grand Chemin" !) font l'objet de toute l'attention du "club des cent".

Jean-Pierre Xiradakis sillonne le vignoble bordelais avec constance afin d'y choisir les grands crus qui demain feront l'orgueil de sa table et le plaisir de notre palais. Chaque semaine. il déguste une vingtaine de vins. Il tire d'un injuste oubli quelques vins de valeur dont il fait profiter sa clientèle. Ses découvertes se situent à des prix corrects dépassant rarement 50 F.

Devenu un grand connaisseur en ce domaine, J.P. Xiradakis prête souvent sa plume à notre confrère J.P. Kaufmann et à son "Amateur de Bordeaux". Et bien sûr il utilise une bonne partie des crus qu'il découvre dans ses préparations culinaires, dont la classique "lamproie à la bordelaise" !

A propos de sa quête perpétuelle de vin de qualité hors des sentiers battus, le guide Hubert écrit : *"un sens de la dégustation... lui a fait dépasser les clivages et les courbettes aux sacro-saintes étiquettes. Il n'a pas son pareil pour dénicher les bons Bordeaux, grands et petits, qui valent plus par leur contenu que par leur habillage."*

Le Champérard note *"le parti-pris régionaliste de sa cuisine"* et J.P. Xiradakis lui-même n'hésite pas à déclarer : *"J'aime la cuisine que je fais, les trucs très simples. Je suis fou d'un poulet rôti avec des croûtons à l'ail. Je me régale d'une soupe, j'adore la volaille, et si j'aime moins la viande rouge, je me laisse faire s'il s'agit d'un bœuf grillé sur la braise. J'aime les choses qui ont du goût, du caractère de l'accent, de la vigueur, j'aime les tomates farcies, la morue, le flan aux œufs."*

Par contre, et ce qui précède le laisse supposer, il n'apprécie nullement la "nouvelle cuisine" qui "l'angoisse" : *"Quand je bouffe des rougets au chocolat, je suis désemparé et triste."*

6, rue Porte-de-la-Monnaie
33000 BORDEAUX
Tél. 56 91 56 37

Restaurant : La Tupiña.
Fermeture hebdomadaire : dimanche et jours fériés.
Carte : 180 à 200 F.
Cartes bancaires : Carte Bleue, American Express.

Sommelier : M. Eric BILLIÈRE.

Château Thieuley

La Sauve

33670 Créon

Tél. 56 23 00 01

Appellation : **BORDEAUX**
Nom : **CHATEAU THIEULEY, cuvée Francis COURSELLE**
Couleur et millésime : **Blanc 88**
Producteur : **M. Francis Courcelle**
Terroir : **sols argilo-graveleux**
Cépages : **40% Sauvignon, 60% Sémillon**
Rendement : **50 hl/hectare**
Mode de culture : **traditionnel**
Vendange et vinification : **mécaniques**
Elevage : **bois neuf entre 4 et 7 mois**
Caractère : **robe pâle à reflets jaune cristallin, arômes floraux de type citronné, bonne souplesse en bouche**
Evolution : **entre 3 et 8 ans**
Observations : **autres vins : cépage Sauvignon blanc, Bordeaux rouge en barriques**

G.A.E.C.
Château de Bertin

33760 Cantois

Tél. 56 23 61 02

Appellation : **BORDEAUX HAUT-BENAUGE**
Nom : **CHATEAU DE BERTIN**
Couleur et millésime : **Blanc 88**
Producteur : **MM. Ferran Père & Fils**
Terroir : **argilo-calcaire**
Cépages : **45% Sauvignon, 23% Muscadelle, 32% Sémillon** / Rendement : **51 hl/ha**
Vendange et vinification : **vinification par macération pelliculaire**
Elevage : **en cuves sur lie fine**
Caractère : **arômes fruits exotiques complexes, rond, gras et de grande longueur en bouche**
Evolution : **1989 pendant deux années**
Observations : **autres vins : Château de Bertin en Entre deux Mer/Haut Benauge. Château Cantelon La Sablière en rouge et en appellation Bordeaux rouge 87 vieilli en barriques. Château de Bertin en rouge 87. Château Josseme en rouge 87. Accueil, visite, dégustation et vente sur rendez-vous**

Château
Haut Macô

Bernard et Jean
Mallet Frères

33710 Tauriac

Tél. 57 68 81 26

Appellation : **COTES DE BOURG**
Nom : **CHATEAU HAUT MACO**
Couleur et millésime : **Rouge 86**
Producteur : **MM. Bernard et Jean Mallet Frères**
Terroir : **argilo-calcaire, boulbène et graves**
Cépages : **70% Cabernet Franc et Cabernet Sauvignon, 30% Merlot**
Rendement : **45 hl/hectare**
Vendange et vinification : **vendange à maturité optimum. Vinification : éraflage, contrôle des températures, macération 15 à 20 jours**
Elevage : **en barriques neuves pendant 15 mois**
Caractère : **nez complexe et charmeur, dominantes florales et boisées, souple et gras, tanin équilibré. Vin de grande distinction**
Evolution : **entre 6 et 10 années**
Observations : **autres vins : Haut Macô élevage traditionnel (cuves). 2e vin en appellation Bordeaux (Domaine de Lilotte). Possibilité visite**

Château Peyreyre

Michel Trinque
propriétaire
viticulteur

33390 St-Martin-
Lacaussade

Tél. 57 42 18 57

Appellation : **PREMIÈRES COTES DE BLAYE**
Nom : **CHATEAU PEYREYRE**
Couleur et millésime : **Rouge 86**
Producteur : **M. Michel Trinque**
Terroir : **argilo-calcaire**
Cépages : **65% Merlot, 5% Cabernet Franc, 25% Cabernet Sauvignon, 5% Malbec**
Rendement : **55 hl/hectare**
Vendange et vinification : **vinification par cuvaison longue et contrôle de température**
Elevage : **vieillissement en barriques, renouvelées par 1/3**
Caractère : **robe soutenue, arômes vanille et épices, vin rond, charnu, bien charpenté, grande longueur en bouche**
Evolution : **de 3 à 12 ans, vin de longue garde**
Observations : **autres vins : blanc en appellation Côte de Blaye. Visite, dégustation et vente tous les jours sauf dimanche**

Société du Château

Moulin Pey-Labrie

33126 Fronsac

Tél. 57 51 14 37

Appellation : **CANON-FRONSAC**
Nom : **CHATEAU MOULIN PEY-LABRIE**
Couleur et millésime : **Rouge**
Producteur : **Bénédicte et Grégoire Hubau-Renard**
Terroir : **sol argilo-calcaire sur côtes de molasse**
Cépages : **70% Merlot, 20% Cabernet Franc, 10% Cabernet Sauvignon**
Mode de culture : **traditionnel**
Vendange et vinification : **vendange manuelle et vinification traditionnelle**
Elevage : **barriques de chêne merrain (60% neuf en 88)**
Caractère : **vin puissant et fruité qui exprime toute son ampleur en bouche**
Evolution : **vin de garde pouvant être aussi bu dans sa jeunesse**
Observations : **Bénédicte et Grégoire Hubau produisent également le Château Moulin (Canon-Fronsac). Visites et dégustations sur rendez-vous**

Héritiers Rolland

Château
Le Bon Pasteur
"Maillet"
33500 Pomerol
Tél. 57 51 18 71

Appellation : **POMEROL**
Nom : **CHATEAU LE BON PASTEUR**
Couleur et millésime : **Rouge**
Producteur : **Héritiers Rolland**
Terroir : **7 ha, sols : argilo-graveleux, graveleux et sablo-graveleux. Age des vignes : 30 ans**
Cépages : **75% Merlot, 25% Cabernet Franc**
Rendement : **production environ 3.500 caisses**
Vendange et vinification : **manuellement à pleine maturité et vinifié séparément en petites cuves inox avec régulation automatique des températures.**
Elevage : **en barriques de chêne merrain renouvelées des 2/3 chaque année, pendant 12 mois**
Caractère : **robe sombre de cerise noire, au nez arômes de fruits rouges très mûrs et de noyau. Une bouche charnue, concentrée, riche de beaux tanins boisés bien fondus. Vins de garde**
Observations : **Château Le Bon Pasteur produit des vins évoquant à la fois la finesse typique des Pomerol et la puissance de corps des St-Emilion**

Vignobles Jean Dubois-Challon

Château Ausone
33330 St-Emilion
Tél. 57 24 70 94

Appellation : **SAINT-GEORGES SAINT-ÉMILION**
Nom : **CHATEAU TOUR DU PAS SAINT-GEORGES**
Couleur et millésime : **Rouge 86**
Producteur : **Madame Dubois-Challon**
Terroir : **argilo-silico-calcaire**
Cépages : **50% Merlot, 35% Cabernet Franc, 15% Sauvignon**
Rendement : **45 hl/hectare**
Mode de culture : **traditionnel**
Vendange et vinification : **tries et sélection sévère des raisins et des cuves**
Elevage : **en barriques de chêne**
Caractère : **vin puissant, bien charpenté avec des fruits et des arômes secondaires**
Evolution : **bon potentiel de vieillissement, à boire aussi depuis 89**
Observations : **autres productions : Château Belair en appellation 1er Grand Cru classé St-Emilion. Bordeaux blanc et rosé : Domaine Challon**

Château Croix Beauséjour

33570 Montagne
Tél. 57 74 69 62

Appellation : **MONTAGNE SAINT-ÉMILION**
Nom : **CHATEAU CROIX BEAUSÉJOUR**
Couleur et millésime : **Rouge 86**
Producteur : **M. Olivier Laporte**
Terroir : **argilo-calcaire**
Cépages : **70% Merlot, 15% Malbec, 15% Cabernet Franc et Cabernet Sauvignon**
Rendement : **55 hl/hectare**
Vendange et vinification : **manuelle, cuvaison longue**
Elevage : **en partie, élevage en fûts de chêne pendant 6 mois**
Caractère : **belle couleur rouge cerise, racé, velouté, et plutôt féminin au palais. Vin d'une très grande finesse**
Evolution : **à boire dès 1990, et pendant 8 années**
Observations : **vin médaille d'argent concours agricole Paris 1988. Visite, dégustation et vente sur rendez-vous**

Domaine du Noble

33410 Loupiac
Tél. 56 62 99 36

Appellation : **LOUPIAC**
Nom : **DOMAINE DU NOBLE**
Couleur et millésime : **Blanc 86**
Producteur : **MM. Dejean Père & Fils**
Terroir : **graveleux, sous-sol argilo-calcaire**
Cépages : **20% Sauvignon, 80% Sémillon**
Rendement : **30 hl/hectare**
Mode de culture : **traditionnel**
Vendange et vinification : **manuelle par tries successives, fermentation en barriques chêne bois neuf**
Elevage : **en barriques pendant 12 mois**
Caractère : **très parfumé, dense et suave, nuances de miel, acacias et fruits confits**
Evolution : **à boire à partir de 1989 pendant 15 années**
Observations : **visites, dégustations et ventes sur rendez-vous**

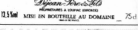

Château du Maine

Graves J.-P. Duprat
33210 Langon
Tél. 56 63 52 26
et 56 62 23 40

Appellation : **GRAVES**
Nom : **CHATEAU DU MAINE**
Couleur et millésime : **Rouge 86**
Producteur : **M. Jean-Pierre Duprat**
Terroir : **hétérogène, sable grossier, graves en profondeur et localement en surface, sous-sol argilo-graveleux**
Cépages : **10% Cabernet Franc, solde en Petit Verdot et Malbec**
Rendement : **62 hl/hectare en 1986**
Mode de culture : **classique**
Vendange et vinification : **manuelle après effeuillage, cuvaison entre 11 et 22 jours**
Elevage : **2 années en barriques**
Caractère : **très belle couleur, nez intense, ample en bouche, bien structuré**
Evolution : **à boire entre 4 et 15 ans, bonne garde prévisible**
Observations : **2e vin : Château Le Barail. Visite et dégustation sur rendez-vous**

**Château
Mayne Lalande**
33480
Listrac Médoc
Tél. 56 58 27 63

Appellation : **LISTRAC MÉDOC**
Nom : **CHATEAU MAYNE LALANDE**
Couleur et millésime : **Rouge 87**
Producteur : **M. et Mme Bernard Lartigue**
Terroir : **argilo-calcaire ou siliceux-graveleux**
Cépages : **50% Cabernet Sauvignon, 50% Merlot** / Rendement : **48 hl/hectare**
Vendange et vinification : **vendange mécanique, triage manuel de la vendange à la réception, vinification par thermo-régulation**
Elevage : **en barriques, bois neuf, 30% renouvelé tous les ans. Entre 8 et 12 mois**
Caractère : **belle couleur foncée, arômes complexes de vanille, de petits fruits rouges, noyaux et quelques notes florales (menthe)**
Evolution : **à consommer entre 3 et 6 ans**
Observations : **visite et dégustation tous les jours au Château sur rendez-vous. (Repas par groupe de 30 personnes maxi)**

**Indivision
Tessandier**
Macau
33460 Margaux
Tél. 56 30 42 04

Appellation : **HAUT-MÉDOC**
Nom : **CHATEAU MAUCAMPS**
Couleur et millésime : **Rouge 86**
Producteur : **M. Tessandier. M. Gaudin, régisseur**
Terroir : **croupe de graves garonnaises**
Cépages : **60% Cabernet Sauvignon, 40% Merlot**
Rendement : **45 hl/hectare**
Vendange et vinification : **vendange manuelle**
Elevage : **16 mois en barriques de chêne merrain. Renouvellement annuel au 1/3**
Caractère : **nez marqué par le Sauvignon et la vanille. Evoque la confiture de fruits rouges, suc des tanins de qualité**
Evolution : **vin de longue garde**
Observations : **autres vins : Château Dasvin, Bel-air Cru Bourgeois du Haut-Médoc. Château Lescalle Bordeaux Supérieur. Visite, dégustation et vente sur rendez-vous**

Autres bonnes adresses

Union des Viticulteurs, 24 Saint-Laurent-des-Vignes. **Château Petit Freylon,** 33 St-Genis-du-Bois. **Château Laclaverie,** 33 Lussac. **Union des Coopératives du Médoc,** 33 Gaillan-Médoc. **Château Larruau,** 33 Margaux. **Domaine du Chastelet,** 33 Quinsac. **Château de Bellevue,** 33 Lussac. **Château Le Tertre Rotebœuf,** 33 St-Laurent-des-Combes. **Château La Croix de Chenevelle,** 33 Lalande-Pomerol. **Château Haut Grelot,** 33 St-Ciers-Gironde. **Château Les Mailles,** 33 Sainte-Croix-du-Mont. **Château Archambeau,** 33 Illats.

Le vin au fil des saisons...

JANVIER. Premier mois de l'année, c'est aussi celui où, malgré le froid, il vous faut — parfois impérativement — reposer votre cher estomac des copieuses, voire excessives libations de la période des fêtes qui vient de s'achever. En ce temps de pause gastrique obligée, dirigez votre choix vers des vins plutôt digestes, c'est-à-dire ni trop chargés, ni trop capiteux.
Dans cette optique, certains sont tout à fait les bienvenus. Dans le rayon des rouges : le délicat *Saumur-Champigny,* ou son voisin le *Chinon* (celui provenant des terrains sablonneux ou graveleux est le plus tendre) ; des Bourgognes légers, souples et aromatiques *(Savigny-lès-Beaune, Volnay, Monthélie, Givry) ;* des crus du Beaujolais dans le type *Fleurie* ou *Chiroubles ;* certains Bordeaux des Côtes *(Premières Côtes de Blaye, Côtes de Francs)* ou quelque petit ''château'' sélectionné avec soin dans l'immense marée de l'appellation *Bordeaux* ou *Bordeaux supérieur.*
Du côté des blancs, optez pour des vins d'acidité moyenne, comme les vins du Mâconnais (en particulier le *Saint-Véran),* les *Graves* blancs ou encore, pour l'Alsace, le rond et fruité *Pinot blanc,* souvent oublié des amateurs.
En apéritif, désertez les traditionnels scotchs, aux vertus perforantes largement éprouvées, et lancez-vous à la découverte des vins doux naturels, bien plus profitables à votre estomac et qui mériteraient d'être plus largement connus. La gamme de ces suaves breuvages est d'ailleurs fort variée : *Muscat* (de Rivesaltes, de Frontignan, de Mireval, de Lunel, de Saint-Jean-de-Minervois, de Beaumes-de-Venise), *Rasteau, Banuyls, Maury, Rivesaltes.*

FÉVRIER. C'est le mois béni des skieurs. Si vous faites partie de ces heureux dévaleurs de pentes, c'est la période idéale pour prendre contact, sur place, avec les fringants vins de montagne. Pour les abonnés des descentes alpines, la Savoie offre ses crus alertes *(Apremont, Abymes, Crépy, Seyssel* et bien d'autres), sans oublier leurs petits cousins, les méconnus vins du Bugey. Les assidus des sommets pyrénéens peuvent se régaler du *Jurançon* (en sec ou en moelleux) ou des autres vins du Béarn, en particulier du très vif *Pacherenc du Vic-Bilh.* Si vous pratiquez le ski de fond en Jura, faites connaissance avec les merveilleuses appellations franc-comtoises *(Arbois, l'Etoile, Côtes du Jura),* mais si vous préférez le Massif Central, n'oubliez pas les gentils *Côtes d'Auvergne.*
Enfin, si vos vacances neigeuses vous conduisent dans les Vosges, la belle cohorte des vins d'Alsace n'est, après tout, qu'à portée de luge. Pour les autres, ceux qui n'ont pas la chance de participer à ces grandes migrations hivernales, c'est le moment rêvé pour dialoguer, sur les solides nourritures de ce mois glacé, avec les puissants et roboratifs crus rouges de Bordeaux *(Pauillac, Graves, Saint-Emilion, Canon-Fronsac)* ou, à moindre niveau, avec ces vins foncés et musclés que sont le *Cahors,* le *Madiran,* le *Marcillac* ou le *Minervois.*

Philippe Jorand
Château Layauga / Lesparre-Médoc (Gironde)

Lorsqu'il exploitait à Munster, en Westphalie, un restaurant — au nom imprononçable, "Kleinesrestaurant im Oerschenhos", mais distingué par Michelin et classé parmi les dix meilleures tables d'Allemagne Fédérale — **Philippe Jorand** allait de temps à autres respirer l'air du pays sur la côte atlantique non loin de Bordeaux.

Séduit par la région, il achetait, pour y passer les vacances, une maison bourgeoise du XIXe à l'abandon, dans la petite bourgade de Lesparre-Médoc, entre Gironde et Océan.

En 1987, soigneusement restaurée, la vieille bâtisse cachée dans un parc derrière sa pièce d'eau, devenait un agréable hôtel-restaurant, le Château Layauga.

Franc-Comtois d'origine, Philippe Jorand a vite adopté produits et traditions culinaires du Médoc et des régions voisines. Il évolue entre le classique et le moderne, utilisant avec bonheur le foie gras des Landes, les truffes du Périgord, les poissons du bassin d'Arcachon, les volailles et, en hiver, le gibier.

Il est aussi devenu un inconditionnel du vin du Médoc auquel il trouve toutes les qualités.

La moitié de sa carte de cinq cents crus français est composée de Bordeaux et parmi ses cent cinquante Médoc, on trouve toutes les grandes années depuis 1955.

Pour lui ce vin est un seigneur auquel il faut adapter les plats et les sauces pour réaliser un mariage heureux.

Ses blinis de pomme de terre au saumon fumé et au caviar, son navarin de homard printanier, son ragoût de truffes aux œufs de caille pochés, son suprême de faisan au soufflé de choucroute sont élaborés pour être de parfaits compagnons de ce vin au subtil bouquet évoquant la rose, la violette ou les sous-bois aux jours ensoleillés de printemps.

Philippe Jorand est bien de l'avis de nombreux spécialistes esthètes du vin : *"Le Médoc est le premier vin rouge du monde. Il vieillit merveilleusement. Aucun qualificatif n'est trop fort pour le définir. Il est superbe."*

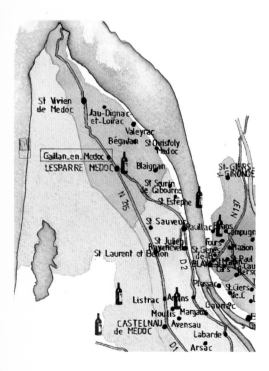

Gaillan-Médoc
33340 LESPARRE
Tél. 56 41 26 83

Hôtel-restaurant : Château Layauga. 4 étoiles.
7 chambres : 395 F.
Visites de caves organisées. Télévision, mini-bar, téléphone dans les chambres. Parking. Garage.
Jardin. Parc.
Chiens admis.
Menus : 175 F, 275 F, 600 F.
Carte : 300 à 400 F.
Petit-déjeuner : 45 F.
Cartes bancaires : Carte Bleue, Eurocard, Visa, MasterCard.

**Château
La Tour de By**

Begadan

33240

Lesparre-Médoc

Tél. 56 41 50 03

Appellation : **MÉDOC**
Nom : **CHATEAU LA TOUR DE BY**
Couleur et millésime : **Rouge 86**
Producteur : **M. Marc Pagès, membre de l'Union des Grands Crus de Bordeaux**
Terroir : **graves girondines**
Cépages : **66% Cabernet Sauvignon, 4% Cabernet Franc, 29% Merlot, 1% Petit Verdot**
Rendement : **70 hl/hectare**
Vendange et vinification : **vinification traditionnelle à chapeau flottant et longue macération**
Elevage : **en barriques dont 20% neuves par an**
Caractère : **coloré et tanique, puissant, grande longueur en bouche, parfum délicat
pleine sève, un vin vif**
Evolution : **à boire entre 3 et 20 ans...**
Observations : **Autres vins : 2ᵉ vin dans l'appellation : Moulin de la Roque. Accueil,
visite, dégustation et vente tous les jours ouvrables**

**Château
Fourcas-Dupré**

33480

Listrac-Médoc

Tél. 56 58 01 07

Appellation : **LISTRAC-MÉDOC**
Nom : **CHATEAU FOURCAS-DUPRÉ**
Couleur et millésime : **Rouge 86**
Producteur : **Ste Civile du Château Fourcas-Dupré, administrateur Patrice Pagès**
Terroir : **graves Pyrénéennes**
Cépages : **38% Merlot, 50% Cabernet Sauvignon, 10% Cabernet Franc, 2% Petit Verdot**
Rendement : **45 hl/hectare**
Vendange et vinification : **manuelle, traditionnelle avec cuvaison longue pour extraire
couleurs et tanins**
Elevage : **en barriques bordelaises**
Caractère : **robe sombre aux nuances rubis. Le bouquet se développant sur un
ensemble équilibré et suave. Avec le temps le fondu et l'élégance de ses tanins lui
confèrent une remarquable harmonie**
Observations : **également propriétaire du Château Bellevue Laffont à Listrac-Médoc
Cru Bourgeois, du Château Duplessis Fabre à Moulis-en-Médoc Cru Bourgeois**

**S.C.V.
H. Duboscq & Fils**

Château

Haut Marbuzet

33250

Saint-Estèphe

Tél. 56 59 30 54

Appellation : **SAINT-ESTÈPHE**
Nom : **CHATEAU HAUT MARBUZET**
Couleur et millésime : **Rouge 87**
Producteur : **M. Henri Duboscq**
Terroir : **croupe de graves descendant vers le fleuve ; sous-sol argilo-calcaire**
Cépages : **40% Merlot, 50% Cabernet Sauvignon, 10% Cabernet Franc**
Rendement : **45 hl/hectare**
Vendange et vinification : **vendanges manuelles avec recherche de surmaturité,
égrappage complet ; très longue macération accompagnée de remontages quotidiens et
de saignées fréquentes**
Caractère : **charnu, fruité, subtil**
Evolution : **évoluera en finesse pendant 15 ans**
Observations : **élevé en barriques de chêne, neuves pour chaque millésime, le Château
Haut Marbuzet puise dans ces contenants une onctuosité qui masque la virilité
traditionnelle des vins de St-Estèphe.**

Château Lavillotte

Saint-Estèphe

33250 Pauillac

Tél. 56 41 98 17

Appellation : **SAINT-ESTÈPHE (CRU BOURGEOIS)**
Nom : **CHATEAU LAVILLOTTE**
Couleur et millésime : **Rouge 82**
Producteur : **M. Jacques Pedro**
Terroir : **argilo-calcaire avec sous-sol pierreux**
Cépages : **25% Merlot, 75% Cabernet Sauvignon**
Rendement : **40 hl/hectare**
Vendange et vinification : **traditionnelle, longue cuvaison**
Elevage : **en fûts de chêne pendant 16 à 22 mois. Collage au blanc d'œuf**
Caractère : **excellent bouquet d'arômes, vin puissant et tannique mais également
souple, rond et de grande finesse**
Evolution : **à boire de 1989 et pendant 15 ans. Vin de garde**
Observations : **autres vins : Domaine de La Ronceray dans l'appellation, Château Le
Meynieu : appellation Médoc. Nombreux millésimes disponibles**

**Château Lieujean
Cru Bourgeois**

Société Civile

des Vignobles

de Château

Lieujean

Saint-Sauveur

33250 Pauillac

Tél. 56 59 57 23

Appellation : **HAUT MÉDOC**
Nom : **CHATEAU LIEUJEAN**
Couleur et millésime : **Rouge 86**
Producteur : **Famille Fournier-Karsenty**
Cépages : **35-40% Merlot, 50% Cabernet Sauvignon, 10% Cabernet Franc, 3-5% Petit
Verdot**
Rendement : **50 à 60 hl/hectare**
Mode de culture : **traditionnel et progrès**
Vendange et vinification : **manuelle et mécanique, vinification avec régulation de
température**
Elevage : **en fûts de chêne**
Caractère : **robe intense, tannins souples et fins, de très bonne garde**
Observations : **cousin des vins de Pauillac, en moins corsé mais avec plus de fruité**

Château Sociando-Mallet

St-Seurin-
de-Cadourne
33250 Pauillac

Tél. 56 59 36 57

Appellation : **HAUT MÉDOC (CRU BOURGEOIS)**
Nom : **CHATEAU SOCIANDO-MALLET**
Couleur et millésime : **Rouge 85**
Producteur : **M. Jean Gautreau**
Terroir : **graves**
Cépages : **60% Cabernet Sauvignon, 10% Cabernet Franc, 25% Merlot, 5% Petit Verdot**
Rendement : **50 hl/hectare environ**
Mode de culture : **traditionnel (pas de désherbage)**
Vendange et vinification : **manuelle, traditionnelle**
Elevage : **barriques (entre 60 et 100% neuves suivant millésime)**
Caractère : **puissant, coloré, tannique et souple**
Evolution : **sur 20 ans**

SCA Château Brillette

33480
Moulis-en-Médoc

Tél. 56 58 22 09

Appellation : **MOULIS-EN-MÉDOC**
Nom : **CHATEAU BRILLETTE (Madame Berthault)**
Couleur et millésime : **Rouge 82**
Producteur : **Château Brillette**
Terroir : **grave garonnaise**
Cépages : **50% Cabernet Sauvignon, 40% Merlot, 10% Petit Verdot Cabernet**
Rendement : **50 hl/hectare**
Mode de culture : **traditionnel**
Vendange et vinification : **machines depuis 1978, traditionnelle**
Elevage : **en barriques chêne merrain**
Caractère : **tannique, belle couleur**
Evolution : **vin de garde**

Château Clarke Baron Edmond de Rothschild

Listrac-Médoc
33480
Castelnau-Médoc

Tél. 56 50 88 90

Appellation : **LISTRAC MÉDOC**
Nom : **CHATEAU CLARKE BARON EDMOND DE ROTHSCHILD**
Couleur et millésime : **Rouge 83**
Producteur : **Compagnie Vinicole des Barons Edmond & Benjamin de Rothschild**
Terroir : **argilo-calcaire**
Cépages : **49,3% Merlot, 37,7% Cabernet Sauvignon, 11% Cabernet Franc, 0,9% Petit Merlot, 1,1% Sémillon** / Rendement : **40 hl/hectare**
Vendange et vinification : **60% machine, 40% manuelle. Cuvaison +/−15 jours selon le millésime, contrôle de température**
Elevage : **barriques neuves**
Caractère : **millésime 83 : vin très brillant, net, couleur franche, rubis intense. Nez très fin, légèrement boisé, nuancé de caramel, fruit rouge groseille**
Evolution : **peut commencer à se boire, peut vieillir 5 ou 6 ans**
Observations : **le Rosé de Clarke, obtenu par saignée à partir des cuves de Château Clarke. Visites de la propriété sur rendez-vous**

Autres bonnes adresses

Château Latour, 33 Pauillac. **Château Mouton Rothschild**, 33 Pauillac. **Château Lafite Rothschild**, 33 Pauillac. **Château Giscours**, 33 Margaux. **Château Cos d'Etournel**, 33 Saint-Estèphe. **Château Soudars**, 33 Saint-Seurin-de-Cadourne. **Château La Clare**, 33 Begadan.

La dégustation

Dans tous les "métiers de bouche", c'est-à-dire toutes les activités de l'agro-alimentaire, qui concernent la nutrition des humains, l'appréciation du goût des mets et des liquides est d'actualité.

Dans de nombreuses entreprises, l'analyse sensorielle se met en place pour apprécier et évaluer les propriétés sensorielles, appelées par les spécialistes "les qualités organoleptiques" des produits alimentaires.

Dans les restaurants, le "chef" pratique d'une manière très pragmatique l'analyse sensorielle lorsqu'il goûte un mets, résultat de sa recette, avant de présenter le plat à son client.

Ainsi chercheurs, industriels, gastronomes se penchent de plus en plus sur notre goût, prenant conscience combien il nous révèle un univers riche et passionnant à ne pas négliger dans la culture individuelle.

L'analyse sensorielle peut être définie comme l'ensemble des méthodes et techniques permettant de percevoir, d'identifier et d'apprécier par les organes des sens, un certain nombre de propriétés des aliments et des boissons.

Pour certains domaines de l'évaluation sensorielle, pour la perception olfactive et gustative le "jury humain" est le seul "outil" disponible pour décrire la sensation, la quantifier, et évaluer le plaisir ressenti.

Dans la pratique quotidienne, chaque individu peut se livrer à l'évaluation sensorielle :

— non attentif, un individu dira sa préférence pour tel ou tel aliment : "C'est bon !" ou "C'est pas bon !",

— mais attentif — c'est-à-dire entraîné à l'observation — l'individu "dégustateur" prendra en compte diverses sensations :

— l'aspect visuel,

— la texture (perception au niveau des muscles de la bouche),

— la perception gustative,

— la perception olfactive.

Ces perceptions permettent de réaliser un "profil" pour chaque produit, et de comparer, par le biais de ces "profils" mémorisés, les produits entre eux : "Ce produit est plus aromatique que l'autre !" ou "Il est plus équilibré. Il me rappelle le goût de vanille !".

Toutes ces "tâches" réalisées plus ou moins consciencieusement par un dégustateur attentif nécessitent un entraînement pour :

— reconnaître les sensations,

— les discriminer entre elles, car un mets ou un liquide provoque de très nombreux "stimuli" (excitations) simultanément sur les différentes papilles sensibles aux saveurs du goût, localisées sur la langue,

— connaître la terminologie à utiliser.

(suite page 43)

Jean-Marie Amat
Le Saint-James / Bouliac (Gironde)

Depuis qu'il est entré en cuisine, **Jean-Marie Amat,** originaire d'Angoulême, n'a pas quitté Bordeaux. Il y a fait son apprentissage, s'y est perfectionné et, en 1970, alors qu'il n'avait que vingt-cinq ans, il y a pris son indépendance comme patron et chef du Saint-James dans la vieille ville.

Dix ans plus tard, il transportait son enseigne de l'autre côté de la Garonne, à Bouliac, dans une ancienne maison de vigneron décorée avec raffinement.

C'est dire combien ce chef de 44 ans est amoureux du Bordelais, de ses traditions culinaires et de ses vins.

Etoilé par Michelin dès 1975, il obtenait une seconde étoile trois ans plus tard, trois toques rouges au Gault et Millau et trois bibles de Roland Escaig.

Il est vrai que sa cuisine variée, simple et dépouillée, où les recettes traditionnelles (daube de queue ou joue de bœuf, civet de canard, alose grillée sauce au vin rouge, lamproie à la bordelaise) voisinent avec des plats de sa création parfumés et savoureux (salade de thon cru mariné à l'huile vierge et au piment rouge, marbré de légumes au foie gras).

Le Saint-James est situé sur le terroir des premières côtes de Bordeaux. Jean-Marie Amat en parle avec conviction parce que *"C'est un vin que l'on est en train de redécouvrir et qu'il est intéressant de participer à cette redécouverte."*

"Le vignoble bordelais a été sinistré, explique-t-il, *et les petites appellations ont le plus souffert du désintérêt. Elles avaient du mal à évoluer et des difficultés à se vendre, alors on les commercialisait trop tôt. Et puis, il y a une quinzaine d'années, des gens se sont passionnés pour remettre le vignoble en état, pour trouver des vinifications nouvelles et faire de très bons vins.*

"Ils sont typiquement du terroir avec un côté convivial et sympathique et toute l'élégance des Bordeaux.

"Ce ne seront certainement pas des vins de longue garde, comme les Médoc ou les Saint-Émilion, mais ceux vinifiés il y a dix ans ont évolué en suivant une courbe ascendante. Il est donc probable qu'ils seront parfait à quinze ans."

Place C. Hostein.
Bouliac / 33270 FLOIRAC
Tél. 56 20 52 19

Hôtel : Hauterive. Restaurant : Le Saint-James
4 étoiles. 15 chambres, 3 suites.
Chambre : 750 F, 900 F à 1 200 F (suites).
Pas de fermeture.
Visites de caves organisées. Télévision, téléphone dans les chambres. Parking. Jardin. Parc.
Menu : 250 F (boisson comprise), 400 F.
Petit déjeuner : 80 F.
Cartes bancaires : Diners Club, Carte Bleue, American Express.

Sommelier : M. Jean DESTRIBATS.

Autres bonnes adresses

Château Lafitte Laguens, 33 Bordeaux. **Château de Castagnon,** 33 Quinsac. **Château de Carignan,** 33 Carignan. **Domaine de Chastelet,** 33 Quinsac. **Château Nenine,** 33 Baurech.

Château Renon

Boucherie Jacques
Tabanac
33550 Langoiran
Tél. 56 67 13 59

Appellation : **PREMIÈRES COTES DE BORDEAUX**
Nom : **CHATEAU RENON**
Couleur et millésime : **Rouge 86**
Producteur : **M. Jacques Boucherie**
Terroir : **calcaire**
Cépages : **50% Merlot, 50% Cabernet Sauvignon**
Rendement : **45 hl**
Mode de culture : **traditionnel**
Vendange et vinification : **manuelle, longue cuvaison**
Elevage : **en fûts de chêne, 12 mois**
Caractère : **rubis dense, nez finement boisé, note vanillée, tanins présents, bonne persistance**
Evolution : **entre 4 et 15 ans**
Observations : **autres vins : Bordeaux Blanc Sec Sauvigon/Bordeaux Clairet
Bordeaux Liquoreux Cadillac**

SCI du Domaine de Cluzel

Bouliac
Tél. 56 20 52 12

Appellation : **PREMIÈRES COTES DE BORDEAUX**
Nom : **CHATEAU CLUZEL**
Couleur et millésime : **Rouge 86**
Producteur : **M. B. Rechenmann**
Cépages : **Cabernet, Merlot**
Rendement : **variable avec les années (entre 25 et 50 hl)**
Mode de culture : **traditionnel**
Vendange et vinification : **traditionnelles**
Elevage : **en fûts de chêne neufs entre 2 ans 1/2 et 3 ans**
Caractère : **puissant, bien charpenté, riche en tanins, aptitude remarquable au vieillissement, peut se boire vieux ou en primeur selon les goûts, accompagne idéalement les viandes blanches, les champignons et gibiers et bien sûr les fromages**
Observations : **augmentation des parcelles prévues suivant autorisations. Continuerons à conserver nos méthodes traditionnelles artisanales**

SCA Vignobles Jacques Fourès

Château St-Genes
St-Genes-
de-Lombaud
33670 Créon
Tél. 56 23 31 29

Appellation : **PREMIÈRES COTES DE BORDEAUX**
Nom : **DOMAINE DE LA MEULIÈRE**
Couleur et millésime : **Rouge 87**
Producteur : **M. Jacques Fourès**
Terroir : **argilo-calcaire de faible épaisseur sur roche mère calcaire**
Cépages : **30% Merlot, 40% Cabernet Franc, 30% Cabernet Sauvignon**
Mode de culture : **vigne basse**
Vendange et vinification : **manuelle, macération 10 jours**
Elevage : **en fûts de chêne (10% neufs)**
Caractère : **vin plein de fruits vanillés d'une grande élégance**
Evolution : **à boire entre 89 et 95**
Observations : **produit également : Château St-Genes en Bordeaux Supérieur. Château St-Genes blanc ''Entre Deux Mers''. Château Gazin à Pessac Léognan. Visite sur rendez-vous**

Château Lamothe

Haux
33550 Langoiran
Tél. 56 23 05 07

Appellation : **PREMIÈRES COTES DE BORDEAUX**
Nom : **CHATEAU LAMOTHE.** Médaille d'Or au Concours général à Paris
Couleur et millésime : **Rouge 86**
Producteur : **M. Fabrice Neel**
Terroir : **argilo-calcaire**
Cépages : **60% Merlot, 30% Cabernet Sauvignon, 10% Cabernet franc**
Rendement : **58 hl**
Mode de culture : **traditionnel façon culturale**
Vendange et vinification : **mécanique, macération longue**
Elevage : **en barriques (50% de barriques neuves). 11 à 12 mois**
Caractère : **exotique : il est chaud, velouté, charnu, avec des parfums de torréfaction**
Evolution : **entre 3 et 15 ans**
Autres vins : **vin blanc sec, appellation Bordeaux**

Claude Modet

propriétaire
viticulteur
''Constantin''
Baurech
33880 Cambes
Tél. 56 21 34 71

Appellation : **PREMIÈRES COTES DE BORDEAUX**
Nom : **CHATEAU MELIN**
Couleur et millésime : **Rouge 86**
Producteur : **M. Claude Modet**
Terroir : **argilo-siliceux sur graves ou calcaire**
Cépages : **70% Merlot, 30% Cabernet Sauvignon**
Rendement : **45 hl**
Mode de culture : **traditionnel**
Vendange et vinification : **récolte à pleine maturité, égrappage 100%. Vinification 15 à 20 jours avec maîtrise des températures**
Elevage : **12 mois en fûts de chêne**
Caractère : **boisé, fruité, corsé, vanillé**
Evolution : **10-15 ans**
Observations : **autres vins : Château Constantin 85-86, blanc sec et Clairet. Visite et dégustation sur rendez-vous**

Château Montjouan

Bouliac

33270 Floirac

Tél. 56 20 52 18

Tél. 56 20 52 13

Appellation : **PREMIÈRES COTES DE BORDEAUX**
Nom : **CHATEAU MONTJOUAN**
Couleur et millésime : **Rouge 86**
Producteur : **Madame Le Barazer**
Terroir : **argilo-graveleux**
Cépages : **60% Merlot, 20% Cabernet franc, 20% Cabernet Sauvignon**
Rendement : **48 hl/hectare**
Mode de culture : **traditionnel**
Vendange et vinification : **vendanges manuelles ; vinification en cuves inox avec contrôle des températures**
Elevage : **en barriques renouvelées par 1/4**
Caractère : **finesse et élégance**
Evolution : **peut être bu dès maintenant. Apte à vieillir quelques années**
Observations : **vente à la propriété. Visites et dégustations sur rendez-vous**

Château de Plassan

33550

Tabanac-Langoiran

Tél. 56 52 09 30

et 56 67 26 28

Appellation : **PREMIÈRES COTES DE BORDEAUX**
Nom : **CHATEAU DE PLASSAN**
Couleur et millésime : **Rouge 86**
Producteur : **S.C.E.A. Château de Plassan**
Terroir : **argilo-graveleux sur sous-sol calcaire**
Cépages : **50% Merlot, 50% Cabernet Franc & Sauvignon**
Rendement : **40 hl/hectare**
Mode de culture : **vignes basses 2 m × 1 m**
Vendange et vinification : **manuelles**
Elevage : **en fûts de chêne (1/5 neufs)**
Caractère : **tonique, arômes profonds**
Evolution : **lente, apte à vieillir**

Château Reynon

Beguey

33410 Cadillac

Tél. 56 62 96 51

Appellation : **PREMIÈRES COTES DE BORDEAUX**
Nom : **CHATEAU REYNON**
Couleur et millésime : **Rouge 87**
Producteur : **Denis et Florence Dubourdieu**
Terroir : **graves et argilo-calcaire**
Cépages : **40% Merlot, 60% Cabernet Sauvignon**
Rendement : **45 hl/hectare**
Mode de culture : **traditionnel**
Vendange et vinification : **manuelle ; méthode bordelaise classique**
Elevage : **classique en fûts renouvelés par tiers (15 mois)**
Caractère : **élégant, fin, velouté, tanins moelleux**
Evolution : **à boire dans les 5 ans**
Observations : **Château Reynon Blanc sec (cuvée Vieilles Vignes) 1988. Clos Floridène 1988 Graves Blanc Sec**

SCA Château Laroche

Julien et

Martine Palau

33880 Baurech

Tél. 56 21 31 03

Appellation : **PREMIÈRES COTES DE BORDEAUX**
Nom : **CHATEAU LAROCHE BEL AIR**
Couleur et millésime : **Rouge 86**
Producteur : **Julien et Martine Palau**
Terroir : **argilo-graveleux calcaire**
Cépages : **55% Merlot, 20% Cabernet Sauvignon, 20% Cabernet franc, 5% Malbec**
Rendement : **45-50 hl/hectare**
Mode de culture : **4.600 pieds/ha, désherbage**
Vendange et vinification : **maturation optima, fermentation avec maîtrise des températures et extraction qualitative**
Elevage : **en barriques pendant 12 mois en moyenne**
Caractère : **couleur rubis, au nez, note vanillée, en bouche volumineux, les tanins du vin et de la barrique évoluent pour donner un vin très élégant et racé**

François et Denis Verdier

Château Brethous

33360 Camblanes

Tél. 56 20 77 76

Appellation : **PREMIÈRES COTES DE BORDEAUX**
Nom : **CHATEAU BRETHOUS**
Couleur et millésime : **Rouge 85**
Producteur : **François & Denise Verdier**
Terroir : **graves sur argile rouge**
Cépages : **45% Merlot, 25% Cabernet Franc, 20% Cabernet Sauvignon, 10% Malbec**
Rendement : **50 hl/hectare**
Vendange et vinification : **classique, fermentation à température maîtrisée, cuvaison de 12 à 18 jours, soutirages fréquents et soignés, collages au blanc d'œuf**
Elevage : **en cuves de ciment et en barriques neuves (18 mois)**
Caractère : **très belle robe rubis foncé, fruits noirs bien mûrs, cassis, pruneaux, belle longueur en bouche**
Evolution : **long vieillissement assuré, jusque vers 1995, ou 2000 en bonne cave**
Observations : **Possibilité de visite de l'exploitation, bien campée au sommet des côteaux dominant la Garonne, et du beau chai voûté. Dégustation et accueil chaleureux.**

(suite de la page 39)

Cet entraînement permet ainsi aux dégustateurs d'enrichir leur champ de perception.

La dégustation devient une ''ECOLE DU GOUT''.

Dans le quotidien, cette attitude est très faiblement répartie dans la population, qui se nourrit plutôt qu'elle ne déguste.

Dans le domaine du vin, c'est bien dommage pour tous, ceux qui ''passent à côté'' des découvertes sensorielles permises par la multitude des vins mis sur le marché dans chaque appellation.

Cependant, quiconque veut prêter un peu d'attention, au-delà de la simple lecture de l'étiquette, aux expressions organoleptiques du contenu des verres, pourra faire un merveilleux voyage olfactif, gustatif et culturel dans le monde des sens.

Ce qui est probablement une grande partie de plaisir, à la portée de celui qui veut se livrer à cette recherche...

Jean-Claude BUFFIN,
auteur de :
''Le vin : votre talent de la dégustation''

Claude Darroze
Restaurant Claude Darroze / Langon (Gironde)

Lorsqu'il s'est installé en 1974 à Langon, **Claude Darroze** n'a pas pris une succession facile puisqu'elle était celle de Raymond Oliver, enfant du pays. Son bagage, il est vrai, lui permettait de faire face sans complexe. Fils de restaurateur, meilleur apprenti de France, ce Landais a notamment travaillé derrière les fourneaux de l'Hôtel de Paris, à Monte-Carlo, du Plaza Athénée à Paris, des ''Palaces'' de Saint-Moritz et de Lucerne, en Suisse, et chez son père qui ne fut pas son moins bon professeur.

A la croisée de la cuisine traditionnelle et de la nouvelle cuisine, Claude Darroze, devenu Maître Cuisinier de France, propose des mets fins, originaux, accommodant d'une manière personnelle les produits du Sud-Ouest et de ses Landes natales : plateau de fruits de mer chauds, coquilles Saint-Jacques à la coque à l'effiloché d'endives, Chartreuse de lotte au beurre blanc moutardé, agneau de lait de Pauillac avec de jeunes légumes, feuilleté de ris d'agneau au foie gras et aux truffes.

Installé sur le terroir des Graves, tout près du Sauternais, Claude Darroze est un fervant des deux crus.

Il ne considère pas les Sauternes onctueux et les Barsacs plus légers et plus fruités comme des vins de dessert ainsi qu'on le fit longtemps, mais il les recommande comme apéritif, pour accompagner le foie gras et aux vrais amateurs, les viandes blanches et le fromage de Roquefort.

Ce vin *''rutilant, très doux, d'un riche tissu et d'un arôme fleuri'',* un *''or liquide''* comme le définit si bien Hugh Johnson, n'est à l'aise qu'avec des mets de haute qualité. C'est un aristocrate qui ne supporte pas les mésalliances.

''Les Graves, par contre, sans jouir du prestige du Médoc ou du Saint-Emilion sont, dit Claude Darroze, *très agréables et demeurent à des prix abordables. Fruités et agréables, servis relativement jeunes, les rouges peuvent être un vin unique accompagnant aussi bien l'agneau que le gibier, alors que les blancs sont parfaits avec les crustacés et les poissons. Leur rapport qualité-prix permet une addition modérée.''* Les consommateurs apprécient.

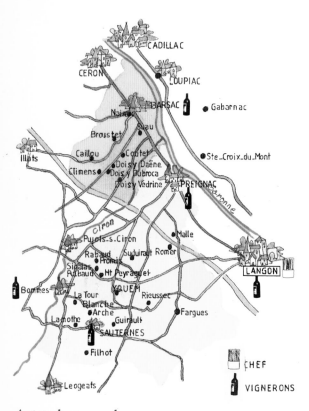

95, cours du Général Leclerc
33210 LANGON
Tél. 56 63 00 48

Hôtel-restaurant : Restaurant Claude Darroze.
Hôtel-restaurant 3 étoiles. 18 chambres : 180 à 350 F
Visites de caves organisées. Télévision, téléphone dan les chambres. Parking-Garage. Jardin.
Chiens admis.
Fermeture annuelle : 15/10 au 05/11 et 08/01 au 25/01
Pas de fermeture hebdomadaire.
Menus : 150 F, 250 F, 350 F. .
Carte : 350 à 400 F.
Petit-déjeuner : 42 F.
Cartes bancaires : Diners Club, Carte Bleue, American Express, Eurocard.

Sommelier : M. André AUGOT.

Autres bonnes adresses

Château Gillette : 33 Preignac. **Château Climens :** 33 Barsac. **Château Haut Mayne :** 33 Preignac. **Château Coutet :** 33 Barsac. **Château Lousteau Vieil :** 33 St-Croix-du-Mont. **Château de Malle :** 33 Preignac.

Château d'Arche
Sauternes
33210 Langon
Tél. 56 63 66 55

Appellation : **SAUTERNES (GRAND CRU CLASSÉ (1855))**
Nom : **CHATEAU D'ARCHE**
Couleur et millésime : **Blanc Sauternes 1984 et 1986**
Producteur : **M. Pierre Perromat**
Terroir : **croupe graveleuse + partie argilo calcaire**
Cépages : **90% Sémillon, 10% Sauvignon**
Rendement : **18 hl/hectare**
Mode de culture : **traditionnel**
Vendange et vinification : **de 7 à 10 passages de tries - fermentation lente**
Elevage : **vieillissement en fûts de chêne**
Caractère : **vin gras et fruité avec des senteurs florales**
Evolution : **vin particulièrement apte au vieillissement à cause de son mode de cueillette, de son origine et de son faible rendement**
Observations : **visite, accueil et vente tous les jours ouvrables**

Cru d'Arche-Pugneau
Boutoc
Preignac
33210 Langon
Tél. 56 63 24 84

Appellation : **SAUTERNES**
Nom : **ARCHE-PUGNEAU**
Couleur et millésime : **Blanc 86**
Producteur : **MM. J.P. et Francis Daney**
Terroir : **argilo-calcaire graveleux**
Cépages : **Sémillon, Sauvignon, Muscadelle**
Rendement : **18 à 20 hl**
Mode de culture : **traditionnel**
Vendange et vinification : **manuelle**
Elevage : **en barriques, 2 ans**
Caractère : **très équilibré et complet, élégance charmeuse, joliment bouqueté (agrumes et écorces d'orange)**
Evolution : **entre 3 et 20 ans**
Observations : **visite sur téléphone, vente au domaine**

Doisy Daëne
33720 Barsac
Tél. 56 27 15 84

Appellation : **SAUTERNES**
Nom : **CHATEAU DOISY DAËNE**
Couleur et millésime : **Blanc 1986**
Producteur : **M. Pierre Dubourdieu**
Terroir : **argilo-calcaire**
Cépages : **Sémillon, Sauvignon, Muscadelle**
Rendement : **20 hl/hectare**
Mode de culture : **traditionnel, sélection rigoureuse**
Elevage : **en barriques neuves**
Caractère : **élégant, nerveux, parfumé**
Evolution : **parfaite**
Observations : **permet d'espérer une longue réussite**

Château Bêchereau
Bommes
33210 Langon
Tél. 56 63 61 73

Appellation : **SAUTERNES**
Nom : **CHATEAU BÊCHEREAU**
Couleur et millésime : **Blanc 85**
Producteur : **Madame Franck Deloubes**
Terroir : **argilo-calcaire graveleux en surface**
Cépages : **75% Sémillon, 20% Sauvignon, 5% Muscadelle**
Rendement : **25 hl/hectare**
Vendange et vinification : **par tries successives, manuelle. Eraflage complet, pressoir égouttoir et soutirage par gravité**
Elevage : **cuves inox, cuves émail et finition en barriques de bois neuf**
Caractère : **couleur or, vin très riche, gras et ample, vin de très forte personnalité**
Evolution : **de 1989 pendant 40 années**
Observations : **autres vins : dans l'appellation : nombreux millésimes disponibles.**
Graves Rouge : Château La Capere, Graves Blanc Sec : Domaine Terrefort

Francine & Pierre Meslier
Château Raymond-Lafon
33210 Sauternes
Tél. 56 63 21 02

Appellation : **SAUTERNES AOC**
Nom : **CHATEAU RAYMOND-LAFON**
Couleur et millésime : **Blanc**
Producteur : **Francine & Pierre Meslier**
Terroir : **argilo-calcaire, graves silicés**
Cépages : **80% Sémillon, 20% Sauvignon**
Rendement : **9 hl/hectare, soit 1 verre de vin par pied de vigne**
Mode de culture : **taille à côt à deux bourgeons seulement**
Vendange et vinification : **vendanges par tris successifs. En moyenne 5-6 tris. Récolte de grains concentrés par botrytis Cinerea (pourriture noble)**
Elevage : **en fûts de chêne neufs (barrique bordelaise) sur une période de 3 ans**
Evolution : **grand vin de garde, de 15 à 100 ans suivant le millésime**
Observations : **visite sur rendez-vous, tous les jours sauf le week-end**

**Château Nairac
cru classé
de Sauternes
en 1855**

33720 Barsac

Tél. 56 27 16 16

Appellation : **BARSAC-SAUTERNES**
Nom : **CHATEAU NAIRAC**
Couleur et millésime : **Blanc 83**
Producteur : **Mme Nicole Tari**
Terroir : **graveleux et argilo-sableux**
Cépages : **90% Sémillon, 8% Sauvignon, le reste en Muscadelle.**
Rendement : **15 hl/hectare**
Vendange et vinification : **par tries successives pour ne cueillir que la ''pourriture noble''**
Elevage : **fermentation en barriques de chêne neuves, 2 ans 1/2 à 3 ans**
Caractère : **bouquet puissant et concentré de tilleul et de citron vert, bien charpenté, excellent équilibre, riche et fruité : vin de grande classe**
Evolution : **1989 à 2023**
Observations : **en parfaite harmonie de goût avec les asperges blanches en gratin, soupe ou en mousseline, les feuilletés de champignons ou de poireaux... visite personnalisée sur rendez-vous**

**Château
Saint-Amand**

Preignac
33210 Langon

Tél. 56 63 27 28

Appellation : **SAUTERNES**
Nom : **CHATEAU SAINT-AMAND**
Couleur et millésime : **Blanc Sauternes 1985**
Producteur : **M. Louis Ricard**
Terroir : **argilo-calcaire**
Cépages : **Sémillon, Sauvignon, Muscadelle**
Rendement : **23 hl/hectare**
Vendange et vinification : **par tries successives, vinification traditionnelle mais très élaborée et pointue**
Elevage : **en barriques neuves**
Caractère : **arômes caractéristiques et complexes de fleurs aux mille parfums. Vin puissant et souple, remarquable année**
Evolution : **à boire de 1989 et pendant 30 années sans risque**
Observations : **accueil, visite, dégustation et vente sur rendez-vous**

**G.F.A. du Château
Sigalas Rabaud**

Bommes
33210 Langon

Tél. 56 63 60 62

Appellation : **SAUTERNES 1ᵉʳ CRU CLASSÉ**
Nom : **CHATEAU SIGALAS RABAUD**
Couleur et millésime : **Blanc 86**
Producteur : **G.F.A. du Château Sigalas Rabaud. Gérant Emmanuel De Lambert des Granges**
Terroir : **argilo-graveleux**
Cépages : **90% Sémillon, 10% Sauvignon**
Rendement : **17 hl/hectare**
Vendange et vinification : **manuelle par tries successives**
Elevage : **18 mois, partie en barriques, partie en cuves inox**
Caractère : **vin bien charpenté, bien équilibré, riche et fruité, de grande classe**
Evolution : **très grande année à boire pendant 50 ans**
Observations : **nombreux millésimes disponibles. Accueil et vente tous les jours, y compris le dimanche**

**S.A.R.L.
Château Suduiraut**

Preignac
33210 Langon

Tél. 56 63 27 29

Appellation : **SAUTERNES**
Nom : **CHATEAU SUDUIRAUT 1ᵉʳ CRU CLASSÉ EN 1855**
Couleur et millésime : **Or, Millésime 1982**
Producteur : **S.A.R.L. Château Suduiraut**
Terroir : **calcaire, sablonneux, graveleux**
Cépages : **Sémillon, Sauvignon, Rendement : très faible, entre 8 et 12 hl/hectare**
Vendange et vinification : **vendange tardive due à l'apparition de la ''Pourriture Noble''. Ramassage grain par grain, confits et rôtis en plusieurs tries successives**
Elevage : **en 3 ans : 1 an et demi en cuves, 1 an et demi en barriques de chêne**
Caractère : **vins liquoreux concentrés, couleur or, parfum et arôme très puissants.**
Evolution : **plus ou moins lente pour chaque Millésime. Peut tenir jusqu'à 30 ou 40 ans avec des goûts très aromatisés**
Observations : **au Château Suduiraut, pendant une décade, on n'hésite pas à supprimer 2 ou 3 Millésimes qui ne sont pas dignes d'être embouteillés.**

**Château La Tour
Blanche**

Bommes
33210 Langon

Tél. 56 63 61 55

Appellation : **SAUTERNES 1ᵉʳ CRU CLASSÉ** (classement 1855)
Nom : **CHATEAU LA TOUR BLANCHE**
Couleur et millésime : **Ambré jaune d'or 1986**
Producteur : **M. Jean-Pierre Jausserand (Directeur)**
Terroir : **graveleux et sableux, sous-sol argilo-calcaire**
Cépages : **75% Sémillon, 20% Sauvignon, 5% Muscadelle**
Rendement : **13 hl/hectare**
Vendange et vinification : **manuelle par tries successives, vinification en barriques bois neuf dans chais climatisés**
Elevage : **en barriques chêne renouvelées par 1/3 tous les ans. Temps d'élevage : 24 mois**
Caractère : **typique Sauternes, goût de rôti, dominante épices, très botrytisé**
Evolution : **de 1989 à 2010**
Observations : **le Millésime 1985, disponible avec dominante fruits confits, et miel à consommer de 1989 à 2010. Visite, dégustation et vente du lundi au vendredi et sur rendez-vous**

Bourgogne

Dédale de terroirs, labyrinthe d'appellations (pas moins de 115 au total), la Bourgogne vineuse, qui s'étend sur quatre départements (Yonne, Côte-d'Or, Saône-et-Loire, Rhône), est une entité complexe, qui ne se laisse pénétrer qu'à l'issue d'un examen attentif ou — mieux — d'une visite approfondie.
Unique facteur d'identité : le cépage.

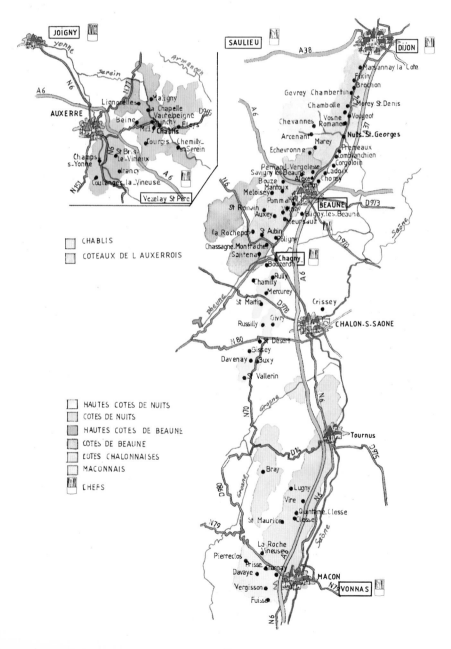

Le Bourgogne, en effet, a pour seul principe unifiant d'être un vin mono-plant : chardonnay pour les blancs, pinot noir pour les rouges, un point c'est tout. Seule exception de taille, le Beaujolais, qui provient du gamay noir à jus blanc — mais est-on encore vraiment en Bourgogne ?

Il serait fort long de passer en revue tous les crus qui composent cette fastueuse mosaïque. Aussi contentons-nous de survoler les quatre ou cinq régions majeures de la composite Bourgogne, aussi diverse en couleurs que les beaux toits polychromes qui couronnent ses églises et ses châteaux.

Elle commence au nord avec Chablis, sa "porte d'or", dont les sols kimmeridgiens enfantent des vins blancs secs, vifs et parfumés : sept "grands crus" *(Les Clos, Blanchots, Grenouille...)* en coiffent la subtile hiérarchie. Tout près de Chablis, les charmants villages de l'Auxerrois (Saint-Bris-le-Vineux, Irancy, Coulanges-la-Vineuse...) produisent des vins rouges, blancs et rosés, qu'il faut savoir découvrir.

Une fois passé le Morvan, à quelque 150 km au sud, apparaissent la Côte de Nuits, puis la Côte de Beaune, véritable sanctuaire des grands crus bourguignons. Amorcée pas la Côte dijonnaise, aujourd'hui réduite aux communes de Couchey, Chenove et Marsannay (qui produit un délicat rosé), la Côte de Nuits égrène ses célébrissimes villages : Gevrey-Chambertin, Morey-Saint-Denis, Chambolle-Musigny, Vougeot, Vosne-Romanée, Nuits-Saint-Georges... Les coteaux, à mi-pente, abritent les "climats" les plus prestigieux *(Chambertin, Clos de Bèze, Clos de Tart, Musigny, Bonnes Mares, Clos de Vougeot, Romanée-Conti, Richebourg,* etc.) avec leurs somptueux vins rouges, racés, généralement puissants et de longue garde. Derrière eux se bouscule, comme une armée de généraux mexicains, la multitude des "premiers crus" (plusieurs centaines), dont certains égalent parfois leurs réputés aînés.

Au sud des carrières de Comblanchien s'ouvre la Côte de Beaune, plus vaste que sa sœur du nord, entaillée de combes et dont l'histoire géologique est inscrite, mètre après mètre, au fil de ses versants vêtus de vignes. Là aussi, les noms de communes sonnent haut et fort : Aloxe-Corton, Savigny-lès-Beaune, Pommard, Volnay, Meursault, Santenay, Puligny-Montrachet, Chassagne-Montrachet... Tous ces villages s'égaillent aux environs de Beaune, la capitale historique du vignoble bourguignon, et produisent — contrairement à la Côte nuitonne — aussi bien des vins rouges que blancs, tour à tour tendres et corsés : à leur tête, se pavane une poignée de grands seigneurs *(Corton, Corton-Charlemagne, Montrachet...),* escortés là encore par une foultitude de "premiers crus". Leur notoriété ne doit cependant pas faire oublier la production de villages plus modestes ou moins connus, comme les délicieux vins blancs de Saint-Romain et d'Auxey-Duresses, ou les beaux rouges de Monthélie et de Pernand-Vergelesses.

Au sud de Chagny, les paysages de la Côte chalonnaise se font plus paisibles : un quarteron de villages réputés (Mercurey, Givry, Rully et Montagny) fournit des vins rouges et blancs bien typés, dans un ton plus léger que ceux de la Côte-d'Or. Il faut encore citer l'excellent Bourgogne aligoté que produit la commune de Bouzeron (qui a droit à son appellation particulière) et les vins sympathiques récoltés à Buxy et dans les environs : là s'arrête la frontière du pinot noir, lequel cède progressivement la place au gamay.

Passé la vallée de la Grosne, s'épanouit le grand vignoble mâconnais, voué presque exclusivement aux vins blancs, issus du pinot blanc et du chardonnay. C'est ici le domaine privilégié des coopératives (Viré, Igé, Verzé, Prissé, etc.), qui vinifient en masse des Mâcon génériques ou des Mâcon-Villages, frais et nerveux. Mais la région, avec ses impressionnants reliefs jurassiques, produit aussi, sur une aire beaucoup plus restreinte, le magnifique Pouilly-Fuissé, ainsi que les excellents Pouilly-Vinzelles, Pouilly-Loché et Saint-Véran, tous vins de pur char-donnay. La Bourgogne — géographique du moins — se clôt sur le vaste Beaujolais dont les collines granitiques, au nord de la zone d'appellation, sont le terroir de prédilection des ''vil-lages'' et des dix ''crus'' (Morgon, Chiroubles, Juliénas, Brouilly, Côte-de-Brouilly, Saint-Amour, Fleurie, Moulin-à-Vent, Chénas, Régnié).

Michel et Jacqueline Lorain
La Côte Saint-Jacques / Joigny (Yonne)

"La Côte Saint-Jacques", à Joigny, c'est une affaire de famille. La mère de **Michel Lorain** y régalait déjà les voyageurs de commerce, de fabuleux coqs au vin.

Depuis plus de trente ans, Michel a pris sa place aux fourneaux, transformant la maison pour en faire un luxueux "relais et châteaux" 3 étoiles "Michelin". En 1983, son fils Jean-Michel l'a rejoint après avoir appris son métier chez Trois-gros, Taillevent et Girardet. De la compétition du père et du fils, les clients ne souffrent pas, bien au contraire car à la tradition appuyée sur les produits régionaux de saison, s'ajoute la créativité.

Dans le quatuor familial, Brigitte, épouse de Jean-Michel, tenant sa partition, Jacqueline Lorain, épouse de Michel et mère de Jean-Michel, n'a pas le rôle le moins important puisque, en terre bourguignonne, elle a la charge de la cave. Cette parisienne est devenue une grande spécialiste du vin. *"Je me suis laissé adopter par la Bourgogne"* commente-t-elle.

Des vins de Chablis, produits à une quarantaine de kilomètres, elle connaît toutes les finesses : *"On a souvent une idée préconçue sur le Chablis car on a baptisé Chablis n'importe quoi, et on n'a pas assez fait la différence entre les petits crus, les premiers crus et les grands crus. Il y a des vins de propriété de qualité, très typés et très différenciés les uns des autres.*

"Secs, à caractère minéral, ils s'accordent bien avec les plats pas trop parfumés ; les premiers crus, plus légers, moins longs en bouche, nerveux avec un côté pierre à fusil, sont recommandés avec des poissons (filets de rouget sauce légèrement pimentée, dorade rôtie avec sauce encre de seiche).

"Poissons aussi (bar fumé à la crème de caviar ou dos de saumon en vessie) pour les grands crus qui ont plus de longueur, plus de gras et qui sont plus enveloppants."

Autre cru bourguignon ayant la faveur de Mme Lorain, le Meursault *"puissant, rond, enveloppant, aux arômes de fruits, très harmonieux et allant bien avec les plats en sauce, poissons (aile de raie au vinaigre de gingembre) ou viandes (poulette de Bresse à la vapeur de champagne).*

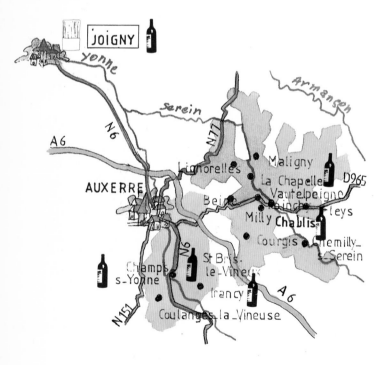

14, faubourg de Paris
89300 JOIGNY
Tél. 86 62 09 70

Hôtel-restaurant : La Côte Saint-Jacques.
3 étoiles. 18 chambres : 850 F à 1 550 F.
Fermeture annuelle : 02/01/1990 au 01/02/1990 inclu
Pas de fermeture hebdomadaire.
Télévision, mini-bar, téléphone dans les chambres.
Ascenseur. Parking-Garage. Jardin. Parc.
Piscine (privée). Tennis en ville.
Chiens admis.
Menus : 250 F midi et 450 F.
Carte : 500 F.
Petit-déjeuner : 80 F.
Cartes bancaires : Diners Club, Carte Bleue, America
Express, Eurocard.

Sommelier : M. François PIAT.

Serge Lepage
9, rue Principale
Le Grand-
Longueron
89300 Joigny
Tél. 86 62 05 58

Appellation : **A.O.C. BOURGOGNE**
Nom : **CÔTE ST-JACQUES**
Couleur et millésime : **Rosé 1986**
Producteur : **M. Serge Lepage**
Terroir : **argile à silex, sous-sol calcaire tendre**
Cépages : **Pinot**
Rendement : **50 hl/hectare**
Mode de culture : **traditionnel**
Vendange et vinification : **manuelle**
Elevage : **fûts**
Caractère : **très parfumé, léger et fruité**
Evolution : **1 à 3 ans**
Observations : **autre vin : Rouge Côte Saint-Jacques**

Bernard Cantin
Viticulteur
89290 Irancy
Tél. 86 42 21 96

Appellation : **BOURGOGNE-IRANCY**
Nom : **CANTIN BERNARD**
Couleur et millésime : **Rouge 1987**
Producteur : **M. Bernard Cantin**
Terroir : **argilo-calcaire du Kiméridgien**
Cépages : **Pinot Noir**
Rendement : **48 hl/hectare**
Mode de culture : **traditionnel**
Vendange et vinification : **manuelle, vinification moyenne avec pigeage**
Elevage : **18 mois en fûts de chêne**
Caractère : **vin assez tannique, saveur de violette et fruits rouges**
Evolution : **3 ans minimum, longévité parfaite**
Observations : **caveau ouvert le samedi et en semaine sur rendez-vous**
autres vins : Bourgogne Passetoutgrain, Bourgogne Rosé, Bourgogne Palotte

Roger Delaloge
Viticulteur
Irancy
89290
Champs-sur-Yvonne
Tél. 86 42 20 94

Appellation : **BOURGOGNE IRANCY**
Couleur et millésime : **Rouge 1987**
Producteur : **M. Roger Delaloge**
Terroir : **argilo-calcaire du Kiméridgien**
Cépages : **Pinot Noir**
Rendement : **40 hl/hectare**
Mode de culture : **traditionnel**
Vendange et vinification : **100% manuelle, traditionnelle sans égrappage, pigeage manuel**
Elevage : **cuves et fûts de chêne**
Caractère : **vin très floral, effilé, arôme de framboise et de cerise**
Evolution : **entre 5 à 10 ans**
Observations : **dégustation sur rendez-vous**
autres vins : Rosé Irancy, Crémant de Bourgogne, Bourgogne Aligoté

**Ghislaine et
Jean-Hugues Goisot**
Domaine
du Corps de Garde
30, rue
Bienvenu-Martin
89530
St-Bris-le-Vineux
Tél. 86 53 35 15

Appellation : **BOURGOGNE SAINT-BRIS**
Couleur et millésime : **Blanc 1987**
Producteur : **M. Jean-Hugues Goisot**
Terroir : **argilo-calcaire, Kiméridgien**
Cépages : **100% Chardonnay**
Rendement : **45 hl/hectare**
Vendange et vinification : **manuelle, vinification traditionnelle**
Elevage : **cuves et fûts de chêne**
Caractère : **pour les 87 : fleur d'acacia, pain grillé, amande et bois fin**
Evolution : **à découvrir entre 3 et 5 ans. Bonne garde**
Observations : **dégustation sur rendez-vous. Fermé le dimanche après-midi**
**autres vins : Bourgogne Saint-Bris Rouge et Blanc "Cuvée du Corps de Garde",
Bourgogne Saint-Bris Rouge et Blanc, Bourgogne Aligoté Côteaux de Saint-Bris,
Sauvignon de Saint-Bris, Bourgogne Saint-Bris Chardonnay**

Caves de Bailly
89530 St-Bris-
Le-Vineux
Tx : 800023
Fax : 86 53 80 94
Tél. 86 53 34 00

Appellation : **CRÉMANT DE BOURGOGNE A.O.C.**
Nom : **BRUT DE BAILLY**
Couleur et millésime : **Blanc**
Terroir : **calcaire Kiméridgien**
Cépages : **Chardonnay, Pinot Noir, Aligoté**
Mode de culture : **traditionnel**
Rendement : **55 hl/hectare**
Vendange et vinification : **manuelle**
Caractère : **une mousse fine et persistante, un nez de fleur d'acacia avec une note
épicée. Bouche pleine et vive**

**S.C.E.A. de
Chantemerle
Boudin Père & Fils**

La Chapelle
Vaupelteigne
89800 Chablis
Tél. 86 42 40 05
et 86 42 18 95

Appellation : **CHABLIS 1er CRU**
Nom : **FOURCHAUME**
Couleur et millésime : **Blanc 1987**
Producteur : **MM. Boudin Père et Fils**
Terroir : **argilo-calcaire**
Cépages : **Chardonnay**
Rendement : **60 hl**
Mode de culture : **traditionnel**
Vendange et vinification : **manuelle, en cuves**
Elevage : **8 mois en cuves**
Caractère : **souple et fruité**
Evolution : **entre 18 mois et 8 ans**
Observations : **visite de cave sur rendez-vous**
autres vins : **Chablis, Chablis 1er Cru Homme Mort**

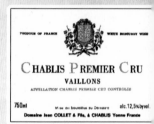

**Domaine Jean
Collet & Fils**

1, rue du
Panonceau
89800 Chablis
Tél. 86 42 11 93
et 86 42 42 74

Appellation : **CHABLIS**
Nom : **CHABLIS 1er CRU - VAILLONS**
Couleur et millésime : **1986**
Producteur : **Domaine Jean Collet & Fils**
Terroir : **Kiméridgien**
Cépages : **Chardonnay**
Rendement : **60 hl/hectare**
Mode de culture : **traditionnel**
Vendange et vinification : **mécanique, traditionnelle**
Elevage : **en fûts**
Caractère : **constitution superbe, tout en finesse, nez fleuri et dense**
Evolution : **entre 3 et 10 ans**
Observations : **dégustation sur rendez-vous**
autres vins : **Chablis Grand Valmur, Chablis 1er Cru Montée de Tonnerre, Chablis 1er Cru Mont de Milieu, Chablis 1er Cru Montmains, Chablis**

La Chablisienne
8, boulevard
Pasteur
89800 Chablis
Tél. 86 42 11 24

Appellation : **CHABLIS**
Nom : **CHABLIS GRAND CRU LES PREUSES**
Couleur et millésime : **Blanc 1985**
Producteur : **La Chablisienne**
Terroir : **Kiméridgien**
Cépages : **100% Chardonnay**
Rendement : **40 hl/hectare**
Vendange et vinification : **vendange manuelle, vinification traditionnelle**
Elevage : **mis en bouteilles un an après la récolte**
Caractère : **l'expression de plénitude d'un Chablis Grand Cru 1985**
Evolution : **peut être consommé de suite, mais peut attendre 5 ans**
Observations : **autres appellations de la Chablisienne : Petit Chablis, Chablis, Chablis 1er Cru, Chablis Grand Cru. Heures et jours d'ouverture : avril/septembre : tous les jours 8h-12h/14h-18h, octobre/mars : lundi au samedi 8h-12h/14h-18h**

Autres bonnes adresses

M **A. Dupuis,** 89 Coulanges-la-Vineuse. **M. R. Cantin,** 89 Irancy. **M. R. Michel et Fils,** 89 Chablis. **M. J.M. Raveneau,** 89 Chablis. **MM. R. et V. Dauvissat,** 89 Chablis.

"La nature et le vin"

Message d'un Vigneron pour une meilleure connaissance de la vigne et du vin.

"L'hôtellerie mène à tout ?" — Dicton qui parcourait nos rangs à l'école hôtelière de Paris — et pour moi, après des échappées merveilleuses à travers le monde, où j'ai connu Vignobles, Vins et Vignerons, la passion m'a conduit "en BANDOL" où j'ai eu la chance de pouvoir créer le domaine de TERREBRUNE.

Cette humble expérience, mais profonde, acquise au fil de 25 années, je voudrais qu'elle accompagne mon vin et celui de tous les amis vignerons qui se vouent à la symbiose de la Nature et du Vin.

Je voudrais que tout amateur, en visitant un domaine ou en questionnant un marchand pour choisir son vin, sache rapidement différencier ou porter un jugement sur la propriété qu'il visite ou sur le vin qu'on lui propose.

Produire un vin n'est pas difficile, mais — un bon vin, puis un grand vin — cela demande, outre un terroir propice, un amour profond de la Nature, beaucoup de patience et une attention permanente tant de sa vigne que de sa cave.

Souvent pour cela, j'évoque les moines qui s'adonnaient à cette religieuse passion : ils avaient le temps et l'éternité devant eux, et ignoraient le matériel profit !

Aujourd'hui, un vrai vigneron doit avoir en lui l'esprit d'un moine !

Selon que le viticulteur s'attache au profond respect de la Nature ou qu'il subordonne cette valeur aux seules notions de rentabilité, il en résulte des vins diamétralement opposés en qualité.

Malheureusement la différence n'est jamais justement répercutée sur les prix.

Quels sont les critères qui classent un vin ?

LE TERROIR
Au sein de chaque appellation, il y a dans la qualité une échelle des Terroirs.

LA PLANTATION
La préparation des sols, labours profonds — souvent à l'aide de bulldozer — désinfection, repos des terres, sont des opérations délicates et coûteuses.
Souvent par économie ou manque de moyens, ces travaux sont réalisés à moindres frais et n'assurent pas une totale sécurité pour l'avenir.
De belles vignes ou des vignes chétives seront le résultat des soins et des investissements engagés à la plantation.

LE CHOIX DU PORTE-GREFFE - LE CÉPAGE
Chacun sait qu'avec de vieilles vignes on fait de meilleurs vins.
Les connaissances actuelles de la géologie et des recherches vinicoles engagent tout viticulteur à s'assurer le concours d'un laboratoire d'analyses des sols pour déterminer le plant à utiliser.
La réussite et la longévité d'un cépage sont fondamentalement liées au choix du porte-greffe (plant).
Bien souvent encore des coutumes empiriques qui se transmettent, apportent de pauvres résultats.
Un porte-greffe bien adapté au sol est une autre raison de différences entre les vignes d'un même cépage, d'un même vignoble.

LA TAILLE
La taille de la vigne contribue au premier contrôle de rendement de la production.
Toute l'attention portée à la taille de la vigne est une garantie pour sa longévité et pour la qualité de la vendange.
Un vrai vigneron prend beaucoup de temps pour effectuer la taille, y met beaucoup d'application, car très souvent avant de couper, il faut imaginer ce que donnera la végétation l'année suivante.
Chaque pied de vigne est un cas particulier.
Un vignoble bien taillé est la marque d'une bonne qualité de culture.

(suite page 56)

Marc Meneau
L'Espérance / Saint-Pére-sous-Vézelay (Yonne)

Marc **Meneau** est un homme passionné, un de ceux avec lesquels on aime discuter, pour peu que l'on partage leurs passions.

Maître-Cuisinier reconnu par ses pairs mais aussi par tous les guides gastronomiques, il admet sans détours n'avoir pas eu de véritable formation en cuisine. *"A l'issue de mes études secondaires, j'ai bien fait une école hôtelière, mais c'était en section "gestion" !"*

Il a donc appris sur le tas et chez lui, c'est-à-dire en son premier établissement installé dans les locaux du bar-épicerie que tenaient, à St-Pére-sous-Vézelay, son village natal, ses parents.

Depuis le Noël 1969, il s'est installé dans une ancienne maison bourgeoise, avec parc et rivière, qu'il a magnifiquement aménagée en restaurant de grand standing, "L'Espérance".

En 1972, une première étoile au Michelin viendra sanctionner la qualité de sa cuisine, une seconde lui sera attribuée en 1976, une troisième en 1983. Figurant au Champérard et au Bottin Gourmand, il s'est vu attribuer la note "max" (19,5/20) par Gault et Millau.

"Je suis devenu connaisseur en vins parce que mon futur beau-père m'a contraint à boire du vin à la place de l'Orangina si je voulais avoir la main de sa fille !"

Ce beau-père, qui était restaurateur dans les environs de Vézelay, allait le former à la dégustation et finalement l'amener à devenir vigneron
"Vézelay était un terroir viticole autrefois et ça n'est pas si vieux puisque mes grands-parents faisaient encore leur vin. D'ailleurs, le noms de quartier comme le Clos des Ducs, Champ-Cadet ou les Vignes Blanches attestent de cette ancienne pratique de la viticulture."

Le pays revient à cette culture : 25 ha ont été plantés et Marc Meneau en a mis en vigne lui-même 4 ha et demi, à 80 pour cent en Chardonnay, 15 pour cent en Pinot, car le terroir se prête mal au rouge.

Le 20 mai dernier, Marc Meneau et ses amis agriculteurs ont même constitué une S.I.C.A. !
"Les restaurateurs constituent une locomotive pour ce genre d'entreprise car ils ont l'oreille du consommateur de vin, par leur contac direct avec la clientèle de leurs établissements."

Le restaurateur raccourcit donc, en ce cas particulier, le circuit producteur-consommateur : l'information passe mieux et plus vite. Amou reux fervent du Chablis, Marc Meneau espère atteindre dans quelques années avec cette nouvelle production locale la qualité des grand crus chablisiens.

Mais il ne lie pas forcément le vin régional à la cuisine. Faire du bon vin ne signifie pas qu'il puisse être utilisé avec bonheur dans tous les plats
"C'est une hérésie de faire une sauce au Volnay, au Montrachet ou au Chambertin ; j'utilise du vin méridional qui convient mieux. De la Syrah pour les sauces au vin rouge, que je coupe parfois avec du Pinot pour l'alléger. Pour les nages, du vin de Loire ou du Chardonnay. Pour accompagner les desserts, un verre de Beaumes-de-Venise..."

Quant à la cave de l'Espérance, elle ne pouvait être située sous le restaurant à cause d'une nappe phréatique très haute.

Marc Meneau a donc acquis deux maisons, dont il a rasé les murs intérieurs, et qu'il a transformées en caves qui contiennent au tota 70 000 bouteilles dont 60 % de Bourgogne, 10 % de crus du Val de Loire, 5 % de Côtes-du-Rhône, le reste en Bordeaux et crus divers

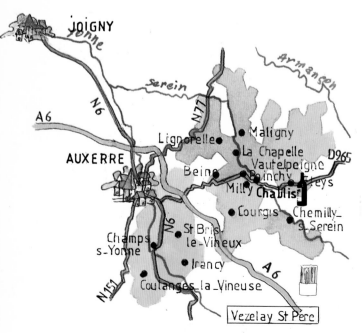

Saint-Pére-sous-Vézelay
89450 VEZELAY
Tél. 86 33 20 45

Hôtel-restaurant : L'Espérance.
4 étoiles. 21 chambres : 600 F à 2 000 F.
Fermeture annuelle : janvier et début février.
Fermeture hebdomadaire : mardi et mercredi midi.
Visites de caves organisées. Télévision, téléphone dans les chambres. Parking-Garage. Jardin. Parc.
Chiens admis.
Menus : 260 F, 500 F.
Petit déjeuner : 85 F.
Cartes bancaires : Diners Club, Carte Bleue, American Express.

Sommelier : M. Philippe FRICK.

Domaine Jean Durup
, Grande Rue
Maligny
9800 Chablis
Tél. 86 47 44 49

Appellation : **CHABLIS**
Nom : **CHABLIS 1er CRU FOURCHAUME**
Couleur et millésime : **Blanc**
Producteur : **M. Jean Durup**
Terroir : **sec, pentu, très pierreux**
Cépages : **Chardonnay**
Rendement : **50 hl/hectare**
Mode de culture : **traditionnel**
Vendange et vinification : **vinification traditionnelle**
Elevage : **selon les cuvées pour respecter au mieux l'originalité du vin**
Caractère : **blanc sec couleur or vert pâle, brillant, fruité, prend de la profondeur lors d'un vieillissement qui peut se poursuivre de nombreuses années**
Observations : **dégustation sur rendez-vous**
autres vins : Petit Chablis, Chablis, 1er Cru Montée de Tonnerre, Vaudevey

Domaine Laroche
L'Obédiencerie
9800 Chablis
Fax 86 42 19 08
Tél. 86 42 14 30

Appellation : **CHABLIS**
Nom : **CHABLIS SAINT MARTIN**
Couleur et millésime : **Blanc 87**
Producteur : **Domaine Laroche**
Terroir : **Kiméridgien, argilo-calcaire**
Cépages : **Chardonnay**
Rendement : **45 hl/hectare**
Mode de culture : **traditionnel vignes basses, 6 000 pieds/hectare**
Vendange et vinification : **pressoirs pneumatiques, température contrôlée**
Elevage : **fermentation en cuves, élevage en fûts 3 mois**
Caractère : **fin, léger, fruité, sec**
Evolution : **peut vieillir 6 ans**
Observations : **idéal à l'apéritif et avec fruits de mer et poissons**

Domaine de la Maladière (W. Fevre)
4, rue Jules Rathier
39800 Chablis
Tél. 86 42 12 51

Appellation : **CHABLIS GRAND CRU**
Nom : **GRENOUILLES**
Couleur et millésime : **Blanc 87**
Producteur : **M. William Fevre, Domaine de la Maladière**
Terroir : **argilo-calcaire**
Cépages : **Chardonnay**
Rendement : **50 hl/hectare**
Vendange et vinification : **vendange à la main, vinification en barriques**
Elevage : **en barriques de chêne**
Caractère : **puissant et élégant avec goût d'amande et de fruits secs**
Evolution : **vin encore jeune, le bois continuant à faire son œuvre**
Observations : **on dit plutôt ici "La Grenouille". Portée devant la Côte des Grands par un monticule rond, c'est un sein de Vénus, peint par Rubens ; il en a tous les caractères, c'est-à-dire la générosité, la puissance, l'élégance...**

S.C.E.A. Louis Michel & Fils
39800 Chablis
Pour le Gérant,
11, bd de Ferrières
Tél. 86 42 10 24

Appellation : **CHABLIS GRAND CRU**
Nom : **VAUDESIR**
Couleur et millésime : **Blanc 87**
Producteur : **M. Jean-Loup Michel**
Terroir : **argilo-calcaire**
Cépages : **Chardonnay**
Rendement : **50 hl**
Mode de culture : **traditionnel**
Vendange et vinification : **manuelle et traditionnelle**
Elevage : **en cuves 15 mois**
Caractère : **typicité affirmée, élégant, fruité, sec**
Evolution : **entre 3 et 10 ans**
Observations : **autres vins : Chablis Grand Cru : Clos et Grenouille - 6 Premiers Crus et Chablis**

S.A.J. Moreau & Fils
Route d'Auxerre
39800 Chablis
Tél. 86 42 40 70
Fax 86 42 44 59

Appellation : **CHABLIS**
Nom : **CHABLIS GRAND CRU LES CLOS**
Couleur et millésime : **Blanc 87**
Producteur : **MM. J. Moreau & Fils**
Terroir : **argilo-calcaire (Kiméridgien)**
Cépages : **100% Chardonnay**
Rendement : **40 hl/hectare**
Vendange et vinification : **à basse température 17° après débourbage**
Elevage : **en cuves acier inoxydable**
Caractère : **riche et onctueux, très aromatique et une légère pointe d'acidité typique du Chablis**
Evolution : **5 à 10 ans suivant les goûts**
Observations : **à ne boire qu'avec les amoureux du vin.**
autres vins : Chablis Grand Cru "Clos des Hospices", dans les Clos Chablis Grands Crus Valmur et Vaudésir, Chablis Premier Cru Vaillons, Chablis A.C. Domaine de Bieville

A. Regnard & Fils
89800 Chablis
Tél. 86 42 10 45

Appellation : **CHABLIS 1er CRU CONTRÔLÉE**
Nom : **PIC 1er**
Couleur et millésime : **Blanc 85**
Producteur : **MM. Albert Pic & Fils 89800 Chablis**
Cépages : **Chardonnay**
Caractère : **racé et fin, arômes typiques du terroir de petites fleurs blanches d'acacia et de miel, suave et dense. Un vin de grande classe.**

Autres bonnes adresses

M. J.M. Brocard, 89 Chablis.
M. J.M. Raveneau, 89 Chablis. **M. R. Dauvissat,** 89 Chablis.

"La nature et le vin", suite de la page 53

LES SOINS DE LA VIGNE

C'est dans l'accomplissement de ces travaux, et dans la conception de rentabilité que **Tradition** et **Culture intensiv**
d'exploitation s'affrontent.

1° - La culture intensive

Elle découle tout naturellement de l'accroissement des surfaces des domaines et de l'obligation de limiter la main-d'œuvr
par souci d'économie et de rentabilité.

Elle exploite pour cela au maximum les découvertes techniques et chimiques.

LES DÉSHERBANTS - PRINCIPE DE LA NON-CULTURE : Le désherbage chimique développé depuis quelque temp
fait maintenant presque l'unanimité — "l'intérêt est si grand !..."
Les conséquences néfastes prévues à long terme sont maintenant réelles.

Ces produits chimiques, plus ou moins dégradés, s'accumulent après des années d'utilisation, créant une destruction d
l'équilibre biologique du sol. Il s'ensuit une perte de sa capacité de rétention d'eau et de sa valeur nutritive.

L'originalité et la qualité des terroirs sont mises en cause.

Un sol désherbé chimiquement depuis longtemps, ne sera plus apte à la replantation de jeunes vignes.

LES TRAITEMENTS FOLIAIRES - LES SYSTÉMIQUES : Ces produits chimiques nouveaux en plein essor, d'empl
facile et à l'action durable, facilitent la vie de l'exploitant.

Il pénètrent dans la plante par les feuilles et sont véhiculés par la sève.

Où vont-ils ensuite ?

Comment imaginer que l'équilibre biologique de la plante n'en soit pas modifié ?

2° - Culture vigneronne

Elle se pratique souvent dans des domaines plus petits.
Le vigneron, mieux en contact avec son vignoble, met toute sa fierté et son attachement à mener à bien les différente
tâches culturales sans en négliger aucune, n'économisant ni son temps ni ses efforts. C'est la base de la **qualité,** de la **finess**
et de l'**originalité** d'un vin.

Contrairement à la "culture intensive" qui pratique le désherbage chimique — autrement dit, la non-culture — **la cultur**
vigneronne, dès la poussée de la sève, va ouvrir le grand cycle des labours.

LE DÉCHAUSSAGE : Pour le parfaire, il faut s'approcher très près de chaque souche, à la raclette, **à main d'homm**
c'est un travail long, dur et onéreux.

Tout au long de la saison végétative, la terre doit être maintenue propre.
La charrue attelée à son tracteur passe dans les rangs avec différents équipements :

— **les griffes** pour aérer la terre,
— **les lames,** pour couper les racines d'herbe en sous-sol,
— **les socles et versoirs** pour ramener la terre sur les pieds de vigne et les protéger de la chaleur d'été.

En non-culture, au contraire, le sol désherbé chimiquement se fendille et l'humidité du sous-sol s'évapore provoquant u
handicap végétatif pour la vigne.

L'EBOURGEONNAGE : "Parallèlement au travail de la terre", on doit ordonner et diriger l'exubérance de la végétation

L'ébourgeonnage est pratiqué dès le "débourrement" (éclosion des bourgeons).

Cette opération consiste à ne laisser que deux ou trois départs végétatifs par porteur.

Ce travail se fait **à main nue,** car les pousses sont tendres et cassantes.

Pour mener à bien cette tâche, il est nécessaire de connaître la plante, et de juger vite.

Ce travail délicat est confié à des personnes expérimentées.

ATTACHAGE, ÉCIMAGE ou ÉPOINTAGE : Très vite les sarments grandissent ; repasser dans les rangs s'impose, les attacher dans le cas de la taille gobelet ou les passer dans les fils de fer pour les tailles guyot ou royat.

Simultanément, pour stopper la croissance anarchique de la végétation, et suivant les habitudes régionales, on épointe à main d'homme, à la faucille, ou on rogne à la machine.

SÉLECTION DES RAISINS - VENDANGES D'"ÉTÉ" : Au mois de juillet, à la période de la **véraison** (changement de couleur du raisin), il faut juger les quantités de raisin sur pied, soulever le feuillage et faire tomber l'excédent de grappe !!

Il est important de savoir que la bonne maturité du raisin ne s'obtient qu'en limitant la charge sur chaque pied.

BONNE MATURITÉ DU VIN = DEGRÉ NATUREL DU VIN

A ce stade la sagesse du bon vigneron est évidente, car supprimer volontairement du raisin et limiter sa récolte est un lourd tribut à payer pour garantir la qualité.

Ce travail de vendanges préliminaires est difficile à envisager dans les grandes exploitations et de ce fait, souvent les rendements seront supérieurs, mais le degré en alcool sera inférieur, d'où l'obligation de chaptaliser (action qui a pour but d'augmenter le degré du vin par un apport de sucre).

LA VENDANGE

Pour obtenir le **degré naturel** — sans chaptalisation, attendre le complet mûrissement du raisin est indispensable.

Malheureusement, cette rigueur engendre le risque des intempéries, fréquentes en octobre, qui abîment le raisin, et forcent à une sélection rigoureuse.

Aucun raisin avarié ne doit rentrer dans les cuves afin d'éviter toute évolution bactérienne et l'emploi de produit chimique.

De même les transports du raisin s'effectueront dans de petites caissettes en plastique, impeccablement propres, évitant ainsi l'écrasement et l'oxydation du jus au contact de l'air. Les convoyages en tombereaux sont déconseillés.

LA MACHINE A VENDANGER : Par son système de battage pour récolter le raisin, ne peut que l'abîmer.

Trituration du raisin, oxydation du jus, absence de sélection, ce cycle mécanisé est inacceptable pour des vignerons conscients qui, après tout le temps investi, ne pourront se résigner à obtenir un vin de qualité moindre et à haut risque de médiocrité.

Le contexte économique est la raison essentielle du développement de la machine à vendanger et du convoyage en masse.

Réagir contre cette évolution robotique prouve toute l'importance des qualités morales et civiques des "vrais vignerons" et il est regrettable que certains, par facilité et par attrait du gain, ferment les yeux.

LA VINIFICATION

Tout le potentiel qualitatif de la vendange doit, après le cycle de vinification, s'exprimer dans le produit final : **LE VIN.**

La vinification ne pourra en aucun cas pallier la mauvaise qualité de la vendange.

Le vinificateur ne pourra que limiter les dégâts.

Le fouloir-égrappoir dissocie le grain de la rafle (égrappage) et fait éclater le grain (foulage).

Le raisin foulé va :

— soit tomber directement dans la cuve (peau, jus, pépins et rafles),

— soit tomber dans le pressoir (rosé) d'où le jus seul remontera dans la cuve après extraction par pressurage direct.

Avec du raisin blanc, la fermentation du jus obtenu par pressurage direct donne un **Vin blanc.**

Le Vin rouge s'élabore à partir de variétés de raisins noirs. Le jus, blanc au départ, macère avec les peaux pour prendre la couleur : la peau en effet contient les éléments colorants du vin.

Le Vin rosé provient des mêmes variétés de raisins que le vin rouge.

On emploie deux procédés distincts de vinification pour l'obtenir :

1° - **par pressurage direct** comme pour le vin blanc,

(suite page 61)

Bernard Loiseau
La Côte d'Or / Saulieu (Côte d'Or)

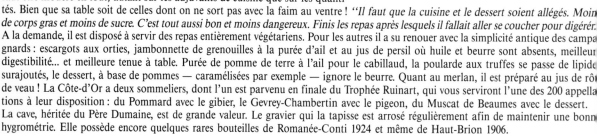

Bernard Loiseau, de la Côte-d'Or, à Saulieu, est un chef quadragénaire (38 ans) et autodidacte ! A la tête d'un établissement dont la réputation (il appartenait à Dumaine) n'est plus à faire mais reste à conserver, ceci d'autant plus qu'il a été "marginalisé" par l'autoroute, le jeune chef a cumulé en peu de temps les distinctions.

Il a fait ses première armes chez Troisgros avant de participer avec succès aux Belles Heures de la Barrière de Clichy.

En 1975, à 24 ans, il assume la Côte-d'Or et la difficulté de succéder à Dumaine que l'on considère à juste titre comme l'égal du valentinois Pic. Etablissement de grand standing, un vaste parc, 25 chambres, une clientèle de connaisseurs à fidéliser après le "choc autoroutier". En 1982, il bénéficie de deux étoiles au Michelin et de quatre Toques (note 19/20) chez Gault et Millau. Figurant parmi les meilleurs cuisiniers de moins de 40 ans, il est reçu à l'Elysée en 1984 et reçoit le Mérite National des mains du Président de la République. Jack Lang lui remettra par la suite les Arts et Lettres et Henri Nallet le Mérite Agricole.

Bernard Loiseau estime que le temps des "gros mangeurs" est révolu et qu'il faut être modéré en tout, autant sur les adjuvants de cuisine que sur les quantités. Bien que sa table soit de celles dont on ne sort pas avec la faim au ventre ! *"Il faut que la cuisine et le dessert soient allégés. Moin de corps gras et moins de sucre. C'est tout aussi bon et moins dangereux. Finis les repas après lesquels il fallait aller se coucher pour digérer."* A la demande, il est disposé à servir des repas entièrement végétariens. Pour les autres il a su renouer avec la simplicité antique des campagnards : escargots aux orties, jambonnette de grenouilles à la purée d'ail et au jus de persil où huile et beurre sont absents, meilleur digestibilité... et meilleure tenue à table. Purée de pomme de terre à l'ail pour le cabillaud, la poularde aux truffes se passe de lipide surajoutés, le dessert, à base de pommes — caramélisées par exemple — ignore le beurre. Quant au merlan, il est préparé au jus de rô de veau ! La Côte-d'Or a deux sommeliers, dont l'un est parvenu en finale du Trophée Ruinart, qui vous serviront l'une des 200 appellations à leur disposition : du Pommard avec le gibier, le Gevrey-Chambertin avec le pigeon, du Muscat de Beaumes avec le dessert.

La cave, héritée du Père Dumaine, est de grande valeur. Le gravier qui la tapisse est arrosé régulièrement afin de maintenir une bonn hygrométrie. Elle possède encore quelques rares bouteilles de Romanée-Conti 1924 et même de Haut-Brion 1906.

Parmi les crus nobles on compte ici 10 Côtes-de-Beaune différents, 13 Meursault, 17 Chablis, 10 Pommard, 12 Corton, 6 Volnay, 6 Nuits St-Georges, 4 Vosne-Romanée, 3 Musigny, 10 Gevrey-Chambertin, 19 Romanée-Conti, et en demi-bouteilles tous les Alsace, les Bordeaux les Médoc, les Côtes-du-Rhône, etc.

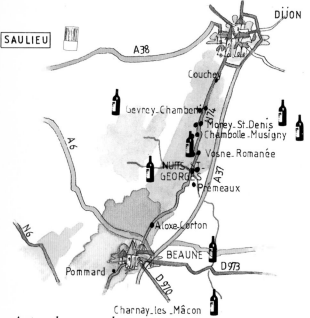

2, rue d'Argentine
21210 SAULIEU
Tél. 80 64 07 66

Hôtel-restaurant : La Résidence de la Côte-d'Or.
Hôtel-restaurant 4 étoiles. 24 chambres : 255 F à 1 500 (2 parties).
Visites de caves organisées. Télévision, téléphone dan les chambres. Parking-Garage. Jardin.
Chiens admis.
Menus : 230 F (déj.), 290 F, 490 F.
Carte : 600 à 700 F.
Petit-déjeuner : 70 F.
Cartes bancaires : Diners Club, Carte Bleue, American Express, Eurocard.

Sommelier : M. Lionel LECONTE.

Autres bonnes adresses

Maison Leroy : 21 Nuits-Saint-Georges. **Maison Bouchard Père et Fils :** 21 Beaune. **Louis Jadot :** 21 Beaune. **Maison Antoni Rodet :** 21 Mercurey. **Jean Gros :** 21 Vosne-Romanée. **Domaine Musigny de Vogue :** 21 Chambolle-Musigny. **Domaine du Clo des Lambrais :** 21 Morey-Saint-Denis. **Domaine Armand Rousseau :** 21 Gevrey-Chambertin. **Domaine Roubier :** 21 Chambolle-Musigny.

Domaine Ponsot
Morey-Saint-Denis
21220
Gevrey-Chambertin
Tél. 80 34 32 46

Appellation : **CLOS DE LA ROCHE - VIEILLES VIGNES**
Couleur et millésime : **Rouge 80**
Producteur : **M. Ponsot**
Terroir : **argilo-calcaire**
Cépages : **Pinot Noirien**
Rendement : **25 hl/hectare**
Mode de culture : **traditionnel 10 000 pieds/hectare**
Vendange et vinification : **manuelle et traditionnelle (cuve bois ouverte)**
Elevage : **en fûts de chêne pendant deux ans**
Caractère : **corsé, profond, viril**
Evolution : **lente. Vin de garde par excellence**
Observations : **pas de vente directe. A déguster sur les Grandes Tables**

Maison Joseph Faiveley
8, rue du Tribourg
B.P. 09
21700
Nuits-Saint-Georges
Tél. 80 61 04 55
Fax 80 62 33 37

Appellation : **NUITS-SAINT-GEORGES 1er CRU "LES FORETS ST-GEORGES"**
Couleur et millésime : **Rouge 85**
Producteur : **Maison Joseph Faiveley**
Terroir : **argilo-calcaire**
Cépages : **100% Pinot Noir**
Rendement : **35 hl/hectare**
Vendange et vinification : **vendange manuelle et triage. Vinification traditionnelle en cuve ouverte**
Elevage : **en fûts de chêne pendant 18 mois, dont moitié neufs**
Caractère : **bonne intensité arômatique. En bouche, vin encore ferme, mais avec des tannins bien fondus et une légère note boisée**
Evolution : **à laisser vieillir un peu**
Observations : **la Maison Faiveley possède le plus important Domaine de Bourgogne, Domaine où l'on retrouve les appellations les plus prestigieuses : Chambertin "Clos de Bèze", Mazis-Chambertin, Latricières-Chambertin, Clos Vougeot, Echezeaux, Corton, Corton-Charlemagne...**

Jean Servelle-Tachot
Chambolle-Musigny
21220
Gevrey-Chambertin
Tél. 80 62 86 91

Appellation : **CHAMBOLLE-MUSIGNY LES CHARMES, 1er CRU**
Couleur et millésime : **Rouge 87**
Producteur : **M. Jean Servelle-Tachot**
Terroir : **argilo-calcaire**
Cépages : **Pinot Noir**
Rendement : **35 à 40 hl/hectare**
Mode de culture : **traditionnel**
Vendange et vinification : **manuelle**
Elevage : **en fûts de chêne**
Caractère : **très fruité, parfum violette (vin féminin et racé)**
Evolution : **bonne garde, de 6 à 10 ans**
Observations : **quantités très limitées**
autres appellations : Chambolle-Musigny, Clos Vougeot

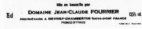

Domaine Jean-Claude Fourrier
7, route de Dijon
21220
Gevrey-Chambertin
Tél. 80 34 33 99

Appellation : **GEVREY-CHAMBERTIN**
Nom : **CLOS SAINT-JACQUES**
Couleur et millésime : **Rouge 86**
Producteur : **Domaine Jean-Claude Fourrier**
Terroir : **argilo-calcaire**
Cépages : **Pinot Noir**
Rendement : **35 hl/hectare**
Vendange et vinification : **manuelle, vinification longue**
Elevage : **en fûts de chêne pendant 2 ans**
Caractère : **très élégant, du bouquet, charpenté**
Evolution : **entre 6 et 10 ans**
Observations : **autres vins : Griottes Chambertin, Gevrey-Chambertin Combes aux Moines, Gevrey-Chambertin 1er Cru, Morey Saint-Denis, Chambolle Musigny, Vougeot 1er Cru**

Société Mommessin
La Grange
Saint-Pierre
71850
Charnay-les-Mâcon
Tél. 85 34 47 74

Appellation : **CLOS DE TART**
Nom : **CLOS DE TART GRAND CRU**
Couleur et millésime : **Rouge 82**
Producteur : **Mommessin**
Terroir : **argilo-calcaire**
Cépages : **Pinot**
Rendement : **45 hl/hectare sur 7 hectares, clos de mur**
Mode de culture : **traditionnel, rangs perpendiculaires à la pente**
Vendange et vinification : **manuelle, chapeau immergé, gravité sans pompage, collage au blanc d'œuf, et légère filtration**
Elevage : **vieillissement en fûts de chêne neufs. Mise au domaine après 18 mois**
Caractère : **robe rubis grenat, nez réservé, framboise violette, cerise fraise framboise, vin de bouteille, bonne structure**
Evolution : **à maturité, à consommer**

**Grands Vins de
Bourgogne
S.C.E.
Goillot-Bernollin**

29, route de Dijon
21220
Gevrey-Chambertin

Tél. 80 34 36 12

Appellation : **GEVREY-CHAMBERTIN**
Nom : **GOILLOT-BERNOLLIN**
Couleur et millésime : **Rouge 86**
Terroir : **argilo-calcaire**
Cépages : **Pinot Noir**
Rendement : **40 hl/hectare**
Mode de culture : **traditionnel**
Vendange et vinification : **manuelle, cuve ouverte, thermorégulation**
Elevage : **en fûts de chêne (1/3 en fûts neufs)**
Caractère : **vin charpenté, très fruité, des tonalités de cerises sauvages**
Evolution : **entre 4 et 10 ans**
Observations : **autres vins : Gevrey-Chambertin 87, et 87 Vieille Vigne.
Dégustation sur rendez-vous**

**G.A.E.C. Domaine
Pierre Amiot & Fils**

Viticulteur
Morey-Saint-Denis
21220
Gevrey-Chambertin

Tél. 80 34 34 28

Appellation : **MOREY-SAINT-DENIS 1er CRU**
Nom : **LES MILLANDES**
Couleur et millésime : **Rouge 86**
Producteur : **MM. Pierre Amiot & Fils**
Terroir : **argilo-calcaire**
Cépages : **Pinot Noir**
Rendement : **45 hl/hectare**
Mode de culture : **traditionnel**
Vendange et vinification : **manuelle, cuvaison longue (12 jours), égrappage partiel**
Elevage : **fût de chêne, 10% de fûts neufs pendant 20 mois**
Caractère : **typé Morey-Saint-Denis, parfum de violette, assez tannique**
Evolution : **de 4 à 10 ans**
Observations : **autres vins : Morey-Saint-Denis, Morey-Saint-Denis aux Chaumes, Clos de la Roche Grand Cru**

**Maison Joseph
Drouhin**

7, rue d'Enfer
21200 Beaune

Tél. 80 24 68 88

Appellation : **MUSIGNY GRAND CRU**
Couleur et millésime : **Rouge 86**
Producteur : **Domaine Joseph Drouhin**
Terroir : **argilo-calcaire**
Cépages : **Pinot Noir**
Rendement : **4 000 bouteilles pour un hectare**
Mode de culture : **vignes labourées**
Vendange et vinification : **manuelles et cuves bois**
Elevage : **18 mois en fûts**
Caractère : **complexe, extrême finesse, bouqueté**
Evolution : **12 ans environ**
Observations : **le Domaine Drouhin est propriétaire sur la Côte-d'Or de 25 hectares constitués uniquement de Premiers et Grands Crus. A Chablis le Domaine s'étend sur 30 hectares**

**André
Pernin-Rossin**

Route de Flagey
21700
Vosne-Romanée

Tél. 80 61 07 41

Appellation : **VOSNE-ROMANÉE 1er CRU**
Nom : **LES BEAUMONTS**
Couleur et millésime : **Rouge 87**
Producteur : **M. A. Pernin-Rossin**
Terroir : **argilo-calcaire**
Cépages : **Pinot Noir**
Rendement : **28 hl/hectare**
Vendange et vinification : **manuelle, macération à froid, vinification longue**
Elevage : **2 ans en fûts de chêne (20 à 25% de fûts neufs)**
Caractère : **très élégant et très fruité, bien charpenté, bonne persistance en bouche**
Evolution : **entre 5 et 10 ans**
Observations : **dégustations sur r.v. uniquement, quantités limitées
autres vins : Morey 1er Cru, Morey-Saint-Denis Village, Chambolle-Musigny 1er Cru, Nuits-Saint-Georges 1er Cru, Auxey Duresses**

Gilles Jayer

Propriétaire-
récoltant
Magny-les-Villers
21700
Nuits-St-Georges

Tél. 80 62 91 79

Appellation : **LES HAUTES COTES DE NUITS**
Couleur et millésime : **Rouge 87**
Producteur : **M. Gilles Jayer**
Terroir : **argilo-calcaire**
Cépages : **Pinot**
Rendement : **48 hl/hectare**
Mode de culture : **vigne basse traditionnelle**
Vendange et vinification : **manuelle**
Elevage : **fûts neufs de chêne, 16 à 18 mois**
Caractère : **élégant, riche et complexe, touche épicée, fruits rouges confits, harmonieux et équilibré**
Evolution : **entre 4 et 5 ans**
Observations : **autres vins : Blanc : Bourgogne Aligoté, Hautes Côtes de Beaune, Hautes Côtes de Nuits. Rouge : Hautes Côtes de Beaune, Côte de Nuits Village, Echezeaux**

2° - **par macération** comme le vin rouge, c'est-à-dire que le raisin foulé tombe directement dans la cuve et y macère brièvement avec la peau pour prendre sa couleur.

Le jus s'écoule dans une autre cuve pour fermenter. C'est le **"Rosé de saignée"**. Cette seconde méthode donne une couleur plus soutenue et peut-être moins de finesse.

L'ensemble du matériel de cave, afin d'obtenir le meilleur résultat de vinification, nécessite des investissements importants.

On ne peut économiser dans ce domaine sans compromettre la qualité.

La cuverie de vinification doit être conçue pour éviter les manipulations du raisin.

Une cave enterrée, avec le fouloir au-dessus des cuves, permet une mise en cuve directe, **sans action de pompage des moûts.**

Le pressoir qui se place sous les cuves, pour parfaire **une vinification par gravité,** est un modèle dans son genre.

La cuverie a son matériau de prédilection : l'inox. Sa facilité d'entretien est idéale pour maintenir les cuves en bon état sanitaire.

Le bon échange thermique, grâce aux propriétés physiques de l'inox, permet d'abaisser la température des moûts par simple ruissellement d'eau sur la paroi extérieure.

Les cuves en béton ont les caractéristiques inverses.

L'ELEVAGE DU VIN

Après la fermentation alcoolique, arrive la **fermentation malolactique.** Il se produit la transformation de l'acide malique en acide lactique par l'intervention de bactéries lactiques. Cette transformation engendre une baisse d'acidité nécessaire dans les vins rouges.

Un contrôle permanent, un suivi œnologique du vin, sont nécessaires tout au long de son élaboration d'abord et de son élevage ensuite.

Le soutirage : Il intervient lorsque la "malo" est terminée. Le but est de mettre le vin au propre, et d'éliminer les particules grossières déposées dans les tonneaux : **"la lie".**

Le sulfitage : Aussitôt propre et stable, le vin est sulfité par l'adjonction d'anydride sulfureux (forme de soufre), ce qui permet de le préserver des bactéries.

Un vin issu de bons raisins et bien vinifié n'aura besoin que d'un faible sulfitage.

L'élevage : Un long processus de plus en plus négligé.

Un vin ne bénéficiera d'une bonne évolution que dans des fûts en bois de chêne.

Le bienfait du bois de chêne provient de l'échange s'effectuant entre le vin et l'oxygène de l'air grâce à la porosité du bois. C'est une micro-oxydation nécessaire à l'évolution des tanins et qui concourt à donner de la **rondeur** et de la **finesse** au vin.

Ce bienfait n'est réel que si le bois est bien entretenu, bien nettoyé, sinon des altérations et des mauvais goûts peuvent gâcher le vin.

Les tonneaux devront toujours être gardés complètement pleins (pertes dues à la porosité du bois) et le vigneron procèdera régulièrement à leur remplissage : **c'est le ouillage.**

Plusieurs soutirages seront faits au cours de l'élevage pour éliminer les lies qui sont des sédimentations, des éléments lourds et indésirables.

Le vin vieilli dans le bois s'est clarifié naturellement et a pris tout son potentiel de vin de garde.

Il n'aura besoin d'aucun traitement chimique pour assurer sa bonne tenue, une filtration garantira simplement la propreté finale du vin.

UN VIGNERON QUI AURA :

— produit un raisin noble,
— effectué une vinification dans les meilleures conditions d'hygiène et avec toute l'attention requise,
— assisté son vin durant son long vieillissement en foudre,

saura encore patienter et attendre quelque temps pour que son vin prenne un nouvel épanouissement en bouteille, et présenter à sa clientèle un "MILLÉSIME" parfait.

Georges DELILLE

Jean-Pierre Billoux
Les Caves de la Cloche / Dijon (Côte d'Or)

Né à Digoin, apprenti à Digoin chez le grand-père de celle qui allait devenir sa femme, installé à Digoin, **Jean-Pierre Billoux**, la quarantaine arrivant, a refusé de cesser de progresser.

Mais, en raison de la situation économique, les perspectives d'avenir n'étaient pas encourageantes. Il a bouclé sa valise et quitté Digoin, sans s'éloigner de la Bourgogne puisque c'est à Dijon qu'il s'est arrêté, reprenant, début 1986, la Cave de la Cloche, un merveilleux outil avec sa salle Napoléon III pour les déjeuners, sa cave bourguignonne pour les dîners et sa terrasse sur le jardin intérieur pour les beaux jours. Un cadre à la mesure de l'héritier spirituel d'Alexandre Dumaine. Il a pu y laisser libre cours à son intuition et à sa spontanéité tout en conservant le sens de la mesure, de l'harmonie et le respect des saveurs.

Sa passion pour le vin de Bourgogne qui se marie si bien avec sa cuisine contemporaine alliant tradition et modernisme est certainement pour beaucoup dans le choix de son implantation. Sa carte des vins ne comporte pas moins de 550 références dont 400 Bourgogne blancs et rouges. Dans le lot trois ont sa préférence : Meursault, Puligny et Volnay.

"Le Meursault, dit-il, est un vin qui a beaucoup de fraîcheur et un arôme très particulier d'épices. Il est très concentré en goût. Il accompagne très bien poissons et crustacés, notamment la paupiette de homard au aubergines, le paillasson de langoustines ou le turbot grillé.

Le Puligny a un nez très agréable. Un peu vert, il développe en bouche un arôme un peu végétal. On peut tout particulièrement l'appréci avec un effeuillé de saumon ou une salade de ris-de-veau aux poireaux frits.

Le Volnay est un vin très féminin qui plaît aux dames. Il a un caractère très souple en bouche, plein d'arômes de la terre et des sous-boi. A choisir pour accompagner les volailles comme le suprême de volaille aux légumes, le pigeonneau sur galette de semoule de couscou ou le blanc de pintade au foie de canard et aux câpres."

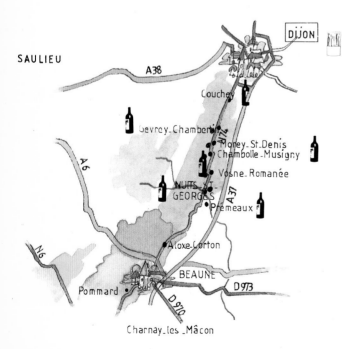

14, place d'Arcy
21000 DIJON
Tél. 80 30 12 32

Hôtel-restaurant : Les Caves de la Cloche.
80 chambres : 380 F à 500 F.
Fermeture annuelle : février.
Fermeture hebdomadaire : dimanche soir et lundi.
Visites de caves organisées. Télévision, mini-bar, téléphone dans les chambres. Ascenseur.
Parking-Garage.
Chiens admis.
Menus : 220 F, 380 F.
Carte : 460 F.
Petit-déjeuner : 47 F.
Cartes bancaires : Diners Club, Carte Bleue, America Express, Eurocard.

Sommelier : M. Patrice GILLARD.

Bourgogne
P. Misserey

, rue des Seuillets
B.P. 10
1702
Nuits-St-Georges
Tél. 80 61 07 74

Appellation : **NUITS-SAINT-GEORGES 1er CRU**
Couleur et millésime : **Rouge 85**
Terroir : **structure de terre fine avec des cailloutis, moyennement argileux**
Cépages : **Pinot Noir**
Rendement : **40 hl/hectare**
Mode de culture : **traditionnel**
Vendange et vinification : **vendange traditionnelle, en cuve bois**
Elevage : **en fûts de chêne dont 1/3 de neufs**
Caractère : **robe rubis tirant sur le pourpre. Nez de cassis et cerise légèrement boisé. Belle attaque en bouche. Gras, élégant**
Evolution : **à garder encore plusieurs années**

G.A.E.C.
Derey Frères

Vignerons
1 Couchey
Tél. 80 52 15 04

Appellation : **CLOS DES MARCS D'OR**
Couleur et millésime : **Blanc 85**
Producteur : **MM. Derey Frères**
Terroir : **argilo-calcaire**
Cépages : **Chardonnay**
Rendement : **2 000 bouteilles pour le Clos**
Mode de culture : **traditionnel (tout à la main), vignoble en terrasses**
Vendange et vinification : **manuelle. Vinification sous bois**
Elevage : **tout en fûts bois, 1/4 de fûts neufs**
Caractère : **Docteur Lavalle en 1855 ''Les Marcs d'Or présentent un feu et une vinosité très grande... des vins véritablement très remarquables''...**
Evolution : **entre 6 et 10 ans**
Observations : **autres vins : Fixin Hervelets 1er Cru, Fixin, Marsannay en Chant Perdrix, Marsannay les Vignes Marie. Dégustation sur r.v.**

S.A.R.L. Domaine
G. Roumier & Fils

Chambolle-Musigny
1220
Gevrey-Chambertin
Tél. 80 62 86 37

Appellation : **CHAMBOLLE-MUSIGNY**
Couleur et millésime : **Rouge 87**
Producteur : **MM. G. Roumier & Fils**
Terroir : **argilo-calcaire**
Cépages : **Pinot Noir**
Rendement : **28 à 30 hl/hectare**
Mode de culture : **traditionnel**
Vendange et vinification : **manuelle, fermentation prolongée, cuve bois, sans égrappage**
Elevage : **fûts de chêne 18 à 20 mois (20% de fûts neufs), collage blanc d'œuf**
Caractère : **rubis vif, beaucoup d'élégance et fruité, pureté des arômes**
Evolution : **entre 5 et 10 ans**
Observations : **dégustation sur r.v. téléphonique ou écrit uniquement. Quantités limitées autres vins : Bourgogne, Morey Saint-Denis Clos Bussière, Chambolle-Musigny Amoureuse, Bonne Mares, Clos-Vougeot-Musigny, Corton Charlemagne**

Domaine Rousseau

1220
Gevrey-Chambertin
Tél. 80 62 86 37

Appellation : **GEVREY-CHAMBERTIN 1er CRU**
Nom : **CLOS SAINT-JACQUES**
Couleur et millésime : **Rouge 87**
Producteur : **M. Charles Rousseau**
Terroir : **argilo-calcaire**
Cépages : **Pinot Noir**
Rendement : **25 hl/hectare**
Mode de culture : **traditionnel**
Vendange et vinification : **manuelle**
Elevage : **fûts de chêne 18 mois à 2 ans**
Caractère : **robe couleur groseille, bouquet fruité et délicat**
Evolution : **entre 2 et 6 ans**
Observations : **écrire préalablement, quantités très limitées**

Domaine
Mongeard-Mugneret

''Les Lutenières''
21700
Vosne-Romanée
Tél. 80 06 11 86

Appellation : **ECHEZEAUX**
Couleur et millésime : **Rouge 84**
Producteur : **Domaine Mongeard-Mugneret**
Terroir : **silico-argilo-calcaire**
Cépages : **Pinot Noir**
Rendement : **35 hl/hectare**
Mode de culture : **traditionnel**
Vendange et vinification : **manuelle, vinification longue, traditionnelle en cuves ouvertes**
Elevage : **en fûts de chêne, 70% fûts neufs**
Caractère : **robe limpide et brillante, bouquet racé et fin, structure harmonieuse**
Evolution : **de 5 à 12 ans**

Où acheter son vin ?

Dans les nouvelles habitudes de consommation, le chemin de la grande surface — supermarché, hypermarché ou autre mastodonte du même acabit — est devenu un parcours bien banal, que les Français, qu'ils soient des villes ou des champs, empruntent aujourd'hui très routinièrement. Prix concurrentiels, *discount* et possibilité de nombreux approvisionnements dans un lieu unique, tous ces facteurs — et d'autres, plus sociologiques — expliquent que ce mode d'achat soit entré durablement dans nos mœurs. Et le vin dans tout cela, à condition qu'on veuille bien le considérer, provisoirement, comme un simple produit de consommation, au même titre que la lessive ou les yaourts ?

Les dirigeants des grandes surfaces ont bien compris qu'il s'agissait d'un produit particulièrement attractif, car là ou les étagères à vins faisaient autrefois figure de rayons pauvrets, les mêmes "linéaires" sont désormais encombrés d'impressionnantes rangées de flacons, alléchant avec ostentation les pousseurs de caddies. Mieux encore : il n'est plus une grande surface qui n'organise, à l'approche des fêtes de fin d'année, des "foires aux vins", gages de fortes ventes en cette époque faste du commerce alimentaire. Aucun des dinosaures de la distribution (en vrac : Carrefour, Euromarché, Mammouth, Continent, Auchan, Leclerc, Intermarché...) ne négligerait plus ce nouveau filon, le groupe nordiste Auchan paraissant le plus en pointe sur ce récent créneau, avec ses régulières "quinzaines" du vin.

Certes, avec ce type d'achat standardisé, on se retrouve aux antipodes de l'approvisionnement à la propriété, autre marotte des Français en vacances, mais qui a vraiment le loisir de visiter régulièrement les six coins de l'Hexagone vinicole ?

Un choix finalement restreint

Si vous laissez à leur triste sort les vins ordinaires (vins de marque aux origines incertaines), les grandes surfaces vous proposent un assez large éventail de modestes appellations, de provenances diverses (des "vins de pays" aux A.O.C. génériques, en passant par les V.D.Q.S.). Ces vins sont souvent affichés à des prix compétitifs — étant donné la force de vente que procure la taille des distributeurs en question — ; voire "cassés" quand ils font office de "produits d'appel". Si ces bouteilles émanent de coopératives sérieuses ou de groupements de producteurs reconnus, elles ont toutes les chances d'être de ces honnêtes vins-boissons, vite bus, vite oubliés, mais parfaits pour la table quotidienne. Ce genre d'acquisition, peu onéreuse, n'est donc pas à dédaigner, encore que leur vente ne soit pas vraiment "suivie", les bouteilles disparaissant aussi facilement des rayons qu'elles y sont apparues. Ils s'agit là de toutes petites "affaires", à saisir sur-le-champ, sans la moindre préméditation.

Méfiez-vous en revanche des A.O.C. de niveau plus relevé, notamment dans les appellations communales. Sauf rarissimes exceptions, la gamme offerte dans les vins de Bourgogne, des Côtes du Rhône, de Loire ou d'Alsace est dévolue à des négociants de second rang, à classer dans la catégorie des "fabricants" de grosses séries ou des "faiseurs" d'étiquettes. Que reste-t-il alors ? Demeure le cas — paradoxal — des grands Bordeaux (crus classés ou crus "bourgeois"), qui sont également proposés là et dont la "mise au château" — maintenant généralisée — garantit en principe la parfaite authenticité.

Bons Bordeaux : achetez avec circonspection

En matière de Bordeaux, les avantages de la grande surface ne se réduisent en fait qu'à un seul (si l'on néglige celui — très mineur — de la commodité d'approvisionnement) : des prix en général intéressants. Mais ce bénéfice, même s'il est réel, est malheureusement contrebalancé par plusieurs inconvénients.

La conservation d'abord. Même si de légers progrès semblent réalisés en ce domaine, trop de ces nobles vins traînent encore sur les rayons, dans les plus détestables conditions qui se puissent concevoir : bouteilles debout, exposées à la lumière crue des néons et baignant dans une atmosphère nuisible (chaleur excessive,

(suite page 78)

Domaine François Lamarche

Vosne-Romanée
21700
Nuits-St-Georges
Tél. 80 61 07 94

Appellation : **VOSNE-ROMANÉE LA GRANDE RUE**
Couleur et millésime : **Rouge 86**
Producteur : **M. François Lamarche**
Terroir : **argilo-calcaire**
Cépages : **Pinot Noir**
Rendement : **35/40 hl/hectare**
Mode de culture : **traditionnel**
Vendange et vinification : **manuelle, cuve bois**
Elevage : **en fûts de chêne 18 mois**
Caractère : **finesse et élégance**
Evolution : **6 à 10 ans minimum**
Observations : **La Grande Rue, vignoble situé entre la Romanée Conti et la Tache
autres vins : Clos de Vougeot, Grands Echezeaux, Echezeaux, Divers 1ers Crus et
Vosnes Village**

Vins Fins de Bourgogne G.A.E.C. du Domaine Rion Daniel & Fils

Premeaux
21700
Nuits-St-Georges
Tél. 80 62 31 10

Appellation : **VOSNE-ROMANÉE 1er CRU**
Nom : **BEAUX-MONTS**
Couleur et millésime : **Rouge 1985**
Producteur : **Domaine Daniel Rion & Fils**
Terroir : **argilo-calcaire**
Cépages : **Pinot Noir**
Rendement : **38 hl/hectare**
Mode de culture : **traditionnel**
Vendange et vinification : **manuelle. Vinification avec assez longue macération**
Elevage : **en fûts de chêne dont 30% en fûts neufs**
Caractère : **floral, féminin**
Evolution : **vin de garde, bien équilibré, entre 8 et 12 ans**
Observations : **autres vins : Nuits-Saint-Georges 1er Cru, Clos des Argillières, Les
Hauts Pruliers, Aux Vignes-Rondes, Chambolle-Musigny, Clos Vougeot**

Bourgogne P. Misserey

, rue des Seuillet
B.P. 10
21702
Nuits-St-Georges
Tél. 80 61 07 74

Appellation : **SANTENAY**
Couleur et millésime : **Rouge 1985**
Terroir : **sol caillouteux argilo-calcaire**
Cépages : **Pinot Noir**
Rendement : **40 hl/hectare**
Mode de culture : **traditionnel**
Vendange et vinification : **vendange manuelle, vinification traditionnelle en cuve bois**
Elevage : **en fûts de chêne dont 1/3 de neufs**
Caractère : **rose rubis foncé, beaucoup de jambes. Nez : fruit rouge et réglisse. Vin
encore charpenté. Saveurs de fruits cuits**
Evolution : **bonne garde**

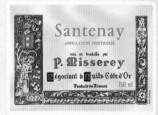

Autres bonnes adresses

M. J. Germain, 21 Chorey-les-Beaune. **M. F. Faiveley,** 21 Gevrey-Chambertin. **M. Bouchard,** 21 Beaune. **Mallard M. et Fils,** 21 Ladoix-Serigny.

Jean Crotet
Hostellerie de Levernois / Levernois (Côte-d'Or)

C'est à Nuits-Saint-Georges où il s'installe en 1972 que **Jean Crotet**, fils et petit-fils de restaurateurs, va pouvoir exprimer totalement, non seulement son talent de cuisinier, mais aussi sa passion du vin. Avec son épouse Christiane, ils ont su, au fil des années, reconnaître les bons vignerons auxquels ils témoignent une amitié et une confiance indéfectibles : *"Un bon vigneron, c'est comme un bon cuisinier, on ne le remet pas en cause à chaque fois, il restera toujours un bon vigneron."*

A la suite d'un coup de cœur, il s'est installé avec son fils Christophe dans une belle maison au calme entre les arbres centenaires et la pièce d'eau d'une propriété de quatre hectares et demi, non loin de Beaune.

Le père et le fils ont le souci de faire évoluer leur cuisine vers plus de finesse et d'élégance tout en maintenant solidement quelques plats de la tradition bourguignonne : la côte de bœuf vigneronne par exemple. Ils vont jusqu'à utiliser une lie de vin de la Côte de Nuits. *"Nous ne nous servons que d'une lie de premier soutirage, les trois à quatre premiers litres de vin trouble, chargé de lie"*.

La carte des vins de l'Hostellerie de Levernois est riche de plus de mille références dont 80 % de Bourgogne, les autres vins de France n'étant là que pour le prestige et le plaisir. Parmi les Bourgogne, des Côte de Beaune évidemment, riches en matières aromatiques, Meursault, Puligny-Montrache Chassagne-Montrachet, Corton-Charlemagne, *"un blanc puissant capable d'accompagner tout un repas avec une viande légère ou de abats"*; mais aussi des Côte de Nuits, Nuits-Saint-Georges et Gevrey-Chambertin, merveilleux avec les viandes.

En s'installant à Levernois dans un cadre à son goût, Jean Crotet a pris un deuxième départ : *"Cette nouvelle étape m'offre l'occasic d'une remise en question pour tenter d'apporter un peu plus de bonheur à mes clients"*. Il est vrai qu'à l'Hostellerie de Levernois, vo serez tout près du paradis.

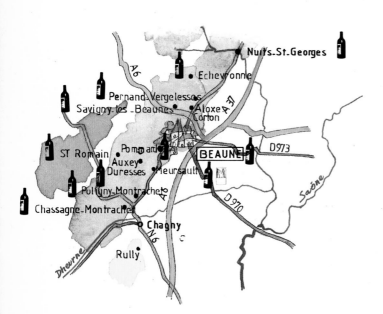

Levernois
Route de Verdun
21200 BEAUNE
Tél. 80 24 73 58

Hôtel-restaurant : Hostellerie de Levernois.
3 étoiles. 12 chambres : 480 F à 550 F.
Fermeture hebdomadaire : le mardi (du 01/12 au 30/03
Visites de caves organisées. Télévision, mini-bar,
téléphone dans les chambres. Parking. Jardin. Parc.
Chiens admis.
Menus : au déjeuner 150 F, sauf dimanche et fêtes 230
330 F, 420 F tous les jours.
Carte : 350 F.
Petit-déjeuner : 50 F.
Cartes bancaires : Diners Club, Carte Bleue, America
Express, Eurocard.

Sommelier : M. Fabien Guyot.

Jean-Pierre Diconne

Propriétaire-récoltant
Auxey-Duresses
21190 Meursault
Tél. 80 21 25 60

Appellation : **AUXEY-DURESSES**
Couleur et millésime : **Rouge 86**
Producteur : **M. Jean-Pierre Diconne**
Terroir : **argilo-calcaire**
Cépages : **Pinot Noir**
Rendement : **50 hl/hectare**
Mode de culture : **traditionnel**
Vendange et vinification : **manuelle, cuvaison de 12 à 14 jours non égrappé**
Elevage : **fûts de chêne (20%) pendant 18 mois**
Caractère : **boisé, développé, riche d'arômes de cerises et de cassis, équilibre parfait, vin puissant**
Evolution : **entre 3 et 8 ans**
Observations : **autres vins : Auxey-Duresses Blanc, Meursault, Bourgogne Aligoté, Auxey 1er Cru, Côte de Beaune Village, Bourgogne Rouge, Bourgogne Passetoutgrain**

Maison Chanson Père & Fils

10, rue
Paul Chanson
B.P. N° 19
21201 Beaune
Tél. 80 22 33 00

Appellation : **BEAUNE CLOS DES FÈVES 1er CRU**
Couleur et millésime : **Vin Rouge Récolte 1982**
Producteur : **Domaine Chanson Père & Fils à Beaune**
Terroir : **vigne à mi-côteau Est-Sud-Est, sol argilo-calcaire**
Cépages : **Pinot Noir**
Rendement : **40 hl/hectare**
Mode de culture : **vigne basse palissée sur fil de fer en rangs écartés d'un mètre.**
Vendange et vinification : **vendange éraflée, vinification avec pigeage quotidien et température régulée. Macération d'une durée supérieure à 8 jours**
Elevage : **50% en fûts de chêne pendant une période déterminée**
Caractère : **vin frais, délicat, élégant, arômes d'une bonne persistance, couleur rubis**
Evolution : **semble être à son optimum pour quelques années encore**
Observations : **la récolte 1982 était particulièrement abondante et en même temps parfaitement mûre, simultanéité à remarquer pour notre région assez septentrionale**

Jean-Marc Morey

Viticulteur
21190 Chassagne-Montrachet
Tél. 80 21 32 62

Appellation : **CHASSAGNE-MONTRACHET**
Nom : **LES CAILLERETS**
Couleur et millésime : **Blanc 87**
Producteur : **M. Jean-Marc Morey**
Terroir : **argilo-calcaire**
Cépages : **Chardonnay**
Rendement : **50 hl/hectare**
Vendange et vinification : **manuelle, contrôle des températures**
Elevage : **fûts de chêne (20% de fûts neufs) 12 mois**
Caractère : **jaune pâle, reflets verts, nez très aromatique, amandes grillées, charnu et longue persistance en bouche**
Evolution : **entre 5 et 15 ans**
Observations : **quantités limitées, dégustation sur r.v. autres vins : Chassagne-Montrachet Village, Les Champsgains, Saint-Aubin les Charmois Rouge, Chassagne Village, Santenay, Grand Clos Rousseau**

Domaine Michelot et Successeurs

21190 Meursault
Tél. 80 21 23 17

Appellation : **MEURSAULT**
Nom : **LE LIMOZIN**
Couleur et millésime : **Blanc 86**
Producteur : **Domaine Michelot**
Terroir : **argilo-calcaire**
Cépages : **Chardonnay**
Rendement : **50 hl/hectare**
Vendange et vinification : **manuelle, pressoir pneumatique**
Elevage : **en fûts de chêne (entre 25 et 30%) 12 mois**
Caractère : **typicité Grands Bourgogne Blanc, très charnu, ample en bouche**
Evolution : **entre 4 et 10 ans**
Observations : **autres vins : Meursault "Sous la Velle" Clos Saint-Félix "Les Tillets" "Clos du Cromin" "Les Narvaux" "Grands Charrons" Meursault Perrières, Charmes, Genevrières, Puligny, Montrachet**

J. Boigelot

Viticulteur
Monthelie
21190 Meursault
Tél. 80 21 22 81

Appellation : **MONTHELIE 1er CRU**
Nom : **LES CHAMPS FUILLOTS**
Couleur et millésime : **Rouge 84**
Producteur : **M. J. Boigelot**
Terroir : **argilo-calcaire**
Cépages : **Pinot Noir**
Rendement : **40 hl/hectare**
Mode de culture : **traditionnel**
Vendange et vinification : **manuelle et égrappée**
Elevage : **fûts de chêne (1/3 fûts neufs) 12 à 18 mois**
Caractère : **arômes fruités, gouleyant et souple, bonne persistance**
Evolution : **entre 5 et 8 ans**
Observations : **dégustations sur r.v. téléphonique. Tarif sur demande autres vins : Volnay 1er Cru, Meursault, Pommard**

S.C.E. Domaine Laleure-Piot Père & Fils
21420
Savigny-les-Beaune
Tél. 80 21 52 37

Appellation : **PERNAND-VERGELESSES 1er CRU**
Couleur et millésime : **Blanc 87**
Producteur : **Domaine Laleure-Piot Père & Fils**
Terroir : **marnes silico-calcaire**
Cépages : **Chardonnay** / Rendement : **45 hl/hectare**
Mode de culture : **classique**
Vendange et vinification : **manuelle, vinification "type Meursault" fermentation en fût**
Elevage : **fûts de chêne (Vosges)**
Caractère : **rubis intense et subtil, arômes de cassis et sous-bois, fruité et velouté**
Evolution : **bonne garde entre 2 et 6 ans**
Observations : **autres vins : Corton Charlemagne Blanc/Rouge : Corton "Le Rognet" Corton-Bressandes Iles de Vergelesses 1er Cru, Pernand-Vergelesses 1er Cru, Savigny-les-Beaune 1er Cru Les Vergelesses, Chorey Côte de Beaune**

Société Anonyme d'Exploitation du Domaine Parent
21630 Pommard
Tél. 80 22 15 08
et 80 22 61 85

Appellation : **POMMARD PREMIER CRU**
Nom : **LES EPENOTS**
Couleur et millésime : **Rouge 87**
Producteur : **Domaine Parent**
Terroir : **argilo-calcaire**
Cépages : **Pinot Noir**
Rendement : **35 hl/hectare**
Vendange et vinification : **manuelle, traditionnelle en cuve bois**
Elevage : **fûts de chêne (25% de fûts neufs) 2 ans**
Caractère : **solide et coloré, arômes de cerises confites et de cassis, belle ampleur en bouche**
Evolution : **entre 8 et 12 ans**
Observations : **dégustation sur r.v.**
autres vins : Volnay 1er Cru Clos des Chênes, Beaune Epenotes et Boucherottes, Pommard Chaponnières, Pommard les Arvelets, Pommard Rugiens

S.C.E. du Domaine Etienne Sauzet
Puligny-Montrachet
21190 Meursault
Tél. 80 21 32 10

Appellation : **PULIGNY-MONTRACHET**
Nom : **LES COMBETTES**
Couleur et millésime : **Blanc 87**
Producteur : **M. Gérard Boudot**
Terroir : **argilo-calcaire**
Cépages : **Chardonnay**
Rendement : **42 hl/hectare**
Vendange et vinification : **manuelle**
Elevage : **fûts de chêne (1/3 neufs) 11 mois**
Caractère : **jaune d'or, reflets verts, arômes fruités très concentrés, plein et longue persistance en bouche**
Evolution : **entre 3 et 10 ans**
Observations : **dégustation sur r.v. Quantités très limitées**
autres vins : Chassagne-Montrachet, Batard Montrachet

René Gras-Boisson
Saint-Romain
21190 Meursault
Tél. 80 21 23 81

Appellation : **SAINT-ROMAIN**
Couleur et millésime : **Blanc 87**
Producteur : **Domaine Gras-Boisson**
Terroir : **argilo-calcaire**
Cépages : **Chardonnay**
Rendement : **40 hl/hectare**
Vendange et vinification : **manuelle**
Elevage : **8 mois**
Caractère : **brillant et limpide, fraîcheur, finesse et fruité, friand en bouche**
Evolution : **entre 2 et 6 ans**
Observations : **autres vins : Saint-Romain Rouge, Auxey-Duresses Blanc et Meursault**

Domaine Henri et Gilles Buisson
Saint-Romain
21190 Meursault
Tél. 80 21 27 91

Appellation : **SAINT-ROMAIN**
Nom : **SOUS ROCHE**
Couleur et millésime : **Rouge 85**
Producteur : **MM. Henri et Gilles Buisson**
Terroir : **argilo-calcaire**
Cépages : **Pinot Noir**
Rendement : **40 hl/hectare**
Vendange et vinification : **manuelle**
Elevage : **fûts de chêne, 6 à 12 mois**
Caractère : **robe rubis soutenue, arômes de cerises et fruits rouges, souple en bouche et bonne persistance**
Evolution : **entre 3 et 6 ans**
Observations : **autres vins : Saint-Romain Blanc, Auxey-Duresses Blanc et Rouge, Meursault Monthelie, Volnay, Pommard et Corton**

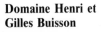

**Domaine Simon
Bize et Fils**

21420
Savigny-les-Beaune

Tél. 80 21 50 57

Appellation : **SAVIGNY-LES-BEAUNE**
Couleur et millésime : **Rouge 87**
Producteur : **Le Domaine Simon Bize et Fils**
Terroir : **calcaire**
Cépages : **Pinot Noir**
Rendement : **30 hl/hectare**
Mode de culture : **traditionnel**
Vendange et vinification : **manuelle**
Elevage : **fûts de chêne, 16 mois**
Caractère : **nourrissant, théologique, morbifuge**
Evolution : **entre 4 et 10 ans**
Observations : **sur r.v. exclusivement, quantités limitées**

**Domaine
Lucien Jacob**

21420 Echevronne

Tél. 80 21 52 15

Appellation : **SAVIGNY-LES-BEAUNE**
Couleur et millésime : **Rouge 86**
Producteur : **Domaine Lucien Jacob**
Terroir : **argilo-calcaire**
Cépages : **Pinot Noir**
Rendement : **35 hl/hectare**
Mode de culture : **traditionnel**
Vendange et vinification : **manuelle, très traditionnelle**
Elevage : **fûts de chêne, 18 mois**
Caractère : **robe cerise sombre, arômes de fruits rouges et sous-bois, moelleux et
velouté en bouche**
Evolution : **entre 4 et 8 ans**
Observations : **autres vins : Bourgogne Hautes Côtes de Beaune, Savigny-Vergelesses,
Bourgogne Aligoté, Crémant de Bourgogne, Crème de Cassis, Crème de Framboise**

Autres bonnes adresses

Emmanuel Rouget, 21 Nuits-Saint-Georges. **Tollot Beaut,** 21 Chorey-les-Beaune. **Michel Rossignol,** 21 Volnay. **René Monnier,** 21 Meursault. **Michelot Buisson,** 21 Meursault. **Domaine Henri Clerc,** 21 Puligny. **Domaine Chapelle,** 21 Santenay. **Domaine Roux,** 21 Saint-Aubin. **Blain Gagnard,** 21 Chassagne. **Joseph Drouhin,** 21 Beaune. **Jadot,** 21 Beaune. **Jayer Henri,** 21 Vosne-Romanée.

Le vin au fil des saisons...

MARS. Avec les derniers froids et l'apparition, entre deux ondées, des premiers effluves printaniers, c'est en quelque sorte un mois de transition douce et tranquille. Profitez-en pour continuer votre prospection des vins de la Loire avec le *Bourgueil* (robuste et charnu ou simplement fruité, selon son terroir d'origine), le fin *Vouvray* (et son pendant, le *Montlouis*) ou le délicieux *Savennières*, injustement resté en marge de la notoriété. En Bordeaux, faites connaissance avec d'autres vins des Côtes, plus tanniques et charpentés que les précédents *(Côtes du Bourg, Premières Côtes de Bordeaux, Côtes de Castillon),* ou, à l'inverse, avec de simples *Médoc* (en provenance du bas Médoc), souvent légers et parfumés.
En apéritif, découvrez les magnifiques vins blancs liquoreux de Gironde : *Sauternes* et *Barsac* bien sûr, mais aussi — moins célèbres que leurs illustres compères, mais généralement de haute tenue — *Cérons, Loupiac, Sainte-Croix-du-Mont* ou *Cadillac.*
Quant à l'Anjou, il vous offre les onctueux nectars que sont souvent les *Côteaux du Layon.*
Vouvray, dans les grandes années, vous propose encore d'admirables vins blancs moelleux. Même les *Monbazillac,* depuis quelques années, relèvent la tête, avec des vinifications de plus en plus soignées.

AVRIL. C'est l'époque de la poussée de la sève et des premières tiédeurs. En cave, vos vins commencent à "faire leur printemps" : c'est précisément le moment d'aller y ponctionner, si vous en êtes les bienheureux possesseurs, quelques bouteilles de vos grands Bordeaux et Bourgognes, seule façon éprouvée de juger leur degré d'évolution. Attaquez parallèlement les vins typés et fruités de la dernière récolte, ceux qui ont "fait leurs Pâques" et éclosent progressivement sur le marché : *Sancerre* (ou ses petits voisins, souvent aussi valeureux mais moins coûteux, *Quincy* et *Menetou-Salon) ;* crus du Beaujolais *(Brouilly, Saint-Amour, Juliénas...) ; Mâcon-Villages* et jeunes *Chablis ; Touraine* génériques ou de dénomination communale (Amboise, Mesland, Azay-le-Rideau), etc.
Faites encore un détour du côté des appellations sans prétention du bassin de la Garonne, de ces vins coulants et gentillets que sont les *Côtes du Frontonnais,* du *Marmandais* et de *Buzet.*

Jacques Lameloise
Lameloise / Chagny (Saône-et-Loire)

Bourguignon d'origine et de naissance, **Jacques Lameloise** a vu le jour à Chagny (Saône-et-Loire) dans une famille de cuisiniers dont il représente la troisième génération.

Dans cet établissement de la place d'Armes où la cuisine du marché a toujours joué un grand rôle, l'originalité n'est pas en reste (citons au hasard les raviolis d'escargots) mais le cachet du terroir bourguignon n'est pas non plus absent.

Classé 4 étoiles Tourisme, Lameloise figure avec 3 étoiles au Michelin, 3 au Bottin Gourmand, et 3 toques au Gault et Millau et sa réputation a largement dépassé les frontières de l'hexagone.

Après être passé par l'Ecole d'Alimentation de la rue Jean Ferrandi à Paris, Jacques Lameloise a effectué différents stages dans des établissements hautement réputés de la capitale tels que Lucas-Carton, le Fouquet's, Ledoyen, Lasserre, et le Savoye à Londres. Et aussi chez Ogier, de l'Aubergade, à Pontchartrain dans les Yvelines.

"Le vin et la nourriture sont liés, nous dit M. Jacques Lameloise, *il m'est difficile de concevoir l'un sans l'autre ; j'aime les vins de Bourgogne pour leur spécificité, leur équilibre, leur goût de fruit si particulier. Ils ont chacun, comme nos vignerons, leur personnalité propre. Nos grands rouges sont beaucoup plus moelleux et plus riches que ceux du Bordelais. Et ici aussi, le choix est vaste ; quant à la Côte Châlonnaise, on y trouve d'excellents vins entre Chagny et Tournus, comme Bouzeron, Mercurey, Rully, Montagny, Givry, mais ils sont un peu moins connus. Nous avons aussi les vins du Mâconnais..."*

Chez Lameloise on utilise traditionnellement le vin dans des recette telles que les œufs en meurette, le coq au vin et la matelote d'anguille qui sont de grands classiques.

Jacques Lameloise nous a présenté quelques accords heureux entre vins et préparations culinaires : hure de légumes au homard et Chassagne-Montrachet les Caillerets 1986, foie gras poëlé au caramel d'endives et Meursault Genevrières 1983, raviolis d'escargots dans leur bouillon d'ail doux et Rully les Thivaux 1986, fricassée de volaille de Bresse au beurre de carottes et Savigny les Serpentières 1984, filet d'agneau aux herbes fraîches cuit dans sa croûte et Volnay Clos des Ducs 1982, qui sont l'orgueil de sa carte.

Lameloise possède deux caves ; l'une, voûtée à l'ancienne, est incluse dans l'établissement dont les premiers éléments remontent au XVe siècle ; l'autre est située en agglomération dans une vieille demeure du XVIe.

Elles recèlent environ 80 000 bouteilles, dont 70 % de Bourgogne, le reste étant réparti entre les Alsace, le Bordelais, les Côtes-du-Rhône, le Val de Loire, le Jura, avec une nette prédominance des Bordeaux.

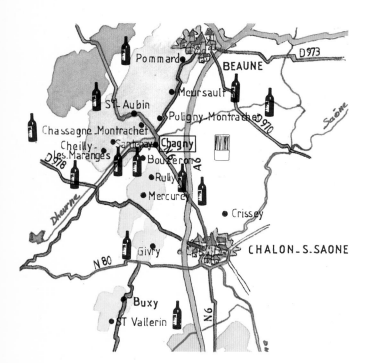

36, place d'Armes
71150 CHAGNY
Tél. 85 87 08 85

Hôtel-restaurant : Lameloise.
3 étoiles NN. 21 chambres : 280 F à 950 F.
Fermeture annuelle : du 21 décembre au 21 janvier.
Fermeture hebdomadaire : mercredi toute la journée et jeudi jusqu'à 17 heures.
Télévision, téléphone dans les chambres. Ascenseur.
Parking-Garage.
Chiens admis.
Menus : 280 F et 440 F.
Petit-déjeuner : 60 F.
Cartes bancaires : Carte Bleue, Eurocard.

Sommelier : M. J.P. DESPRÉS.

Chanzy Frères
viticulteurs
Domaine
de l'Hermitage
Bouzeron
71150 Chagny
Tél. 85 87 23 69

Appellation : **BOURGOGNE ALIGOTÉ BOUZERON**
Nom : **CLOS DE LA FORTUNE**
Couleur et millésime : **Blanc 87**
Producteur : **M. Daniel Chanzy**
Terroir : **argilo-calcaire**
Cépages : **aligoté**
Rendement : **50 hl/hectare**
Mode de culture : **traditionnel, sélection des grappes sur pied**
Vendange et vinification : **manuelles, cuves de gros volume pour concentration des arômes**
Elevage : **en cuves, et mise en bouteilles après 8 mois**
Caractère : **Or pâle à reflets verts, fruité et sec, souple et bonne longueur en bouche**
Evolution : **entre 1 et 5 ans**
Autres vins : **autres productions : Rully, Mercurey "Clos du Roy", 1er Cru**

A. et P. de Villaine
Bouzeron
71150 Chagny
Tél. 85 91 20 50

Appellation : **BOURGOGNE ALIGOTÉ BOUZERON**
Couleur et millésime : **Blanc 87**
Producteur : **M. A. de Villaine**
Terroir : **marnes argoviennes argilo-calcaire**
Cépages : **aligoté 100%**
Rendement : **55 hl/hectare**
Mode de culture : **traditionnel, biologique**
Vendange et vinification : **manuelle, contrôle des températures suivant le millésime**
Elevage : **2/3 en cuves, 1/3 en foudre de chêne pendant 6 mois**
Caractère : **robe or pâle, bouquet sec et fruité, nerveux et vif, caractère iodé**
Evolution : **à boire dès 89 jusqu'en 90**

Grands Vins
de Bourgogne
G.A.E.C.
Domaine Ragot
propriétaire
récoltant
71640
Givry-Poncey
Tél. 85 44 35 67

Appellation : **GIVRY**
Nom : **DOMAINE RAGOT**
Couleur et millésime : **Rouge 87**
Terroir : **calcaire oxfordien supérieur**
Cépages : **pinot**
Rendement : **45 hl/hectare**
Mode de culture : **traditionnel**
Vendange et vinification : **manuelle, égrappage partiel avec maîtrise des températures**
Elevage : **fût de chêne 18 mois avant mise en bouteilles**
Caractère : **rouge vif, fruité, fin, bonne structure, bonne persistance en bouche**
Evolution : **entre 3 et 5 ans**

Domaine Thenard
Givry
Saône-et-Loire
Tél. 85 44 31 36

Appellation : **GIVRY**
Nom : **LES BOIS CHEVAUX**
Couleur et millésime : **Rouge 86**
Producteur : **Domaine Thenard**
Terroir : **argilo-calcaire**
Cépages : **pinot noir**
Rendement : **35 hl/hectare**
Mode de culture : **traditionnel**
Vendange et vinification : **manuelle et machines**
Elevage : **fût de chêne (1/3 de fûts neufs), 18 mois**
Caractère : **Joli goût de fruits rouges, noyau de cerise, nez remarquable, finesse en fin de bouche**
Evolution : **entre 3 et 10 ans**

Michel Juillot
Grande Rue
B.P. 10
71640 Mercurey
Tél. 85 45 27 27

Appellation : **MERCUREY PREMIER CRU**
Nom : **LES CHAMPS MARTINS**
Couleur et millésime : **86**
Producteur : **M. Michel Juillot**
Terroir : **argilo-calcaire**
Cépages : **pinot noir**
Rendement : **40 hl/hectare**
Mode de culture : **traditionnel**
Vendange et vinification : **manuelle, traditionnelle**
Elevage : **en fûts de chêne pour 30%, 18 mois avant mise en bouteilles**
Caractère : **rubis très soutenu, riches tanins de raisins assimilé à ceux du bois, arômes de fruits noirs et d'humus**
Evolution : **à boire sous 5 ans**

Yves de Suremain
71640 Mercurey
Tél. 85 45 20 87

Appellation : **MERCUREY**
Nom : **CLOS L'ÉVÊQUE**
Couleur et millésime : **Rouge 86**
Producteur : **M. Yves de Suremain**
Terroir : **argilo-calcaire**
Cépages : **Pinot Noir**
Rendement : **30 hl/hectare**
Mode de culture : **traditionnel**
Vendange et vinification : **manuelle, cuvaison de 8 à 10 jours**
Elevage : **en fûts de chêne 1 an, cuvage et mise en bouteilles après 18 mois**
Caractère : **rubis soutenu, arômes de cassis et floral. Rondeur et souplesse en bouche**
Evolution : **à boire entre 3 et 5 ans**

Vins de Bourgogne
Bernard Michel
Saint-Vallerin
71390 Buxy
Tél. 85 92 11 16

Appellation : **MONTAGNY PREMIER CRU**
Couleur et millésime : **Blanc 87**
Producteur : **M. Bernard Michel**
Terroir : **argilo-calcaire**
Cépages : **Chardonnay**
Rendement : **45 hl/hectare**
Mode de culture : **traditionnel**
Vendange et vinification : **manuelle, débourbage après 36 h ou 48 h**
Elevage : **1/3 fûts de chêne, 2/3 en cuves pendant 11 mois**
Caractère : **vert, doré, arôme floral, bonne acidité, de bonne garde**
Evolution : **entre 2 et 4 ans**

Jean Vachet
Saint-Vallerin
71390 Buxy
Tél. 85 92 12 91

Appellation : **MONTAGNY PREMIER CRU**
Nom : **LES COÈRES**
Couleur et millésime : **Blanc 87**
Producteur : **M. Jean Vachet**
Terroir : **argilo-calcaire**
Cépages : **Chardonnay**
Rendement : **50 hl/hectare**
Mode de culture : **traditionnel**
Vendange et vinification : **manuelle, contrôle des températures**
Elevage : **en cuves, 1 an avant mise en bouteilles**
Caractère : **légèrement doré, parfumé, flatteur en bouche**
Evolution : **entre 2 et 7 ans**

Domaine Brelière
Jean-Claude
Brelière
place de l'Eglise
71150 Rully
Tél. 85 91 22 01

Appellation : **RULLY PREMIER CRU**
Nom : **LES MARGOTEY (vignes âgées)**
Couleur et millésime : **Blanc 87**
Producteur : **M. Jean-Claude Brelière**
Terroir : **argilo-calcaire**
Cépages : **Chardonnay**
Rendement : **45 à 50 hl/hectare**
Mode de culture : **traditionnel**
Vendange et vinification : **manuelle, contrôle des températures**
Elevage : **1 an en cuves avant mise en bouteilles**
Caractère : **limpide, fruité, arômes vanillés et légèrement noisetés. Sec. Typicité affirmée et bonne densité**
Evolution : **entre 3 et 15 ans**

Michel Briday
Rully
71150 Chagny
Tél. 85 87 07 90

Appellation : **RULLY**
Nom : **CHAMP CLOU 1er CRU**
Couleur et millésime : **Rouge 86**
Producteur : **M. Michel Briday**
Terroir : **argilo-calcaire**
Cépages : **Pinot**
Rendement : **46 hl/hectare**
Mode de culture : **traditionnel**
Vendange et vinification : **manuelle, à l'ancienne**
Elevage : **fûts de chêne, 1 an minimum**
Caractère : **reflets veloutés, arômes de petits fruits cassis et framboise**
Evolution : **sur 10 ans**
Observations : **tél. pour rendez-vous**

)livier Leflaive
rères
evib S.A.
Place du
Monument
1190 Puligny-
Montrachet
Tél. 80 21 37 65

Appellation : **PULIGNY-MONTRACHET**
Nom : **CHAMP GAIN**
Couleur et millésime : **Blanc 87**
Producteur : **Olivier Leflaive Frères**
Terroir : **argilo-calcaire**
Cépages : **Chardonnay**
Rendement : **45 hl/hectare**
Mode de culture : **traditionnel**
Vendange et vinification : **manuelles**
Elevage : **en fût pendant 15 mois**
Caractère : **gras, souple et ample, bien bouqueté, très truffé**
Evolution : **entre 5 et 12 ans**
Autres vins : écrire au producteur, ventes en primeur. Autres vins : **Chassagne Montrachet, Meursault, Saint-Aubin, Corton Charlemagne, Volnay, Pommard, Gevrey Chambertin...**

Bernard Morey
Chassagne-
Montrachet
21190 Meursault
Tél. 80 21 32 13

Appellation : **CHASSAGNE-MONTRACHET**
Nom : **LES EMBRAZÉES 1er CRU**
Couleur et millésime : **Blanc 87**
Producteur : **M. Bernard Morey**
Terroir : **argilo-calcaire**
Cépages : **Chardonnay**
Rendement : **45 hl/hectare**
Mode de culture : **traditionnel**
Vendange et vinification : **manuelles**
Elevage : **sur lie en fût de chêne (25% de fûts neufs), 12 mois**
Caractère : **or pâle, bonne acidité et fruité**
Evolution : **entre 3 et 10 ans**
Observations : **Dégustation sur rendez-vous uniquement, quantités limitées. Autres vins : Saint-Aubin 1er Cru, Santenay 1er Cru, Beaune Grèves**

Domaine
du Château
de Mercey
S.A.
Jacques Berger
71150 Cheilly-
Les-Maranges
Tél. 85 91 11 96

Appellation : **BOURGOGNE HAUTES COTES DE BEAUNE**
Nom : **CHATEAU DE MERCEY**
Couleur et millésime : **Rouge 85**
Producteur : **M. Michel Berger**
Terroir : **argilo-calcaire**
Cépages : **Pinot Noir**
Rendement : **50 hl/hectare**
Mode de culture : **traditionnel**
Vendange et vinification : **partie machine, partie manuelle, contrôle des températures**
Elevage : **en fûts de chêne pendant 12 à 18 mois avant mise en bouteilles**
Caractère : **robe rubis soutenue, arôme de fruits rouges, élégant et de bonne persistance en bouche**
Evolution : **à déguster entre 5 et 10 ans**
Observations : **autres vins : Mercurey, Santenay**

Domaine
Michel Gaunoux
Rue Notre-Dame
21630 Pommard
Tél. 80 22 18 52

Appellation : **POMMARD PREMIER CRU**
Nom : **LES GRANDS EPENOTS**
Couleur et millésime : **Rouge 85**
Producteur : **Domaine Michel Gaunoux**
Terroir : **argileux**
Cépages : **Pinot Noir**
Rendement : **35 hl/hectare**
Mode de culture : **traditionnel**
Vendange et vinification : **manuelle, vinification en cuves bois**
Elevage : **18 mois à 2 ans en fûts de chêne**
Caractère : **vin puissant par son millésime tout en ayant la souplesse de son appellation**
Evolution : **longue garde**
Observations : **dégustation sur rendez-vous par téléphone. Quantités très limitées.**

Marc Colin
21190 Saint-Aubin
Tél. 80 21 30 43

Appellation : **SAINT-AUBIN PREMIER CRU**
Nom : **LA CHATENIÈRE**
Couleur et millésime : **Blanc 87**
Producteur : **M. Marc Colin**
Terroir : **roche calcaire**
Cépages : **Chardonnay**
Rendement : **45 hl/hectare**
Vendange et vinification : **manuelle, contrôle des températures**
Elevage : **fûts de chêne (1/4 fûts neufs), 10 mois**
Caractère : **or à reflets verts, grande finesse avec arômes floraux, souple, bonne persistance**
Evolution : **à consommer de préférence entre 5 et 10 ans**
Observations : **autres vins : Saint-Aubin Les Combes, Saint-Aubin rouge, Chassagne Montrachet blanc et rouge, Chassagne Cailleret et Champgains, et Montrachet Santenay**

Jean Lamy
Place de l'Eglise
Saint-Aubin
21190 Meursault
Tél. 80 21 32 16

Appellation : **SAINT-AUBIN PREMIER CRU**
Nom : **LA CHATENIÈRE**
Couleur et millésime : **Blanc 87**
Producteur : **M. Jean Lamy**
Terroir : **argilo-calcaire actif (10 à 15%)**
Cépages : **Chardonnay**
Rendement : **35 hl/hectare**
Mode de culture : **traditionnel (désherbage)**
Vendange et vinification : **manuelle et traditionnelle**
Elevage : **en fût 12 mois**
Caractère : **teinte or, bouquet de noisette et d'amande, élégant et de bonne garde**
Evolution : **entre 2 et 8 ans**
Autres vins : autres vins : **Meursault 1er Cru, Puligny Montrachet 1er Cru, Bourgogne rouge et blanc. Autre lieu de vente : La Cave du Vigneron, 2, place Carnot, 21200 Beaune, tél. 80 24 10 59**

**Domaine
Prieur-Brunet**
21590 Santenay
Tél. 80 20 60 56

Appellation : **SANTENAY**
Nom : **SANTENAY-MALADIÈRE**
Couleur et millésime : **Rouge 85**
Producteur : **M. Guy Prieur**
Terroir : **argilo-calcaire**
Cépages : **Pinot Noir**
Rendement : **40 à 45 hl/hectare**
Mode de culture : **traditionnel**
Elevage : **fût de chêne 18 mois (15% en fûts neufs)**
Caractère : **robe soutenue, arômes de fruits rouges, bonne attaque en bouche**
Evolution : **très agréable sur le moment avec évolution sur les 10 ans à venir**
Observations : autres vins : **Chassagne Montrachet, Meursault, Volnay, Pommard, Beaune**

Autres bonnes adresses

Domaine H. Jacqueson, 71 Rully. **Domaine de la Folie**, 71 Chagny. **Marquis de Jouennes**, 71 Mercurey. **Domaine Faiveley** 21 Nuits-Saint-Georges. **Domaine M. Derain**, 71 Saint-Désert. **M. Goubard**, 71 Saint-Désert. **Ph. Chapelle**, 21 Santenay **Manoir de Mercey**, 71 Cheilly-Les-Maranges. **P. Pillot**, 21 Chassagne Montrachet. **Domaine H. Clerc**, 21 Puligny Montrachet **Domaine E. Sauzet**, 21 Puligny Montrachet. **A. Brunet**, 21 Meursault. **Domaine Thevenin-Monthelie**, 21 Saint-Romain **B. et C. Michelot**, 21 Meursault. **R. Gras**, 21 Saint-Romain. **J. et F. Parent**, 21 Pommard. **A. Goubard**, 71 Paris L'Hôpital **Domaine de La Pousse d'Or**, 21 Volnay. **Boillot**, 21 Volnay. **Monnier**, 21 Volnay.

Le vin au fil des saisons...

MAI. C'est la saison des fleurs et le début des chaleurs printanières. Choisissez des vins en accord avec la légèreté de ce "joli mois". Jetez votr dévolu sur des vins gracieux, aux bouquets tour à tour floraux et fruités : *Anjou* rouge (de cabernet plutôt que de gamay), *Muscat d'Alsace, Bourgogne aligoté* (il s'en produit d'excellents à Bouzeron, en Saône-et-Loire, et autour de Saint-Bris et de Chitry, dans l'Yonne), sautillant *Muscadet de Sèvre-et-Maine...*
Un immense ton au-dessus, dégustez en rouge, les grands Bordeaux de charme *(Margaux, Pomerol)* ou, en blanc, les accortes et élégants cru bourguignons *(Meursault, Pouilly-Fuissé, Saint-Romain...).* Dans la foulée, allez à la rencontre des vins blancs des Côtes du Rhône septentrionale souvent inattendus mais toujours racés *(Condrieu, Saint-Joseph, Hermitage, Saint-Péray).*

JUIN. C'est le premier mois de l'été et la chaleur s'est définitivement installée. En cette souriante circonstance, faites une promenade sur les bord plus ou moins éloignés de la Loire, en compagnie de ses charmants mais peu connus vins blancs : *Cheverny, Valencay, Anjou-Coteaux de la Loire Jasnières.*
Sur le front des vins du soleil, entamez le dialogue avec les bons crus provençaux : le *Bandol*, les *Côtes de Provence* (à sélectionner très judicieusemen parmi la foule de domaines maintenant existants), le parfumé vin blanc de *Cassis*, ou encore ces beaux vins discrets que sont le *Bellet* et le *Palette* En apéritif, explorez, à défaut de Champagne, les mousseux, crémants et pétillants de méthode champenoise. Il s'en élabore d'excellents en Va de Loire *(Saumur* et *Vouvray*, pétillants de préférence), en Bourgogne *(Crémant de Bourgogne)* et même, depuis peu, en Alsace *(Crémant d'Alsace)* Un net degré au-dessous, la *Clairette de Die* se défend rustiquement.

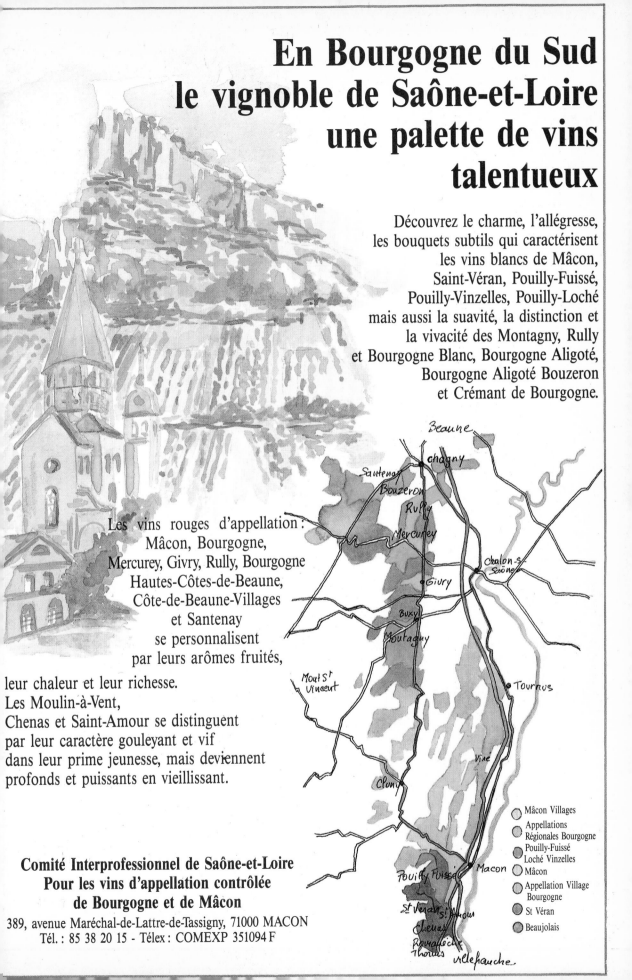

Georges Blanc
Georges Blanc / Vonnas (Ain)

"**B**on chien chasse de race". Chez **Georges Blanc,** la passion de la cuisine est inscrite dans les gènes.

La tradition culinaire remonte, dans sa famille, à l'ancêtre Jean-Louis Blanc qui, avec son épouse, vint s'installer près du champ de foire de Vonnas en 1872.

En 1933, Curnonsky, Prince des Gastronomes, qualifia la Mère Blanc, grand-mère de Georges, de "meilleure cuisinière du monde" : Edouard Herriot, au moins autant gastronome que politique, comptait au nombre des clients de la maison.

Né à Bourg-en-Bresse le 2 janvier 1943, sorti major de la Promotion 1962 de l'Ecole Hôtelière de Thonon-les-Bains, Georges Blanc a succédé à sa mère en 1968. Maître cuisinier de France en 1975, finaliste du Concours de Meilleur Ouvrier de France en 1976, il figure au Michelin avec trois étoiles, au Gault et Millau avec quatre toques (et 19,5/20) et au Bottin Gourmand avec quatre étoiles.

Georges Blanc abandonne parfois ses fourneaux pour le calme de son cabinet de travail. Il y a déjà produit cinq ouvrages (chez Robert Laffont et chez Lattès) dont le déjà classique "La cuisine de Bourgogne".

Georges Blanc propose 40 chambres et appartements, un restaurant de 100 places (avec une moyenne de 140-150 couverts par jour) une salle de réunion de 50 places et il emploie 60 personnes. Sa carte change quatre fois par an (d'où le titre d'un de ses ouvrage, "Le livre blanc des quatre saison et il vous propose selon la saison ses rillettes de tourteau aux écrevisses, sa saumurade de lotte et turbot au citron, sa marinade de can en tapenade, ses crêpes parmentières au saumon et au caviar, ses raviolis de homard forestière, sa sole à l'épice et aux tomates confi sa fondue de poularde de Bresse au pistou, et ses plats du terroir d'un charme classique.

La cave de l'établissement est à la hauteur des qualités de sa cuisine : Beaujolais et bien sûr Bourgogne y voisinent avec d'autres c de France et de l'étranger : d'Europe mais aussi des Amériques et d'Australie. Elle est à la température constante de 13° et l'hygromé est maintenue toute l'année à 90 %.

Depuis 1985, il est (aussi) vigneron dans le Mâconnais. L'automne dernier, il a "fait" ses premières vendanges et sa production pers nelle, élaborée à partir du cépage Chardonnay, porte sur l'étiquette "Domaine Azenay".

C'est d'ailleurs avec le vin d'Azé (localité où se trouve son domaine de 16 ha de terre à vignes en partie plantée) qu'il prépare son b la poularde de Bresse étant justiciable du Bourgogne ou du Beaujolais, parfois d'un Pinot de qualité.

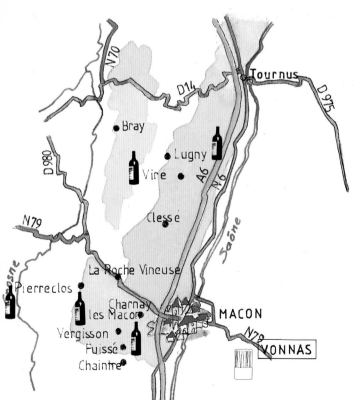

01540 VONNAS
Tél. 74 50 00 10

Hôtel-restaurant : Georges Blanc.
4 étoiles. 30 chambres : 450 F à 1 850 F.
Fermeture annuelle : du 02/01/90 au 08/02/90 (inclu
Fermeture hebdomadaire : jeudi (sauf du 15/06 au 15/
ouvert le jeudi soir) et mercredi sauf fériés.
Visites de caves organisées. Télévision, mini-bar,
téléphone dans les chambres. Ascenseur.
Parking-Garage. Jardin. Parc. Piscine (privée).
Tennis (privé).
Chiens admis.
Menus : 330 F, 490 F.
Petit-déjeuner : 65 F.
Cartes bancaires : Diners Club, Carte Bleue, Americ
Express.

Sommelier : M. Marcel PERINET.

CE Ferret-Lorton

issé

960 Pierreclos

l. 85 35 61 56

Appellation : **POUILLY FUISSÉ**
Couleur et millésime : **Blanc 87**
Producteur : **Madame Ferret**
Terroir : **argilo-calcaire**
Cépages : **chardonnay**
Rendement : **40 à 50 hl/hectare**
Vendange et vinification : **manuelle, traditionnelle**
Elevage : **en fûts de chêne**
Caractère : **or pâle, arômes fins et néanmoins capiteux, très soutenu en bouche**
Evolution : **entre 3 et 10 ans**

ciété Civile

os du Chapitre

Viré

l. 74 65 42 60

Appellation : **MACON-VIRÉ**
Nom : **CLOS DU CHAPITRE**
Couleur et millésime : **Blanc 87**
Producteur : **Héritiers de Jacques Depagneux**
Terroir : **argilo-calcaire**
Cépages : **chardonnay**
Rendement : **60 hl/hectare**
Mode de culture : **traditionnel**
Vendange et vinification : **manuelles**
Elevage : **10 mois en cuve**
Caractère : **souple et long en bouche**
Evolution : **entre 2 et 5 ans**

lection

ouilly-Fuisse

ts

uvigue-Burrier-

evel & Cie

Moulin du Pont

850 Charnay-

s-Mâcon

l. 85 34 17 36

Appellation : **POUILLY FUISSÉ**
Nom : **"LA FRAIRIE"**
Couleur et millésime : **Blanc 87**
Producteur : **Auvigue-Burrier-Revel**
Terroir : **argilo-calcaire**
Cépages : **chardonnay**
Rendement : **50 à 60 hl/hectare**
Mode de culture : **traditionnel et palissage standard**
Vendange et vinification : **manuelle, traditionnelle**
Elevage : **partie fût de chêne neuf**
Caractère : **arôme puissant, riche et sec**
Evolution : **entre 5 et 8 ans**
Observations : **réalisation chaque année d'une dizaine de cuvée de caractères différents, respect de l'authenticité.**

omaine

ı Bicheron

aniel Rousset

ticulteur

aint-Pierre-

-Langues

eronne

260 Lugny

l. 85 36 94 53

Appellation : **MACON-PERONNE**
Nom : **DOMAINE DU BICHERON**
Couleur et millésime : **Blanc 87**
Producteur : **M. Daniel Rousset**
Terroir : **argilo-calcaire**
Cépages : **chardonnay**
Rendement : **65 hl/hectare**
Vendange et vinification : **mécanique et traditionnelle**
Elevage : **vins de l'année**
Caractère : **arômes fruités intenses, bouche fraîche et nette**
Evolution : **entre 1 an et 3 ans**

ı. Forest

ergisson

960 Pierreclos

él. 85 35 84 79

Appellation : **POUILLY FUISSÉ**
Nom : **LES CRAYS**
Couleur et millésime : **Blanc 87**
Producteur : **M. Michel Forest**
Terroir : **argilo-calcaire**
Cépages : **chardonnay**
Rendement : **50 hl/hectare**
Mode de culture : **traditionnel**
Vendange et vinification : **manuelle, fût de chêne, contrôle de températures**
Caractère : **doré, souple et gras, beaucoup de distinction, très aromatique, très beau vin.**

"Où acheter son vin", suite de la page 64

courants d'air...). Cette déplorable situation est encore aggravée par la lenteur du débit, due à la relative cherté de ces bouteilles. Si vous cédez à la tentation, il est prudent de n'acheter que lors des ventes promotionnelles (en vous renseignant si possible, sur la fraîcheur des "arrivages") et raisonnable de faire subir à ces bouteilles un séjour prolongé dans votre cave, afin de les remettre de ces trop vives émotions. Quant aux conditions de stockage entre deux promotions (car toutes les bouteilles ne "partent" pas en une seule fois), le mystère le plus épais s'instaure au seuil des "réserves" : on est en droit de douter que ces estimables flacons prennent le chemin, sinon de caves, mais du moins de magasins climatisés, dans les bonnes règles de l'art œnologique.

Deuxième réserve : le choix offert dans les millésimes. Les grandes surfaces délivrent rarement des Bordeaux de "grandes" années — donc chers. Elles y sont d'abord incitées par la nécessité de demeurer attractives et bon marché à l'égard d'une clientèle généralement peu avertie, pour laquelle des prix faramineux constitueraient un frein à l'achat. Et puis — disons-le tout net — elles permettent d'écouler, sous le couvert d'étiquettes attirantes, les surplus de petits millésimes — c'est-à-dire peu cotés au plan strictement marchand — ou des vins peu réussis d'années plus réputées (cela arrive parfois, même chez les meilleurs). Le négoce en mal de débouchés s'en débarrasse ainsi à bon compte, réservant le reste, c'est-à-dire le "noble", au réseau professionnel et à l'exportation. Ceci étant, cet inconvénient n'a pas — si l'on peut dire — que des défauts. D'abord, on l'a vu, la notion de "petite" année est un concept éminemment relatif, pouvant varier considérablement d'un château à l'autre, générant même quelquefois de belles réussites. Donc, gare aux idées reçues, confortées par la lecture des petits cartons de millésimes ! En second lieu, les millésimes secondaires permettent une approche peu ruineuse des grands vins, quitte ensuite, une fois venue la familiarité, à se diriger vers des années plus fameuses. Enfin, tout filet, même aux mailles très serrées, peut présenter un trou : si, avec de l'intuition ou de bonnes informations, vous l'avez décelé, profitez-en sans remords !

Dernier désagrément, celui-là pour les puristes un peu maniaques : les étiquettes de ces prestigieux châteaux sont fréquemment oblitérées de petites étoiles aussi disgracieuses qu'indélébiles (en fait, afin d'éviter les erreurs ou les "confusions" de prix aux caisses).

A la source même du vin

Résumons-nous. L'achat en grande surface est loin d'être une panacée. S'il fait courir — proportionnellement — peu de risques pour les vins modestes, en revanche il réclame du discernement en matière de vins fins, mais permet en échange de dénicher parfois de bonnes affaires. En aucune façon cependant, il ne doit vous détourner de l'approvisionnement chez les véritables professionnels du vin, à commencer par les producteurs eux-mêmes.

L'achat chez le vigneron, petit récoltant ou grand domaine, demeure en effet la plus goûteuse manière d'enrichir votre cave. Outre un avantage économique (tarifs excluant les frais d'intermédiaires et de transport), il vous permet d'abord de remonter à la source même du vin. Celui-ci, dit-on, est un être vivant : comme tel, il reflétera inévitablement la personnalité de son géniteur.

La rencontre et l'échange avec le producteur apportent donc beaucoup dans la connaissance du vin convoité. Par une balade dans les vignes, par une visite au cuvier, par une dégustation comparative, vous comprendrez mieux la genèse, l'évolution, les particularités d'un cru. Car c'est bien en humant les arômes qui s'évadent du verre, l'atmosphère qui enveloppe le chai, ou l'air qu'exhale le terroir, que l'on pénètre véritablement dans l'intimité du vin.

Quel meilleur prétexte enfin que cette formule pour découvrir les pays de vin, pour en pénétrer quelque recoin secret, pour vous régaler d'une faconde locale, pour en explorer aussi les ressources gourmandes ! Et — puisque tout se résout finalement à table — pour faire jaillir, entre votre verre et votre assiette, les plus savoureuses correspondances !

Michel MASTROJANNI

Roger Lassarat

vigneron
Vergisson
71960 Pierreclos
Tél. 85 35 84 28

Appellation : **POUILLY FUISSÉ**
Nom : **CLOS DE FRANCE**
Couleur et millésime : **Blanc 87**
Producteur : **M. Roger Lassarat**
Terroir : **argilo-calcaire**
Cépages : **chardonnay**
Rendement : **40 hl/hectare**
Vendange et vinification : **manuelle, thermo régulée**
Elevage : **en fûts de chêne neufs**
Caractère : **Doré soutenu, gras de qualité, nez réservé de vin jeune qui s'appuie sur une solide structure. Suggestion de miel, musc, bergamote. Rond, charnu, intensité de saveurs remarquable, finalité très minérale et persistance prolongée**

Sté Mommessin

La Grange
Saint-Pierre
71850 Charnay-
Lès-Mâcon
Tél. 85 34 47 74

Appellation : **POUILLY FUISSÉ**
Nom : **DOMAINE BELLENAND**
Couleur et millésime : **Blanc 87**
Producteur : **M. Claude Bellenand**
Terroir : **argilo-calcaire, versant Sud-Est de la roche de Solutré**
Cépages : **chardonnay**
Rendement : **60 hl/hectare**
Mode de culture : **traditionnel**
Vendange et vinification : **manuelle et contrôle des températures**
Elevage : **pour 1/3 en fûts de chêne neuf**
Caractère : **robe jaune-vert, nez de noisette, tendre et goût de pierre à fusil**
Evolution : **rapide, 4 à 5 ans**

Vincent et Fils

Château de Fuissé
71960 Fuissé
Tél. 85 35 61 44

Appellation : **POUILLY FUISSÉ**
Nom : **CHATEAU FUISSÉ**
Couleur et millésime : **Blanc 87**
Producteur : **M. Vincent**
Terroir : **argilo-calcaire, étages jurassiques Bathonien et Bajocien**
Cépages : **chardonnay**
Rendement : **40 à 50 hl/hectare**
Vendange et vinification : **manuelle, contrôle des températures et vinification sous bois**
Elevage : **fûts de chêne de différentes origines toujours adaptés au millésime**
Caractère : **floral, élégance racée, très typé, arômes de fruits exotiques et réglisse**
Evolution : **bonne évolution (7 ans)**

**S.C.E.A.
Domaine Corsin**

"Les Coreaux"
71960 Fuissé
Tél. 85 35 83 69

Appellation : **SAINT-VÉRAN**
Nom : **DOMAINE CORSIN**
Couleur et millésime : **Blanc 87**
Producteur : **Domaine Corsin**
Terroir : **argilo-calcaire à prédominance calcaire**
Cépages : **chardonnay**
Rendement : **55 hl/hectare**
Mode de culture : **traditionnel**
Vendange et vinification : **vendanges manuelles**
Elevage : **cuverie et élevage en fûts de chêne, en partie**
Caractère : **vin fruité et agréable à caractère légèrement boisé**
Evolution : **vin qui exprimera pleinement ses qualités à partir du printemps 1989 et saura vous les faire apprécier pendant les 2 à 3 ans suivants**
Observations : **autre vin : Pouilly Fuissé. Température de dégustation : 12 à 14°. Vente à Davayé, lieu dit "Les Platés"**

Autres bonnes adresses

M. J. Thevenet, 71 Clesse. **M. A. Saumaize,** 71 Vergisson. **M. B. Dalicieux,** 71 Leynes. **M. Guérin,** 71 Vergisson. **M. Chagny,** 71 Leynes. **M. Chavet,** 71 Davayé

Beaujolais

Le "troisième fleuve de Lyon" coule toujours à flots sur l'Hexagone... Fort de quelque 22 000 hectares, le vignoble le plus populaire de France débite, bon an mal an, ses 130 millions de bouteilles de rouge. Une production qui a littéralement explosé en 1982, avec une récolte frisant 1,3 million d'hectolitres, et s'est maintenue depuis lors à un niveau avoisinant.

Les meilleurs Beaujolais sont en principe récoltés sur les granits hercyniens du nord de la zone d'appellation, là où le gamay donne sa meilleure expression (secteur des crus et des *Beaujolais-Villages),* tandis que le reste de la région, aux terrains argileux ou argilo-calcaires, est dévolu aux Beaujolais génériques et fournit les gros contingents de vin nouveau.

Le Beaujolais est obtenu par macération carbonique. En logeant la vendange non foulée en cuve close, on provoque une fermentation intracellulaire des raisins et un dégagement de gaz carbonique qui, par saturation, préserve le moût de l'oxydation : l'acidité s'en trouve diminuée, l'extraction en tannins est plus faible, tandis que les substances odorantes sont plus rapidement diffusées. Etalée sur quelques jours, la macération est suivie d'un pressurage et les fermentations s'achèvent généralement en fûts. Cette méthode permet de réaliser des vins souples et bouquetés, donc rapidement consommables.

Ainsi vinifié, le Beaujolais, couleur rubis, se caractérise par sa fraîcheur, sa vivacité, son côté "gouleyant" (un mot inventé à son intention), son nez pointu et sa saveur acidulée, dite de "bonbon anglais". Revers de la médaille : s'il dégage un certain charme dans sa toute première jeunesse, il n'est plus, un ou deux ans après sa récolte, qu'un souvenir de vin. Aussi l'écoule-t-on de plus en plus primeur. Chaque saison, à compter de la date fatidique du troisième jeudi de novembre, une bonne partie de la production (environ 50 %) s'évanouit en quelques semaines dans le gosier de nos concitoyens et de buveurs du monde entier, car cette cyclique inondation fait sauter régulièrement de nouvelles frontières. Un véritable tour de force, réalisé grâce à un processus de diffusion savamment huilé, n'ayant son équivalent dans aucune autre région vinicole française...

Mais le Beaujolais sait aussi égrener, avec beaucoup moins d'empressement, le délectable chapelet de ses dix crus, fleurons de ses terres granitiques. La litanie débute, au nord, avec *Saint-Amour,* aux vins si bien nommés pour leur côté gracieux et charmeur, puis *Juliénas,* aux vins généreux et plus fermes. Viennent ensuite *Chénas,* avec ses vins solides fleurant la pivoine ; le seigneur *Moulin-à-Vent,* le plus bourguignon des crus, parfumé d'iris et sachant gaillardement affronter le temps : le *Fleurie,* fruité et chargé d'arômes de violette ; le *Chiroubles,* cru tendre et "primeur" ; le *Morgon,* aux vins charnus, qui sentent le kirsch et "morgonnent" dans les bonnes années ; le *Régnié,* dernier-né des crus, aux vins ronds avec leurs notes de cassis et de griotte. Clôturent la marche, au sud, le *Brouilly,* aux vins francs et directs, et le plus fin et puissant *Côte de Brouilly,* récolté sur la "montagne" et exhalant des odeurs de framboise et de raisin à croquer. Une véritable corbeille de fruits et de fleurs que ces dix joyeux ambassadeurs du vignoble !

Beaujolais

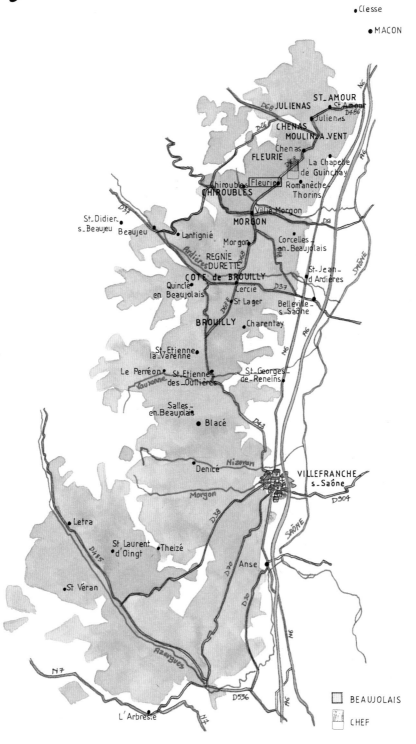

Gérard Cortembert
Auberge du Cep / Fleurie (Rhône)

L'Auberge du Cep à Fleurie (Rhône) a pour propriétaire et pour chef **Gérard Cortembert,** lequel, placé au cœur même de l'appellation Beaujolais, use essentiellement des crus de celle-ci et tout naturellement de Fleurie.

Il est vrai que le Beaujolais a la réputation d'être un vin "facile" (entendons-nous bien, nous ne voulons pas dire médiocre, mais de bon caractère) qui s'accorde volontiers avec les mets les plus divers. Philippe Couderc le fait voisiner avec les hors-d'œuvre, les charcuteries, les viandes rouges grillées, les gibiers légers et même les fritures et les huîtres.

Gérard Cortembert est un tôt venu dans la profession puisqu'il a débuté à 14 ans chez Alain Chapel, à Mionnay (Ain) où il est resté trois ans. Puis il a étudié le poisson à Morgat (hameau de la commune de Crozon, dans le Finistère) et chez Charlot, "le roi du coquillage", place Clichy, à Paris et enfin perfectionne ses connaissances dans la cuisine traditionnelle dans le Valais, à Lavay-les-Bains. Il débute très jeune, à 20 ans, et créé "l'Auberge du Cep" en 1969. Quatre ans plus tard, en 1973, c'est la première étoile au Michelin (la seconde arrivera en 1979), deux toques au Gault et Millau (15/20) et deux étoiles au Bottin Gourmand. Ici, le Beaujolais est roi aussi bien dans les verres que dans les assiettes. La volaille

fermière qui vient de la Bresse voisine et remplace le "coq au vin" devenu obsolète, est préparée au vin de Fleurie. La pièce de bœuf (le Charolais n'est pas loin non plus) est accommodée au Fleurie. Les œufs — en meurette — également. Ainsi que la matelotte aux filets de sole. Quelques grands classiques extra-régionaux sont même accommodés au Beaujolais blanc !

Pourquoi le Fleurie bénéficie-t-il de cette quasi-exclusivité ? Mme Cortembert trouve que ce vin précieux issu du Gamay, cépage unique, est très équilibré : finesse, corps, fruit, il a tout pour lui. Alors, lorsque l'on est, en plus, placé dans sa zone de production... pourquoi aller chercher ailleurs ?

Mais la très belle cave (enterrée sous l'établissement) de l'Auberge du Cep compte non seulement 75 % de vins provenant de la région, mais aussi du Bourgogne, des Côtes-du-Rhône, des vins de Loire, quelques Alsace (assez peu demandés dans le Beaujolais), des Bordeaux (Sauternes, St-Estèphe, St-Emilion, Graves, Médoc), du Pauillac, du Cahors, etc.

Place de l'Eglise
69820 FLEURIE
Tél. 74 04 10 77

Restaurant : Auberge du Cep.
Fermeture annuelle : du 07/02/89 au 12/02/89, du 01/08/89 au 06/08/89, du 12/12/89 au 04/01/90.
Fermeture hebdomadaire : dimanche soir et lundi.
Parking. Jardin.
Chiens admis.
Menus : 275 F, 440 F.
Carte : 300 F, 450 F.
Cartes bancaires : Carte Bleue, American Express. Eurocard.

Jacques Boulon

Chassagne
69220 Corcelles-
en-Beaujolais
Tél. 74 66 47 94

Appellation : **BEAUJOLAIS**
Couleur et millésime : **Rouge 88**
Producteur : **M. Jacques Boulon**
Terroir : **granitique**
Cépages : **gamay**
Rendement : **60 hl/hectare**
Mode de culture : **traditionnel**
Vendange et vinification : **manuelle, contrôle des températures**
Elevage : **cuves inox**
Caractère : **léger, fruité, belle robe éclatante**
Evolution : **de bonne garde**

Régie du Château de La Chaize

Odenas
69460 St-Etienne-
des-Oullières
Tél. 74 03 41 05

Appellation : **BROUILLY**
Nom : **CHATEAU DE LA CHAIZE**
Couleur et millésime : **Rouge rubis 87**
Producteur : **Marquise de Roussy de Sales**
Terroir : **granitique**
Cépages : **gamay rouge à jus blanc**
Rendement : **58 hl/hectare**
Mode de culture : **traditionnel**
Vendange et vinification : **traditionnelles**
Elevage : **foudres bois + cuves inox**
Caractère : **senteurs florales et de petits fruits, harmonieux, longueur en bouche remarquable**
Evolution : **garde de 3 ans**
Observations : **se déguste des hors-d'œuvre au fromage**

Georges Boulon

Place V. Puillat
69115 Chiroubles
Tél. 74 04 20 12

Appellation : **CHIROUBLES**
Nom : **DOMAINE DU CLOS VERDY**
Couleur et millésime : **Rouge 87**
Producteur : **M. Georges Boulon**
Terroir : **roche friable de l'ère primaire**
Cépages : **gamay noir à jus blanc**
Rendement : **45 à 55 hl/hectare**
Mode de culture : **traditionnel avec fumures (engrais organiques)**
Vendange et vinification : **manuelle. Maîtrise des températures de fermentation et pressoir pneumatique**
Elevage : **passage sagement dosé en fûts de chêne**
Caractère : **riche en arômes fruités, belle robe rubis très vive**
Evolution : **vin épanoui, à consommer en ce moment**

André et Monique Méziat

Le Bourg
69115 Chiroubles
Tél. 74 04 23 12

Appellation : **CHIROUBLES**
Couleur et millésime : **Rouge 87**
Producteur : **Méziat André et Monique**
Terroir : **sablonneux, granitique**
Cépages : **gamay**
Rendement : **50 hl/hectare**
Mode de culture : **traditionnel**
Vendange et vinification : **manuelle, foulage**
Elevage : **traditionnel**
Caractère : **corsé, fin, très aromatique**
Evolution : **à boire après 3 ans**
Autres vins : **Morgon, Fleurie et Beaujolais blanc**

S.C.E. des Domaines Saint-Charles

Le Bluizard
Saint-Etienne-
La-Varenne
69460 St-Etienne-
des-Oullières
Tél. 74 03 40 99

Appellation : **COTE DE BROUILLY**
Nom : **DOMAINE DE CONROY**
Couleur et millésime : **Rouge 87**
Producteur : **M. Jean de Saint-Charles**
Terroir : **granit ancien et schistes**
Cépages : **gamay noir à jus blanc**
Rendement : **55 hl/hectare**
Mode de culture : **traditionnel**
Vendange et vinification : **à la main, semi-carbonique**
Elevage : **foudres de chêne et cuves variées**
Caractère : **robe d'un rouge léger tirant sur la framboise nez qui s'ouvre après quelques minutes dans le verre**
Evolution : **palais fin et long ayant beaucoup de distinction**
Observations : **Domaine de Conroy produit aussi du Brouilly et est situé au pied même de la Colline de Brouilly. Il fait partie d'un groupe dont le Château du Bluizard**

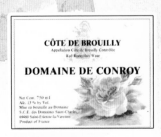

Domaine Berrod
Les Roches
du Vivier
69820 Fleurie
Tél. 74 04 13 63

Appellation : **FLEURIE**
Nom : **LES ROCHES DU VIVIER**
Couleur et millésime : **Rouge 87**
Producteur : **M. René Berrod**
Terroir : **vieux granits effrités**
Cépages : **gamay noir à jus blanc**
Rendement : **50 hl/hectare**
Mode de culture : **traditionnel**
Vendange et vinification : **manuelle et entière, maîtrise des températures**
Elevage : **8 mois en cuve inox**
Caractère : **robe soutenue et limpide, arômes de framboise et cerise, équilibré et long**
Evolution : **entre 1 an et 5 ans**
Observations : **également : Beaujolais Village et Moulin à Vent**

Michel Chignard
viticulteur
"Le Point du Jour"
69820 Fleurie
Tél. 74 04 11 87

Appellation : **FLEURIE**
Nom : **LES MORIERS**
Couleur et millésime : **Rouge 87**
Producteur : **M. Michel Chignard**
Terroir : **granitique**
Cépages : **gamay**
Rendement : **45 à 50 hl/hectare**
Mode de culture : **traditionnel**
Vendange et vinification : **manuelle, traditionnelle**
Elevage : **6 mois en foudre**
Caractère : **très fruité et finesse élégante, rubis éclatant**
Evolution : **à consommer dans les 2 ans avec possibilité d'un plus long vieillissement**
Observations : **médaille d'or à Paris, concours général**

André MÉTRAT
La Roilette
69820 Fleurie
Tél. 74 04 12 35

Appellation : **FLEURIE**
Nom : **LA ROILETTE**
Couleur et millésime : **Rouge 87**
Producteur : **M. André Métrat**
Terroir : **granitique**
Cépages : **gamay**
Rendement : **50 hl/hectare**
Mode de culture : **désherbage (griffé)**
Vendange et vinification : **manuelle - raisins entiers, 8 jours de cuvaison**
Elevage : **cuve inox**
Caractère : **nez très affiné, robe soutenue, gras, tannique et long en bouche**
Evolution : **2 et 5 ans**

Robert Sarrau
B.P. 185
69220
Belleville-sur-Saône
Tél. 74 66 19 43

Appellation : **JULIENAS**
Nom : **CHATEAU DES CAPITANS**
Couleur et millésime : **Rouge 87**
Producteur : **M. Robert Sarrau**
Terroir : **granitique**
Cépages : **gamay noir à jus blanc**
Rendement : **48 hl/hectare**
Mode de culture : **traditionnel, taille gobelet**
Vendange et vinification : **manuelle, chapeau immergé, 12-13 jours de macération**
Elevage : **7 mois**
Caractère : **rubis, fruits rouges, puissance en bouche**
Evolution : **peut être gardé 6-7 années**
Observations : **propriétaire également en Beaujolais Villages, Fleurie et Morgon**

Fernand Gravallon
Vermont
69910
Villie-Morgon
Tél. 74 04 23 23

Appellation : **MORGON**
Couleur et millésime : **Rouge 87**
Producteur : **M. Fernand Gravallon**
Terroir : **sablonneux filtrant**
Cépages : **gamay**
Rendement : **48 hl/hectare**
Mode de culture : **traditionnel**
Vendange et vinification : **manuelle, cuve et bois**
Elevage : **foudre**
Caractère : **élégant, gouleyant, long en bouche**
Evolution : **à boire dans les 5 ans**

**Domaine Savoye
Pierre et
Nicole Savoye**

69910
Villie-Morgon

Tél. 74 04 21 92

Appellation : **MORGON**
Nom : **MORGON COTE DU PY**
Couleur et millésime : **Rouge rubis 87**
Producteur : **M. Pierre Savoye**
Terroir : **roches schisteuses dites "Pierre Bleue" en coteau au levant**
Cépages : **gamay rouge à jus blanc** / Rendement : **48 hl/hectare**
Vendange et vinification : **vendanges manuelles, vinification raisins entiers,
macération, fermentation en cuves pendant 8/12 jours**
Elevage : **cuves ciment et fûts de chêne pour certaines cuvées**
Caractère : **vin qui "Morgonne" c'est-à-dire prend le caractère particulier que le
Morgon acquiert au vieillissement**
Evolution : **jeune, le fruit d'un Beaujolais. Vieux le charme d'un Bourgogne**
Observations : **Verbe "Morgonner" inventé par les vignerons du Cru pour traduire
avec élégance les sensations que chacun ressent. La Côte du Py, cœur du Cru Morgon
origine de l'appellation**

**F. Jacquemont
Château
des Gimarets**

71570
Romanèche-Thorins

Tél. 85 35 50 72

Appellation : **MOULIN A VENT**
Nom : **CHATEAU DES GIMARETS**
Couleur et millésime : **Rouge 87**
Producteur : **M. F. Jacquemont**
Terroir : **manganèse et schiste**
Cépages : **gamay**
Rendement : **50 hl/hectare**
Mode de culture : **traditionnel**
Vendange et vinification : **manuelle, traditionnelle (cuvaison 8 jours)**
Elevage : **en fût 8 mois**
Caractère : **très équilibré, très aromatique et charpenté**
Evolution : **à consommer entre la première année et quinze ans**

**Paul Spay
Domaine
de la Cave
Lamartine**

71131
St-Amour-Bellevue

Tél. 85 37 12 88

Appellation : **SAINT-AMOUR**
Nom : **DOMAINE DE LA CAVE LAMARTINE**
Couleur et millésime : **Rouge 87**
Producteur : **M. Paul Spay**
Terroir : **schisteux**
Cépages : **gamay noir à jus blanc**
Rendement : **50 hl/hectare**
Vendange et vinification : **manuelle, contrôle des températures**
Elevage : **6 mois avant la mise en bouteilles**
Caractère : **tendre et fruité, bouquet arôme fruits rouges**
Evolution : **à consommer dans les 3 ans**
Observations : **température de dégustation : 13°**

Jean Thevenet

Quintaine
71260 Clesse

Tél. 85 36 94 03

Appellation : **MACON-CLESSÉ**
Nom : **DOMAINE DE LA BONGRAN**
Couleur et millésime : **Blanc 86**
Producteur : **M. Jean Thevenet**
Terroir : **argilo-calcaire avec des marnes, bathonien**
Cépages : **chardonnay**
Rendement : **40 hl/hectare**
Mode de culture : **traditionnel, absence d'engrais chimiques et de produits de synthèse**
Vendange et vinification : **manuelle, basses températures, levures indigènes**
Elevage : **sur lie fine**
Caractère : **brillant, ample, épicé, fleurant bon l'acacia, très bonne persistance en
bouche, riche, possibilité d'épanouissement futur**

Autres bonnes adresses

G. Depardon. 69 Fleurie. **M. Descombes,** 69 Fleurie. **R. Méziat,** 69 Chiroubles. **Ch. Portier,** 71 Romanèche-Thorins. **G. Dubœuf,** 71 Romanèche-Thorins. **Ch. des Jacques,** 71 Romanèche-Thorins. **Descombes,** 69 Morgon. **E. Robin,** 69 Chenas. **Petit (Moulin à Vent),** 71 Romanèche-Thorins.

Champagne

Avec 25 000 ha actuellement en production (sur une aire totale, délimitée en 1927, de 35 000 ha), la Champagne viticole s'ordonne en trois zones majeures : la *Vallée de la Marne* (entre Dormans et Bisseuil), la *Montagne de Reims* (au sud de la capitale champenoise) et la *Côte des Blancs* (perpendiculaire à la vallée, allant de Cuis à Vertus). S'y ajoutent les vignobles périphériques de l'Aube et de l'Aisne, le prolongement de la Vallée de la Marne (entre Dormans et Château-Thierry) et de petits vignobles secondaires, comme la Côte de Sézanne : ces secteurs produisent généralement des vins de moindre qualité. Rappelons que le Champagne est issu de trois cépages exclusifs, dont les deux premiers donnent des raisins rouges (mais vinifiés en blanc) : le pinot meunier (assez fortement présent dans la Vallée de la Marne), le pinot noir (qui domine très largement dans le secteur de la Montagne de Reims et dans l'Aube), et le chardonnay (apanage de la Côte des Blancs). Ceux-ci prennent racine dans un sol crayeux, spécifique de la région, recouvert d'une faible épaisseur de limon.

En Champagne, le millésime ne veut pas dire grand-chose — même si les vins millésimés existent. Car le Champagne est à nul autre pareil : en dehors de son mode très spécial d'élaboration c'est avant tout un vin d'assemblage, donc où l'intervention humaine est prédominante. Dans la composition d'un grand Champagne peuvent en effet se mêler jusqu'à une cinquantaine de vins différents : vins des trois cépages autorisés, vins en provenance de l'immense palette des crus communaux (ils sont plus de 200), vins d'années différentes — d'où l'importance des réserves de vins vieux que tout vinificateur sérieux se doit de posséder. Cela explique le monopole — longtemps incontesté — des grandes maisons de Reims et d'Epernay qui par leur taille et leurs moyens, pouvaient seules disposer d'approvisionnements suffisamment variés (en achetant leurs vendanges à un grand nombre de petits vignerons), conserver des stocks importants de vins de réserve et donc confectionner des cuvées d'un type suivi, auxquelles elles conféraient leur style propre. Un monopole cependant de plus en plus battu en brèche, car, sur les 15 000 récoltants champenois, aujourd'hui plus de 4 000 sont également manipulants, c'est-à-dire vendangent et élaborent eux-mêmes leur propre Champagne. Ce qui ne va pas sans poser problème, car, à moins de 4 ou 5 ha de superficie plantée, aucun récoltant-manipulant ne peut vraiment diversifier sa production et surtout se constituer des stocks de vins d'années antérieures, indispensables à l'élaboration d'un Champagne digne de ce nom.

Les Champagnes millésimés

A la faveur d'une récolte particulièrement abondante et qualitativement bonne, le Champagne peut être millésimé, dans une limite toutefois plafonnée légalement à 80 % du total de la récolte (et qui n'est d'ailleurs jamais atteinte dans la réalité). Les Champagnes millésimés sont constitués d'assemblages savants, comme pour les cuvées habituelles, mais sans mariage de différentes années : ils sont en outre astreints à un vieillissement minimal de trois ans.

Champagne

Région proprette, bien tenue, mais sans excessif pittoresque, la Champagne contraste avec l'extraor-dinaire mythologie qu'entretient, depuis plus de deux siècles, le vin effervescent qu'elle produit.

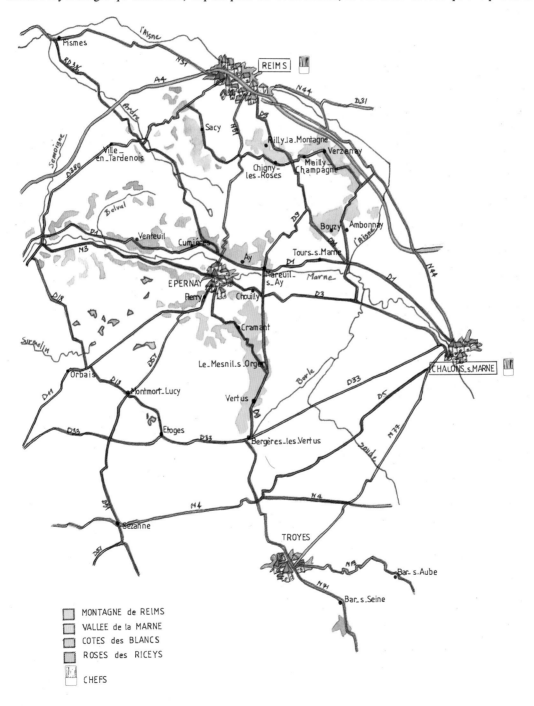

MONTAGNE de REIMS
VALLÉE de la MARNE
CÔTES des BLANCS
ROSES des RICEYS

CHEFS

Gérard Boyer
Les Crayères / Reims (Marne)

Auvergnat "monté" à Paris, Maurice Boyer s'installait en 1961 à Reims, à l'enseigne de La Chaumière, où son fils Gérard, élève de Lasserre pour la cuisine et de Joubois, de Vincennes, pour la pâtisserie, le rejoignait en 1963.

Vingt ans plus tard très exactement, Gérard Boyer quittait La Chaumière pour devenir châtelain aux Crayères, une demeure luxueuse et élégante bien abritée dans un parc de sept hectares.

A cadre exceptionnel il fallait une cuisine exceptionnelle, celle de Gérard Boyer l'est réellement, ainsi que le reconnaissent tous les guides gastronomiques. Exceptionnelle mais raisonnable, inventive, mais sans renier les bases classiques.

Gérard Boyer avoue : *"J'aime bien l'évolution mais je crée en essayant de raison garder, en faisant des choses harmonieuses et en conservant leur goût aux produits."*

Sur le champagne, dont sa carte offre cent cinquante références, il a des idées précises : *"Il n'y a pas, contrairement aux idées reçues, un champagne, mais des champagnes comme il y a des Bordeaux et des Bourgogne. Le vin de chaque maison a un goût qui lui est propre. Ce n'est pas seulement un apéritif mais un vrai vin avec ses typicités et des variantes suivant qu'il soit blanc de blanc, blanc de noir ou le mélange des deux, suivant les proportions du mélange, suivant la vinification en cuve ou sous bois et suivant le vieillissemen*

Les plus beaux mariages du champagne se font avec les poissons et les crustacés, comme l'escalope de turbot au champagne et aux peti légumes, le filet de Saint-Pierre en nage de poireaux et au caviar ou le mille feuilles de rouget au chou.

Le champagne rosé est formidable avec les volailles ou les viandes blanches comme le suprême de volaille de Bresse demi-deuil ou paillard de veau aux morilles.

Le champagne est aussi incomparable avec les desserts à l'exception de ceux au chocolat."

Gérard Boyer a dans sa cave des champagnes "vieux", certains datant de 1949, mais il les réserve aux initiés, *"Le goût,* dit-il, *est ur affaire d'éducation. Les millésimes anciens ne s'apprécient que progressivement."*

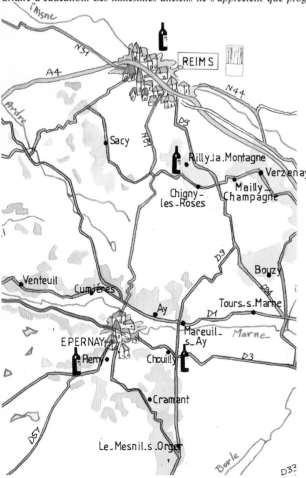

64, boulevard Henry Vasnier
51000 REIMS
Tél. 26 82 80 80

Hôtel-restaurant : Les Crayères.
16 chambres : 980 F à 1 530 F.
Fermeture annuelle : vacances scolaires de Noël.
Fermeture hebdomadaire : lundi, mardi-midi.
Visites de caves organisées. Télévision, mini-bar, téléphone dans les chambres. Ascenseur. Parking. Jardin. Parc. Tennis (privé).
Chiens admis.
Carte : 320 F à 460 F.
Petit-déjeuner : 70 F.
Cartes bancaires : Diners Club, Carte Bleue, America Express. Eurocard.

Sommelier : M. Werner HEIL.

**Champagne
Henri Abelé S.A.**

50, rue de Sillery
B.P. 18
51051 Reims Cedex
Tél. 26 85 23 86

Appellation : **CHAMPAGNE**
Nom : **CHAMPAGNE HENRI ABELÉ**
Couleur et millésime : **jaune or 82**
Producteur : **Champagne Henri Abelé**
Cépages : **assemblage Chardonnay, Pinot noir, Pinot Meunier**
Mode de culture : **traditionnel**
Vendange et vinification : **exclusivement manuelle, classique, tradition champenoise**
Caractère : **bien équilibré et bien charpenté, très fruité, arôme floral. Vin présentant une belle personnalité**
Evolution : **parfaitement prêt pour accompagner un grand repas**

**Champagne
Lanson**

12, bd Lundy
51056 Reims
Tél. 26 40 24 00

Appellation : **CHAMPAGNE**
Nom : **LANSON rosé, brut**
Couleur et millésime : **rosé**
Producteur : **Champagne Lanson**
Cépages : **chardonnay blanc, raisins noirs (Pinot) de Bouzy, Ambonnay, Mareuil, Verzenay**
Mode de culture : **traditionnel**
Caractère : **robe rosée très pâle, nez de raisins frais, bouche puissante et fine à la fois, bien charpenté. Belle réussite fraîche et nerveuse**

**Champagne
Henriot**

4, bd Henry-Vasnier
51000 Reims
Tél. 26 61 14 14

Appellation : **CHAMPAGNE**
Nom : **HENRIOT BRUT, SOUVERAIN, millésimé**
Couleur et millésime : **83**
Producteur : **Champagne Henriot**
Cépages : **assemblage de vins issus majoritairement de cépage chardonnay et de cépage pinot noir**
Vendange et vinification : **assemblage des meilleurs crus de la côte des Blanc et de la Montagne de Reims, élaboré dans le respect de la tradition champenoise**
Elevage : **lent vieillissement en bouteilles pendant cinq à six ans avant commercialisation**
Caractère : **belle teinte or pâle, mousse fine et persistante, palette aromatique florale, délicate et élégante, bouche harmonieuse et généreuse, à l'image de la récolte 83**
Observations : **outre son Brut Souverain millésimé, la Maison Henriot est particulièrement fière de son Blanc de Blanc, assemblage subtil et exclusif de cépage chardonnay, et de sa cuvée Baccarat millésimée, son fleuron. Produite en quantité limitée**

**Champagne
Henri Mandois
Père & Fils**

66, rue
Général de Gaulle
51200 Pierry
Tél. 56 63 61 55

Appellation : **CHAMPAGNE**
Nom : **CUVÉE DES TROIS GÉNÉRATIONS**
Couleur et millésime : **83**
Producteur : **Champagne Henri Mandois, récoltant manipulant**
Terroir : **chouilly tertus**
Cépages : **chardonnay**
Rendement : **60 hl/hectare**
Mode de culture : **traditionnel**
Vendange et vinification : **vendange manuelle, vinification basse température**
Elevage : **vieillissement en caves particulières**
Caractère : **souplesse, élégance, bonne longueur en bouche**
Evolution : **déjà à maturité, ce vin peut évoluer et se bonifier encore quelques années**
Observations : **propriétaire depuis plusieurs générations, nous élaborons notre champagne uniquement à partir de notre vignoble**

**Gérard Ployez
Champagne
Ployez-Jacquemard**

Ludes
51500
Rilly-La-Montagne
Tél. 26 61 11 87

Appellation : **CHAMPAGNE**
Nom : **CUVÉE LIESSE D'HARBONVILLE**
Couleur et millésime : **Blanc 82**
Producteur : **Champagne Ployez-Jacquemart**
Terroir : **calcaire**
Cépages : **50% chardonnay, 50% pinot noir - pinot Meunier**
Mode de culture : **traditionnel, labour mécanique**
Vendange et vinification : **manuelles, vinification sous petits volumes**
Elevage : **cuves émaillées**
Caractère : **finesse et subtilité apportées par le chardonnay, charpenté et corsé par les pinots**
Evolution : **peut vieillir**
Observations : **autres qualités sans année et millésime, sans l'étiquette Ployez-Jacquemart. Visite des caves et dégustation**

Pommery
C.H.P.L.

12, bd Lundy
B.P. 163
51056 Reims Cedex
Tél. 26 40 24 40

Appellation : CHAMPAGNE
Nom : **LA CUVÉE LOUISE POMMERY**
Couleur et millésime : **Blanc 81**
Producteur : **Pommery**
Terroir : **crayeux et argilo-calcaire**
Cépages : **70% Chardonnay, 30% Pinot Noir**
Rendement : **4.700 kg/hectare**
Mode de culture : **traditionnel**
Caractère : la cuvée Louise Pommery reste fidèle à la ligne des grands vins Pommery.
un nez vif, très ouvert au parfum discret de chardonnay, un palais souple, frais et
équilibré avec une suite longue et légère

S.A. Champagne
Louis Roederer

21, bd Lundy
51100 Reims
Tél. 26 40 42 11

Appellation : CHAMPAGNE
Nom : **LOUIS ROEDERER Brut Premier**
Couleur et millésime : **jaune or**
Producteur : **Champagne Louis Roederer**
Terroir : **assemblage de 30 crus dont 1/3 Montagne de Reims, 1/3 Vallée de la Marne,
1/3 Côte des Blancs**
Cépages : **2/3 Pinot Noir, 1/3 Chardonnay** / Rendement : **variable : de 6 à 9.000 kg/ha**
Vendange et vinification : **vendange manuelle, pressurage immédiat grappes entières.
Vinification en cuves inox de 100 hl**
Elevage : **vins de réserve, représentant 1/2 année de production conservés en foudres
de chêne de 40 à 60 hl pendant 2 à 8 ans**
Caractère : **vinosité soutenue, puissance, finesse et fruité**
Evolution : **prêt à consommer, peut être conservé pendant 2 ou 3 ans supplémentaires**
Observations : **Brut Premier représente environ 70% de la production totale ; Cristal,
Brut Millésimé, Rosé, Blanc de Blancs les 30% restant**

Champagne
Vazart-Coquart
& Fils

6, rue
des Partelaines
51200 Chouilly
Tél. 26 55 40 04
et 26 54 50 58

Appellation : **CHAMPAGNE**
Nom : **SPÉCIAL FOIE GRAS**
Couleur et millésime : **Blanc**
Producteur : **Champagne Vazart-Coquart**
Terroir : **Chouilly**
Cépages : **chardonnay**
Mode de culture : **traditionnel**
Vendange et vinification : **manuelles**
Elevage : **traditionnel**
Caractère : **spécial foie gras, vieux champagne**
Evolution : **vieillissement**

Autres bonnes adresses

M. Testulat, 51 Epernay. **M. Fred Leroux,** 51 Chigny-Les-Roses. **M. Severin-Doublet,** 51 Vertus. **M. Cattier,** 51 Chigny-Les-Roses. **M. Launois,** 51 Le Mesnil-Oger. **M. Legras,** 51 Chouilly. **M. Edmond Brun,** 51 Ay.

Comment fait-on le champagne ?

Le Champagne est un vin de haute technologie, réclamant une longue suite d'opérations minutieuses avant de laisser éclater ses bulles légères dans votre verre.

Le particularisme champenois commence — en principe — à la cueillette du raisin, avec *l'épluchage*, tri serré de la vendange pour éliminer les grains pourris ; cette pratique est cependant de moins en moins usitée. Au vendangeoir, chaque pressoir (le pressoir traditionnel présente une grande surface pour une assez faible épaisseur) reçoit 4 000 kg de raisins, d'où l'on va tirer 2 665 l de moût : la première pressée donne 2 050 l de jus (la "cuvée") et les suivantes fournissent respectivement 410 l ("première taille") et 205 l ("deuxième taille"). Seuls les vins obtenus à partir de ces moûts peuvent devenir du Champagne, le reste étant exclu de l'appellation. La vinification est ensuite conduite de manière classique : sulfitage, débourbage, fermentation en cuve ou — moins souvent — sous bois (la pièce champenoise contient 205 l), soutirages, collage, filtrage.

Au printemps suivant, commence la délicate opération de l'assemblage des crus et des années, réalisé à partir de dégustations, afin d'obtenir une *cuvée* conforme au goût du vinificateur. Une fois cette dernière constituée, on ajoute au vin une petite quantité de sucre (environ 25 g par litre) et de levain, puis on le met en bouteilles : c'est le *tirage*. Les levures agissant sur le sucre vont provoquer une *seconde fermentation,* qui s'effectue lentement (souvent durant plusieurs mois) et entraîne la prise de mousse. Les bouteilles reposent ensuite — couchées sur lattes — pendant plusieurs années (un an au minimum) et le vin vieillit ainsi sur ses lies.

Le vieillissement étant achevé, on procède au *remuage,* opération qui consiste à entraîner vers le goulot de la bouteille le dépôt de levures adhérant à ses flancs. Pour ce faire, les bouteilles sont disposées sur des pupitres de bois, leur goulot étant enfoncé dans une encoche qui permet de les incliner progressivement. Chaque jour pendant plusieurs mois, un ouvrier spécialisé (le "remueur") imprime une petite secousse à la bouteille ainsi qu'une légère rotation, qui la redresse peu à peu jusqu'à une position quasi verticale ; un remueur exercé peut manipuler jusqu'à 30 000 bouteilles par jour. Le remuage mécanique est cependant de plus en plus adopté par les producteurs. Les bouteilles sont ensuite mises en masse, "sur pointe", dans l'attente du dégorgement.

Le *dégorgement* a pour but d'éliminer le dépôt rassemblé dans le goulot : on plonge le col de la bouteille dans une solution réfrigérante, puis on fait sauter le bouchon et on expulse le dépôt congelé. Vient ensuite le dosage : on compense le léger vide créé dans la bouteille par l'adjonction d'une "liqueur d'expédition" (mélange de vin vieux et de sucre de canne). La proportion de sucre dans cette liqueur détermine le type souhaité de Champagne : celui-ci va du "doux" au "brut" (ou "extra-dry"), en passant par le "demi-sec" ou le "dry". Ces dernières années, une nette tendance se manifeste à ne plus doser le Champagne, c'est-à-dire à combler la perte due au dégorgement avec seulement du vin de la même cuvée : le Champagne porte alors sur l'étiquette les mentions "ultra-brut", "brut de brut", "brut 100%" ou "brut zéro".

Après le dosage, viennent enfin le *bouchage* (la pression naturelle du vin est contenue par la fixation d'un muselet de fer sur le bouchon), et l'habillage de la bouteille. Le Champagne est dès lors prêt à la consommation et ne gagne plus à vieillir. Il peut toutefois être conservé quelques années dans une bonne cave.

Jacky Michel
Hôtel d'Angleterre / Châlons-sur-Marne (Marne)

Depuis son entrée à l'Ecole Hôtelière de Reims, **Jacky Michel,** né en Normandie, n'a pas quitté la région Champagne-Ardennes. C'est dire son attachement à cette province où il s'est définitivement fixé en reprenant, en 1984, l'Hôtel d'Angleterre à Châlons-sur-Marne, ouvert en 1916.

Dans une ville moyenne comme Châlons, où les touristes ne sont pas légion, il n'est pas facile de travailler. Cela ne l'a pas empêché d'obtenir une étoile au guide Michelin dès 1984 et une toque rouge avec 14 au Gault et Millau.

Sa cuisine est du style classique allégé avec une large place donnée aux poissons *"qui, mieux que les viandes, permettent de laisser libre cours à l'imagination"* et Jacky Michel ne manque ni d'imagination, ni de sérieux.

Situation oblige, le champagne règne en maître à l'Angleterre où il accompagne près de 70 % des repas. Jacky Michel en a inscrit une soixantaine à sa carte, partie de propriétaires récoltants, partie de grands négociants, avec les meilleurs millésimes, 47-49, 53-55, 64-66, 78-79.

"C'est, dit-il, *un vin léger, agréable, qui n'empêche pas de travailler l'après-midi après le repas. Il passe très bien avec tous mes plats que ce soit le pithiviers de langoustines aux épices douces, le blanc de turbot homardine, ou la salade de homard. Avec le pot-au-feu de pintade au chou gras, je recommande plutôt un millésimé plus ancien."*

Jacky Michel sait aussi apprécier et faire apprécier les vins nature des côteaux champenois : *"Les blancs secs mais pas acides, issus d seul cépage chardonnay, se marient bien avec le foie gras chaud aux nouilles fraîches et le poisson. Le rouge comme le Bouzy est lég et agréable à boire assez jeune. Il convient bien également à la cuisine. Je l'utilise pour les rognons de veau aux croquettes à l'ail."*
Pour les desserts, enfin, comme son gratin de fraises et framboises, il recommande un champagne rosé.
En fait, il n'est pas un plat qui ne trouve en Champagne un parfait accompagnement.

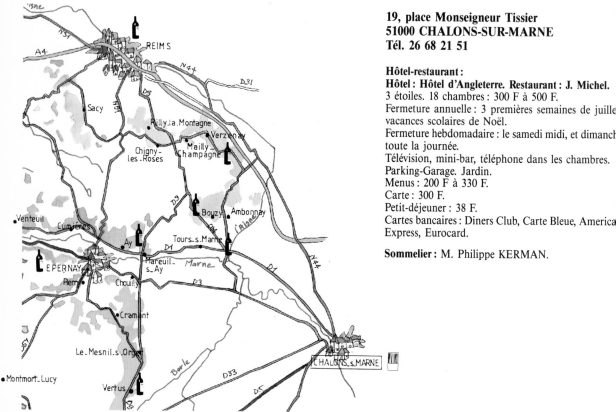

19, place Monseigneur Tissier
51000 CHALONS-SUR-MARNE
Tél. 26 68 21 51

Hôtel-restaurant :
Hôtel : Hôtel d'Angleterre. Restaurant : J. Michel.
3 étoiles. 18 chambres : 300 F à 500 F.
Fermeture annuelle : 3 premières semaines de juille
vacances scolaires de Noël.
Fermeture hebdomadaire : le samedi midi, et dimanch
toute la journée.
Télévision, mini-bar, téléphone dans les chambres.
Parking-Garage. Jardin.
Menus : 200 F à 330 F.
Carte : 300 F.
Petit-déjeuner : 38 F.
Cartes bancaires : Diners Club, Carte Bleue, America
Express, Eurocard.

Sommelier : M. Philippe KERMAN.

Champagne Besserat de Bellefon
Allée du Vignoble
B.P. 301
51061 Reims Cedex
Tél. 26 36 09 18

Appellation : **CHAMPAGNE**
Nom : **CUVÉE DES MOINES ROSÉ**
Couleur et millésime : **Rosé 85**
Producteur : **Champagne Besserat de Bellefon**
Cépages : **chardonnay, pinot noir**
Vendange et vinification : **année 85**
Caractère : **sa note au ton "fauvelet", sa fine mousse confèrent à la cuvée des Moines une grâce légère. Fruité, très élégant et agréable. Année exceptionnelle**

S.A. Duval-Leroy
Rue du Mont Chenil
B.P. 37
51130 Vertus
Tél. 26 52 10 75

Appellation : **CHAMPAGNE**
Nom : **CHARDONNAY, BLANC DE BLANCS**
Couleur et millésime : **Blanc non vintage**
Producteur : **Duval-Leroy**
Terroir : **Vertus, Avize, Chouilly**
Cépages : **chardonnay**
Rendement : **9.000 kg/hectare**
Mode de culture : **traditionnel**
Vendange et vinification : **manuelle, sélection du raisin au pressurage. Fermentation basse température 16-17°, fermentation malo lactique partielle**
Elevage : **séjour en caves durant 3 années**
Caractère : **vin très floral. Les arômes primaires subsistent et se mêlent aux arômes de vieillissement. En bouche, très bonne nervosité, vin très fringant, vin bien équilibré, d'une grande finesse et d'une exceptionnelle longueur. Les arômes de fruits jaunes et également de fruits secs sont les caractéristiques de ce vin**

Champagne Laurent-Perrier
51150
Tours-sur-Marne
Tél. 26 58 91 22

Appellation : **CHAMPAGNE**
Nom : **ULTRA BRUT, CHAMPAGNE PERRIER, CUVÉE SANS DOSAGE**
Couleur et millésime : **Blanc, assemblage**
Producteur : **Laurent-Perrier**
Terroir : **Champagne**
Cépages : **chardonnay et pinot noir** / Rendement : **variable selon l'année**
Vendange et vinification : **traditionnelle et suivant législation**
Elevage : **cuves inox et bouteilles**
Caractère : **cuvée sans dosage**
Evolution : **qualité optimale entre 4 et 8 ans après tirage**
Observations : **cette cuvée répond aussi à l'aspiration des consommateurs soucieux de limiter l'absorption de sucre, s'adapte à tout un repas, de l'apéritif aux entrées et aux entremets... avec le cigare même. Il s'agit aussi d'une réminiscence du siècle dernier dont témoignent de nombreux documents présentant le Grand Vin Sans Sucre Laurent-Perrier avec des millésimes aussi prestigieux que 1889, 1893**

Champagne Mailly Grand Cru
B.P. 1
Rue de la Libération
51500
Mailly-Champagne
Tél. 26 49 41 10

Appellation : **CHAMPAGNE GRAND CRU**
Nom : **MAILLY GRAND CRU**
Couleur et millésime : **blanc, assemblage de vieux vins sans liqueur d'expédition, 6 ans de vieillissement en moyenne**
Producteur : **Société de Producteurs Mailly Champagne 51**
Terroir : **Mailly Champagne, grand cru**
Cépages : **pinot noir pour 75%, chardonnay pour 25%** / Rendement : **50 hl/hectare**
Vendange et vinification : **manuelles, vinification classique**
Elevage : **4 années pour le Brut Réserve et 5 années minimum pour les millésimes et cuvée "prestige"**
Caractère : **puissance, élégance, équilibre, harmonie**
Evolution : **après 5 ans de vieillissement dans nos caves, prêt à être consommé à réception, mais conservation possible de 2 années chez le client consommateur**
Observations : **autres produits : Brut réserve, Brut rosé de macération, Brut millésimé 83, Cuvée des Echansons, Cuvée du 60e Anniversaire, Côteaux Champenois blanc et rouge**

Champagne V. Testulat
3, rue Léger Bertin
51200 Epernay
Tél. 26 54 10 65

Appellation : **CHAMPAGNE**
Nom : **V. TESTULAT**
Couleur et millésime : **brut sans année**
Producteur : **eux-mêmes**
Terroir : **Epernay**
Cépages : **Pinot Meunier et Chardonnay**
Rendement : **9.000 kg/hectare**
Mode de culture : **traditionnel**
Vendange et vinification : **dans les règles de l'art**
Observations : **racé, typé, vineux, le champagne brut de tradition que vous dégusterez à toute heure, pour le plaisir**

**Champagne
Barancourt**

B.P. 3
51150 Bouzy
Tél. 26 57 00 67

Appellation : **COTEAUX CHAMPENOIS**
Nom : **BOUZY-ROUGE**
Couleur et millésime : **Rouge 86**
Producteur : **Barancourt**
Terroir : **Bouzy**
Cépages : **pinot noir**
Rendement : **60 hl/hectare**
Mode de culture : **plantation en côteaux**
Vendange et vinification : **cuvaison 5 à 7 jours à chapeau immergé**
Elevage : **12 à 18 mois**
Caractère : **fruité (cerise, pêche)**
Evolution : **à boire entre 5 et 10 ans et plus pour les années exceptionnelles**

**Champagne
A. Charbaut & Fils**

17, avenue
de Champagne
B.P. 150
51205
Epernay Cedex
Tél. 26 54 37 55

Appellation : **COTEAUX CHAMPENOIS Rosé**
Nom : **A. CHARBAUT & FILS**
Couleur et millésime : **Rosé**
Producteur : **A. Charbaut & Fils**
Terroir : **Mareuil-sur-Ay, calcaire**
Cépages : **pinot noir**
Rendement : **53 hl/hectare**
Vendange et vinification : **manuelles, vinification température contrôlée et macération après foulage et égrappage**
Elevage : **rosé traditionnel**
Caractère : **souple, arômes complexes fruits rouges (cassis, framboise)**
Evolution : **à boire frais et relativement jeune**
Observations : **autres vins : Gamme de Champagne brut traditionnels, Blanc de Blanc rosé, millésimés et cuvée spéciale "certificate" : blanc et rosé**

**Champagne
Philipponnat**

13, rue du Pont
Mareuil-sur-Ay
51160 Ay
Tél. 25 50 60 43

Appellation : **COTEAUX CHAMPENOIS Rouge**
Nom : **MAREUIL ROUGE**
Couleur et millésime : **Rouge 87**
Producteur : **Philipponnat**
Terroir : **fine couche de terre végétale sur une épaisse couche de craie**
Cépages : **pinot noir**
Rendement : **6.000 kg/hectare**
Mode de culture : **traditionnel**
Vendange et vinification : **traditionnelles**
Elevage : **cuves puis fûts de chêne**
Caractère : **élégant et bien équilibré**
Evolution : **prêt à boire**

Autres bonnes adresses

Champagne Ruinart, 51 Reims. **Maison Lassalle**, 51 Chigny-Les-Roses. **M. A. Vesselle**, 51 Bouzy. **M. Joseph Perrier**, 5
Chalons-sur-Marne. **Champagne Deutz**, 51 Ay. **Champagne Turgy**, 51 Le Mesnil-sur-Oger. **Champagne Mumm**, 51 Reims

Champagne : les cuvées spéciales

Ces cuvées de prestige représentent en principe la quintessence du vin de Champagne, comme du savoir-faire des maisons qui les élaborent en grand secret : leur prix moyen ne laisse aucun doute à ce sujet. S'offrant dans des bouteilles qui rivalisent entre elles d'élégance et d'originalité, certaines sont millésimées, d'autres non. On peut ranger ces fleurons des grandes marques dans quatre catégories, selon leur caractère dominant.

• Les bruts corsés, musclés et vineux, faits à partir d'une forte proportion de raisins rouges : cuvée *Commodore* (De Castellane) ; *R.D.,* c'est-à-dire "récemment dégorgé" (Bollinger) ; cuvée *William Deutz* (Deutz) ; *Champagne Charlie* (Charles Heidsieck) ; *Cuvée des Échansons* (Mailly-Champagne) dans sa bouteille inspirée du XVIIIᵉ siècle.

• Les cuvées classiques, multi-cépages, élaborées dans la vieille tradition champenoise et accusant, selon les assemblages, ou plus de puissance ou plus de nervosité : très fine cuvée *Cristal* (Roederer) dans sa bouteille translucide ; *Grande Cuvée* et *Vintage* (Krug), ce dernier étant toujours millésimé et d'une extrême distinction ; *Dom Pérignon* (Moët et Chandon) dans sa bouteille à l'ancienne, la doyenne de toutes les cuvées de prestige, née dès avant-guerre ; cuvée *René Lalou* (Mumm) et cuvée *Diamant Bleu* (Heidsieck Monopole), toutes deux constituées à parts égales de raisins noirs et de raisins blancs ; cuvée *Grand Siècle* (Laurent-Perrier) ; cuvée *Grande Dame* (Veuve Clicquot) ; cuvée *Louise Pommery* (Pommery), dédiée à l'ancienne créatrice du Champagne brut ; *Réserve spéciale* (Pol Roger) ; *Taittinger Collection* (Taittinger), enfermée dans un conditionnement très moderniste, dû à de grands artistes contemporains ; *Cuvée Renommée* (Jacquart) ; *Grand Millésime* (Gosset) par la doyenne des maisons champenoises, qui cultive ici la parité du noir et du blanc.

• Les cuvées "blanc de blancs", c'est-à-dire provenant uniquement de raisins blancs, qui allient finesse et légèreté : cuvée *Dom Ruinart* (Ruinart) ; cuvée *"S"* (Salon) ; cuvée *Comtes de Champagne* (Taittinger) ; *Clos du Mesnil* (Krug), cuvée ultra-confidentielle et déjà mythique.

• Les cuvées où prédomine le chardonnay, recherchant surtout l'élégance : cuvée *Belle Epoque* (Perrier-Jouët), dans sa belle bouteille efflorescente, reproduction fidèle d'un modèle de Gallé ; cuvée *Florens Louis* (Piper-Heidsieck) ; cuvée *Prince de Bourbon-Parme* (Abel Lepitre) ; *Grande Cuvée* (Ayala), sous son verre couleur feuille morte et les ors raffinés de son étiquette ; *Noble Cuvée* (Lanson) ; *Cuvée rare* (Piper-Heidsieck), habillée par Fabergé.

Les Champagnes "grand cru"

Si vous tournez le dos à ces fastueuses cuvées spéciales et préférez vous adresser à un propriétaire, dirigez plutôt votre choix vers les crus classés à 100 %. Sachez en effet qu'un classement officiel établit une stricte hiérarchie des crus champenois, selon leur commune d'origine : les vendanges de chaque commune sont affectées d'un pourcentage (de 100 % à 80 %), le pourcentage maximal — qui correspond en fait à un prix de référence — étant attribué aux meilleures communes. Les "grands crus" (c'est-à-dire classés à 100 %) concernent dix-sept communes, parmi lesquelles Ambonnay, Bouzy, Ay, Sillery, Cramant, Avize, Louvois, Verzenay, le Mesnil-sur-Oger, et Mailly-Champagne offrent une production généralement irréprochable. De très bons Champagnes "monocrus" sont également obtenus dans certaines communes classées de 99 % à 90 % ("premiers crus"), comme Vertus, Cumières, Mareuil, Chigny-les-Roses ou Hautvillers. Traditionnellement, ne s'avouent comme tels sur l'étiquette que les crus 100 %

Coup de cœur pour le Cognac !

"Liqueur des Dieux" a écrit Victor Hugo ! Pourquoi diantre cette expression poétique juste et juridiquement fausse ? Parce que le grand homme ignorait la confusion possible entre "liqueurs" et "l'eau de vie ardente", parce qu'en revanche, il avait la conviction qu'un produit issu de la distillation d'un vin aux caractères enrichis par les emblèmes d'une Appellation d'Origine ne pouvait que rencontrer à travers les effluves du produit les affinités électives des Dieux, de l'Olympe comme ceux du Parnasse.

Dans les Charentes, le Cognac se marie avec l'Art Roman des églises au firmament du vignoble ensoleillé, solitaires superbes au milieu des rangées séculaires témoins du travail ciselé du viticulteur ; le Cognac se donne les moyens de la fête en accordant la luminosité saintongeaise au lent assouplissement que "les Anges" lui demandent en toute alacrité ; le Cognac enfin ignore les produits de la terre sans la noblesse du temps, compté et recompté, au rythme de vie des chênes orgueilleux qui établissent son berceau en forme d'assises. (Vous avez dit accises ?)

Le Cognac nous enracine. Il nous fixe comme les ceps anciens s'implantent dans nos terroirs baignés d'une douce luminosité picturale ; le Cognac, à l'âge mûr, nous demande de l'aimer : c'est-à-dire de le comprendre dans son bouquet, de l'apprécier dans la vigueur amicale qu'il lâche de son corps, de reconnaître ses bienfaisantes qualités de pourvoyeur de Bonheur pour ceux qui savent les secrets.

Tous les Dieux demandent de prêter serment, et le Seigneur Cognac a tissé des liens innombrables et secrets pour qu'il ait été la seule eau de vie que Talleyrand sous l'Empire proposait à l'Europe et pour que le miracle se perpétue à l'infini, à tous les hauts lieux de ce monde.

Paul SABOURIN
Professeur de Droit Public à l'Université de PARIS V
Professeur à l'Université Internationale des eaux de vie (Segonzac)
Propriétaire récoltant à Ambleville

Le Cognac

Répartis dans les départements de Charente et Charente-Maritime et entre deux enclaves dans les Deux-Sèvres et la Dordogne, le vignoble de Cognac compte environ 95 000 ha de vins blancs aptes à la distillation. La Folle Blanche, le Colombar et surtout le Saint-Emilion (98 % des cépages utilisés) composent aujourd'hui le vignoble en pays de Cognac.

En partant de Cognac et de manière concentrique et hiérarchisée, on trouve les sept crus officiels : la Grande Champagne, la Petite Champagne, les Borderies, les Fins Bois, les Bons Bois, les Bois Ordinaires et les Bois à Terroir.

L'eau de vie de chaque cru possède ses qualités propres : une saveur, un arôme particulier et des aptitudes différentes au vieillissement. Le Cognac doit surtout son originalité aux conditions très spéciales de sa préparation.

Au moment de la vendange, les adjuvants artificiels sont proscrits ; après le pressurage, le jus de raisin est mis à fermenter et le vin ainsi obtenu est distillé, souvent sur place, par le viticulteur ou le bouilleur voisin. La distillation s'effectue dans l'alambic charentais en deux chauffes et à "feu nu". Cette opération longue, délicate et complexe, réclame de la part du distillateur une très longue expérience.

L'eau de vie ainsi recueillie séjourne ensuite de nombreuses années dans des fûts de bois de chêne originaire des forêts du Limousin et du Tronçais. Ces tonneaux donnent au Cognac sa superbe couleur ambrée et son arôme si particulier. Cependant, la forme définitive du Cognac est l'œuvre du Maître de Chai dont l'art indéfinissable mais essentiel va présider à des assemblages, mélanges d'eaux de vie d'âge et de crus différents.

En définitive, les deux principales qualités du Cognac se résument dans la finesse et le corps. La finesse consiste dans la netteté du bouquet et du goût qui distingue le Cognac d'une eau de vie courante. De son côté, le corps résulte de la réunion de tous les éléments qui composent le Cognac.

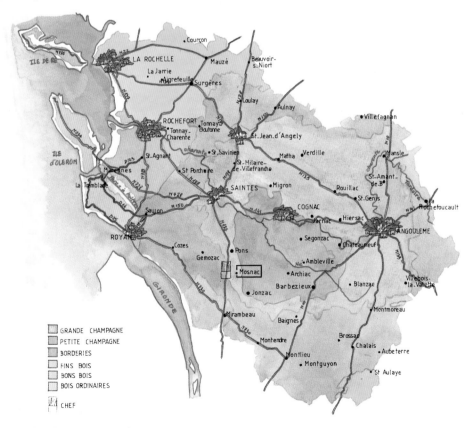

GRANDE CHAMPAGNE
PETITE CHAMPAGNE
BORDERIES
FINS BOIS
BONS BOIS
BOIS ORDINAIRES
CHEF

Dominique Bouchet
Le Moulin de Marcouze / Mosnac (Charente-Maritime)

Le Moulin de Marcouze, à Mosnac-sur-Seugne, près de St-Genis de Saintonge (Charente-Maritime) est un vrai moulin que **Dominique Bouchet** a admirablement aménagé et auquel il doit adjoindre, à partir de septembre prochain, neuf chambres et une suite.

Dominique Bouchet a été commis de cuisine à l'Elysée Bretagne, puis à la Compagnie Générale Transatlantique. Ensuite ce fut le passage chez Joël Robuchon, au moment de l'ouverture du Concorde Lafayette en tant que sous-chef de cuisine, puis, avec un galon de plus, au restaurant Jamin, dans le 16e et enfin à la Tour d'Argent de 81 à 87, 3 étoiles au Michelin.

En février 1988, il ouvre son propre établissement, le Moulin de Marcouze à Mosnac (bien préciser sur Seugne car un autre Mosnac existe aussi en Charente) doté aujourd'hui d'une étoile au Michelin et de deux toques rouges (avec 16/20) au Gault et Millau.

"Abandonner une situation solide pour se lancer dans la création d'un restaurant ex-nihilo et en Charente peut sembler un postulat téméraire. Mais je voulais revenir chez moi et je suis heureux, ça ne marche pas trop mal !"

La mer n'étant pas trop loin, les amateurs de marée et autres fruits de mer seront gâtés : petit homard à la nage avec beurre et cerfeuil, filets de sole à la vapeur et au St-Emilion, morue fraîche aux croquette de pieds de porc au pineau, pot-au-feu de turbot et quenelles à la moëlle au bouillon de homard, minute de saumon aux huîtres d'ét en meurettes, etc. ; ils auront pu commencer à se mettre en bouche avec le foie gras de canard maison au très vieux Pineau, le feuillé de petits gris à la fondue de tomate et au beurre de roquefort, le ris-de-veau en salade tiède aux champignons sauvages et échalotes, l'émincé de haddock ou la marinade de pintade aux choux et à la framboise !

Et passer ensuite, au choix, bien sûr, au rognon de veau rôti au miel et au gratin de macaroni, au pigeon en cocotte aux petits légume étuvés au coriandre, aux abats nobles de veau à la moutarde de Meaux, à la tourte de canard au jus de truffe, etc.

Quant à la cave, elle peut leur offrir les richesses suivantes : Bordeaux, Côtes-de-Bourg, de Blaye, de Castillon, Médoc, Haut-Médoc e Graves, Margaux, St-Julien, Pauillac, Moulis, Listrac, St-Estèphe, St-Émilion, Montagne et Lussac-St-Émilion, Pomerol, Fronsac, Bo deaux Blancs et toutes les productions des autres régions viticoles de France.

"En cuisine, nous dit Dominique Bouchet, j'utilise principalement le Pineau des Charentes en réduction dans les sauces et dans les gelé pour accompagner le foie gras. Je m'interdis les flambages au Cognac car à mon avis brûler du Cognac n'a aucun sens ; par contre, j'ut lise le Cognac dans les pâtisseries : soufflé au Cognac, en parfait accord avec le chocolat, et puis dans les truffes au chocolat. Quar à moi, mes goûts me portent vers les vins du bordelais, jeunes de préférence. Je suis toujours à la recherche de petits propriétaires : i réservent parfois de bien agréables surprises. Et exceptionnellement j'apprécie les grands vins, le Champagne nature à l'apéritif et u grand Cognac devant la télé."

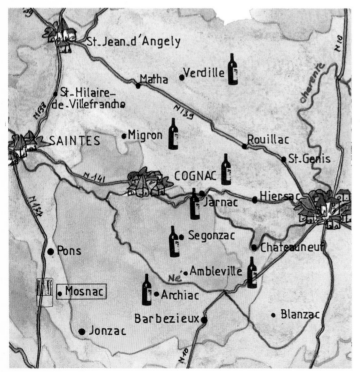

**Par St-Genis-de-Saintonge
17240 MOSNAC
Tél. 46 70 46 16**

Hôtel-restaurant : Le Moulin de Marcouze.
4 étoiles (agrément en cours). 9 chambres, 1 suite.
Chambre : 480 F à 600 F.
Fermeture annuelle : février, mi-mars
Fermeture hebdomadaire : dimanche soir, mercredi.
Visites de caves organisées. Télévision, mini-bar, téléphone dans les chambres. Parking. Jardin.
Parc. Tennis.
Chiens admis.
Menus : 110 F, 160 F, 220 F.
Carte : 280 F.
Petit-déjeuner : 50 F.
Cartes bancaires : Diners Club, Carte Bleue, America Express, Eurocard.

Courvoisier S.A.
Place du Château
16200 Jarnac
Tél. 45 35 55 55

Appellation : **COGNAC X.O. (n° compte d'âge : 6)**
Terroir et cépages : **Grande et Petite Champagne + Borderies**
Caractère : **cognac d'une finesse exceptionnelle où l'ardeur des Champagnes s'allie au parfum de violette des Borderies. Son rancio exprime la plénitude de son vieillissement. Ce cognac est doté d'un rare équilibre qui enchante les palais les plus avertis**
Evolution : **50/60 ans**
Observations : **médaille d'or au Concours International des Vins et Spiritueux, Londres 1984**

Delamain & Cie
Rue Delamain
16200 Jarnac
Tél. 45 81 08 24

Appellation : **COGNAC GRANDE CHAMPAGNE PALE & DRY**
Terroir : **Grande Champagne**
Cépages : **Grande Champagne**
Vendange et vinification : **Grande Champagne**
Caractère : **une coupe de Grande Champagne qui se distingue par sa légèreté, sa délicatesse et le moelleux de son bouquet**

Château de Fontpinot S.A.
B.P. 1
16130 Segonzac
Tél. 45 83 40 03

Appellation : **GRANDE CHAMPAGNE (Premier Cru du Cognac)**
Réserve du Château de Fontpinot. Compte d'âge 6, il n'y a pas de classement légal au-delà de ce compte
Terroir et cépages : **137 ha d'Ugni Blanc. Le plus grand vignoble de Grande Champagne**
Distillation : **double distillation traditionnelle**
Elevage : **qualité unique vieillie et mise en bouteilles au Château au moment où elle atteint sa maturité exceptionnelle à 41% volume/alc.**
Caractère : **bouquet et saveur bien typés Grande Champagne (Premier Cru de Cognac), finesse, élégance**
Observations : **distribuée mondialement, la Réserve du Château de Fontpinot est classée par de nombreux magazines internationaux comme le meilleur de la catégorie "Cognacs Supérieurs"**

JA Hennessy & Cie
, rue
de la Richonne
16101 Cognac Cedex
Tél. 45 82 52 22

Appellation : **COGNAC PARADIS (n° compte d'âge : 6)**
Cépages : **Ugni Blanc**
Caractère : **long en bouche, fin, odeur ample, épicé, structuré, distingué, rare**
Evolution : **15 à 100 ans**
Observations : **Hennessy, propriétaire des plus grandes réserves de vieux cognacs au monde, a voulu en 1979 créer une qualité inégalée dans le monde du cognac. Puisé dans les réserves constituées par la famille Hennessy au cours des deux derniers siècles, muri lentement dans de vieilles barriques, il offre un arôme long et délicat qui se poursuit à la dégustation par un goût plein d'élégance, de finesse et très persistant. Les eaux-de-vie qui le composent sont âgées de 15 à 100 ans**

Thomas Hine & Cie
6, quai
de l'Orangerie
16200 Jarnac
Tél. 45 81 11 38

Appellation : **TRÈS VIEILLE FINE CHAMPAGNE ANTIQUE**
Terroir : **Grande et Petite Champagne (sol crayeux)**
Cépages : **Ugni Blanc**
Distillation : **alambic charentais traditionnel**
Elevage : **en fûts de chêne limousin d'une contenance unitaire inférieure à 400 l.**
Temps de réduction : **minimum 3 ans**
Caractère : **léger et délicat, Antique dévoile au nez : finesse et longueur des petites et grandes champagnes, "Rancio" si caractéristique d'un long vieillissement, note vanillée, nuances de fleurs, de miel, de cuir et de sarment**
Evolution : **en bouche, Antique libère avec moelleux et souplesse une richesse aromatique persistante.**
Observations : **Thomas Hine détient un stock de très vieilles eaux-de-vie et possède quelques millésimes. Les principales qualités dans le commerce : VSOP Fine Champagne et les très vieilles Grande Champagne Triomphe et Family Réserve**

**Maison Landreau
Domaine
de Guigne Folle**

Verdille

16140 Aigre

Tél. 45 21 39 96

Appellation : **VIEILLE RÉSERVE (n° de compte d'âge : 6)**
Cépages : **Ugni Blanc et Colombard**
Mode de culture : **traditionnel**
Vendange et vinification : **vendanges en octobre**
Vieillissement : **en fûts de chêne**
Caractère : **très parfumé, goût très franc**
Evolution : **temps de réduction : 20 ans**

**Cognac
Léopold Gourmel**

B.P. 194

16106 Cognac

Tél. 45 82 07 29
et 45 83 76 60

Appellation : **COGNAC FINS BOIS "AGE DES ÉPICES" (n° de compte d'âge : 6)**
Terroir : **argilo-calcaire, terres de ''groie''**
Cépages : **Ugni Blanc**
Mode de culture : **sur petites lies, non rectifiante (nécessitant des vins de qualité)**
Vendange et vinification : **manuelles**
Elevage : **en fûts neufs (prédominance de Tronçais) pendant 6 à 8 mois, puis en fûts roux (350 litres maxi)**
Caractère : **eau-de-vie souple et puissante, aux arômes d'une étonnante richesse et complexité ; une fin de bouche très longue et fraîche**
Evolution : **par des faibles pendant 3 ans 1/2 à 4 ans avant la mise en bouteilles**
Observations : **eaux-de-vie naturelles, exempt de toute addition de sucre, de caramel ou de boisé**

**Cognac
Léopold Gourmel**

B.P. 194

16106 Cognac

Tél. 45 82 07 29
et 45 83 76 60

Appellation : **COGNAC FIN BOIS "QUINTESSENCE" (n° compte d'âge : 6)**
Terroir : **argilo-calcaire, terres de ''groie''**
Cépages : **Ugni Blanc**
Mode de culture : **sur petites lies, non rectifiante (nécessitant des vins de qualité)**
Vendange et vinification : **manuelles**
Elevage : **en fûts neufs (prédominance de Tronçais) pendant 6 à 8 mois, puis en fûts roux (350 litres maxi)**
Caractère : **arômes de nez et de bouche encore amplifiés et arrondis, caractère affirmé de rancio. C'est véritablement la cinquième essence et il faut savoir prendre son temps pour en profiter pleinement**
Evolution : **par des faibles pendant 5 à 6 ans avant la mise en bouteilles**
Observations : **eaux-de-vie naturelles, exempt de toute addition de sucre, de caramel ou de boisé**

Laurent Merlin

Arthenac

17520 Archiac

Tél. 46 49 14 25

Appellation : **PETITE CHAMPAGNE D'ARCHIAC**
Nom : **LAURENT MERLIN**
Couleur et millésime : **cognac hors pair**
Producteur : **M. Laurent Merlin**
Terroir : **calcaire**
Cépages : **Ugni Blanc**
Vendange et vinification : **traditionnelle Charentaise**
Elevage : **vieilli en fûts de chêne du Limousin et du Tronçais**
Caractère : **Cognac Petite Champagne au goût de noisette et de violette. Rond en bouche, finesse et tout en longueur**
Observations : **autres productions : Cognac 1920, quantité très limitée. Autres millésimes disponibles à partir de mars 89. Visites sur rendez-vous**

**S.A.
Ragnaud-Sabourin
Domaine
de la Voûte**

Ambleville

16300 Barbezieux

Tél. 45 80 54 61

Appellation : **GRANDE CHAMPAGNE FONTVIEILLE (n° compte d'âge : 6)**
Terroir et cépages : **Champagne, Ugni Blanc**
Vendange et vinification : **manuelles**
Elevage : **en fûts neufs. Légère réduction sur 5 ans**
Caractère : **eau-de-vie moelleuse, bouquetée avec une note prononcée de Rancio Charentais**
Observations : **eau-de-vie logée en fûts de chêne du Limousin depuis une quarantaine d'années**

Rémy Martin & Cie

0, rue de
a Société Vinicole
.P. 37
6102 Cognac Cedex
él. 45 35 16 16

Appellation : **LOUIS XIII GRANDE CHAMPAGNE COGNAC**
Terroir : **Grande Champagne. Ce cru, situé au centre de la région de Cognac, produit les meilleurs vins donc les meilleures eaux-de-vie**
Cépages : **le cépage est en majorité de l'Ugni Blanc avec un complément de Folle Blanche et de Colombard**
Elevage : **en fûts de chêne du Limousin. Le cognac est vieilli dans des fûts jeunes au départ (pendant 1 ou 2 ans) puis dans des fûts plus âgés (fûts roux).**
Caractère : **jaune doré foncé, clarté parfaite, arômes intenses au premier nez donnés par le Rancio Charentais (porto, jasmin et tonalités fruitées). Le 2e nez est élégant, raffiné et souple avec de délicats arômes de fruits et d'épices. En bouche le Louis XIII atteint la perfection dans l'équilibre, la complexité et la longueur**
Observations : **Louis XIII de Rémy Martin est le cognac le plus prestigieux de toute la gamme des cognacs de Rémy Martin. C'est cependant la seule Grande Champagne. Tous les autres, 3 étoiles, VSOP, Napoléon et XO n'en sont pas moins des Fine Champagne Cognac**

Rémy Martin & Cie

0, rue de
a Société Vinicole
.P. 37
6102 Cognac
Cedex
él. 45 35 16 16

Appellation et dénomination : **XO SPÉCIAL FINE CHAMPAGNE COGNAC**
Terroir, cépages et vendanges : **le XO Spécial provient exclusivement de cognacs de Grande et Petite Champagne ce qui lui permet de porter l'appellation Fine Champagne. Le cépage qui le compose est essentiellement de l'Ugni Blanc**
Distillation : **c'est la double distillation charentaise traditionnelle. Mais comme tous les cognacs de Rémy Martin, les vins sont distillés sur leurs lies afin de leur donner une présence aromatique plus longue**
Vieillissement : **en fûts de chêne du Limousin jeunes au début puis de plus en plus vieux. On change les assemblages d'un fût à l'autre régulièrement**
Caractère : **harmonieux, souple, riche en arômes, équilibre parfait entre les caractères de la Fine Champagne, du chêne du Limousin. Très long en bouche, rancio charentais et bonne combinaison entre les arômes floraux et fruités de Petite Champagne et l'élégance de la Grande Champagne**

ean-Philippe esseron & Fils

ogis des Bessons
7770 Migron
él. 46 94 91 16

Appellation : **TRÈS VIEUX COGNAC HORS D'AGE (vieux compte : 6)**
Terroir : **sol argileux-calcaire**
Cépages : **Ugni Blanc ("St-Emilion des Charentes")**
Distillation : **méthode charentaise par double distillation ("Bonne Chauffe")**
Vendange et vinification : **manuelles**
Vieillissement : **en fûts de chêne du Limousin (contenance 350 l), 30 ans**
Caractère : **long, rond, moelleux, note vanillée**
Observations : **fondée en 1850, la Maison Tesseron a créé au Domaine, l'Ecomusée du Cognac ; Musée sur l'Histoire du Cognac et de sa région des origines à nos jours**

ICA Vinicole harente-Maritime

7520 Archiac
él. 46 49 17 43

Appellation : **PETITE CHAMPAGNE**
N° compte d'âge : **Cognac fermier, réserve personnelle**
Terroir : **sol argilo-calcaire**
Cépages : **Ugni Blanc**
Distillation : **traditionnelle "méthode charentaise" à la propriété**
Vendange et vinification : **récolte manuelle**
Vieillissement : **en fûts de chêne de la Forêt de Tronçay**
Caractère : **élégance et vigueur**
Evolution : **durée, selon les goûts, de 10 à 50 ans**
Observations : **Cognac fermier de la Petite Champagne : Cognac Jacques Galais, Cognac du Moulin-de-La-Noulette, Pineau Extra-Vieux Corderie Royale**

utres bonnes adresses

ognac Croizet, 16 St-Même-Les-Carrières. **Cognac Bertrand,** 17 Réaux. **M. Michel Baron,** 16 Cherves-Richemont. **Cognac** **loyet,** 16 Cognac. **M. G. Gosson,** 16 Barbezieux. **Château de Beaulon,** 17 St-Dizan-du-Gua. **M. J. Dubigny,** 17 Burie. **. Fradon,** 17 Réaux.

Elles sont scindées en deux zones fortement contrastées et d'ailleurs totalement séparées l'une de l'autre, la vigne s'interrompant net entre Valence et le défilé de Donzère. Tout distingue en effet les Côtes du Rhône septentrionales de leurs sœurs méridionales (dimension, climat, terroir, encépagement), malgré l'indéniable air de famille de leurs vins.

Entre Vienne et Valence, le vignoble est étroit, escaladant les pentes raides — et difficiles à cultiver — des coteaux qui surplombent le couloir rhodanien. Sur des sols à dominante granitique, la vigne s'épanouit dans un climat encore continental. Ici l'encépagement est ascétique, se réduisant à quatre plants nobles : un seul pour les vins rouges (syrah) et trois pour les vins blancs (viognier seul ou marsanne et roussanne associées). Quant à la production, elle représente à peine un vingtième du volume global de l'aire d'appellation, mais avec des vins de très haut niveau.

Le vignoble méridional est en revanche beaucoup plus ouvert, remontant les vallées adjacentes du Rhône (Lez, Ouvèze, Cèze, Eygues...). Dans un contexte climatique déjà typiquement méditerranéen, la vigne prospère sur des terrains dont la composition géologique est infiniment variée (argiles, calcaires, galets roulés, silices, marnes...). Les cépages sont ici légion, les vins résultant de nombreuses variantes d'assemblage. Cependant quelques plants dominent nettement : grenache noir d'abord (un cépage un peu versatile, mais dont c'est ici la terre d'élection), suivi du cinsault, du carignan, du mourvèdre, de la syrah, de la clairette et du bourboulenc. Ce secteur fournit à lui seul la presque totalité d'une production moyenne avoisinant les 2,5 millions d'hectolitres par an.

Les appellations des Côtes du Rhône sont nombreuses, recouvrant aussi bien des vins modestes que des vins de très grande race.

Au nord, la *Côte-Rôtie* et l'*Hermitage,* tous deux issus de la syrah et d'un léger appoint de cépages blancs (viognier pour la première, marsanne et roussanne pour le second), sont de loin les meilleurs vins rouges. Fortement charpentés, richement aromatiques, d'évolution lente, ils font généralement l'objet de longs élevages sous le bois et peuvent affronter des gardes impressionnantes. Viennent ensuite le *Crozes-Hermitage,* dans une note beaucoup plus légère que son illustre compère, le *Saint-Joseph,* charnu et sentant le cassis, le *Cornas,* sombre et trapu, qui fait merveille sur le gibier. Les vins blancs sont plus confidentiels. *Condrieu* (à peine 10 ha), mitoyen de la Côte-Rôtie, et *Château-Grillet* (2 ha), quasiment introuvable, sont des vins de pur viognier, suaves, violemment odorants (avec une touche caractéristique de violette) mais sans grande longévité. L'*Hermitage* (en faible minorité), le *Crozes-Hermitage* et le *Saint-Joseph* se déclinent également en blanc et sont dotés — surtout le premier — d'une belle originalité. En revanche, *Saint-Péray* est voué exclusivement au blanc, avec des vins tranquilles ou de méthode champenoise, assez élégants.

Le sud du vignoble est dominé par l'imposante stature du *Châteauneuf-du-Pape,* récolté sur un terroir unique en son genre, fait de galets roulés déposés sur cet ancien lit du Rhône. Issu d'un cocktail de cépages méridionaux (le mélange légendaire de treize cépages n'existe plus que pour mémoire), très majoritairement rouge — encore que les blancs soient fort intéressants —, il est classiquement un vin ardent, chaud et corsé, s'épanouissant assez lentement. Cependant la diversité des vinifications (allant de la macération carbonique aux longues cuvaisons traditionnelles) entraîne aujourd'hui de nettes différences de caractère d'un cru à l'autre. De l'autre côté de la vallée du Rhône, au pied des Dentelles de Montmirail, siège l'excellent vignoble de *Gigondas,* aux rouges puissants et séveux, tandis que, sur le plateau gardois, *Tavel* et *Lirac* sont tous deux producteurs de grands rosés, obtenus ici par ''saignée'' (c'est-à-dire vinifiés comme des vins rouges, mais avec un temps de macération écourté) ; Lirac fournit en outre des vins rouges et blancs. Le sud, c'est aussi l'énorme armée des *Côtes-du-Rhône* génériques, parmi lesquels se distinguent les ''villages'' et qui représentent à eux seuls 90 % de la production totale de l'aire d'appellation. Vinifiés selon des modes variés, très souvent par les caves coopératives, ils sont bien trop divers pour que l'on puisse porter dessus un jugement d'ensemble : disons seulement que le bon a de plus en plus tendance à l'emporter sur le médiocre.

Pour être tout à fait complet, il faut encore mentionner les vins doux naturels que produisent *Rasteau* (grenache) et *Beaumes-de-Venise* (muscat), et citer les vignobles jouxtant l'aire d'appellation des Côtes du Rhône, donnant des vins d'un caractère assez approchant : *Coteaux du Tricastin* (A.O.C.), *Côtes du Ventoux* (A.O.C.) et *Côtes du Lubéron* (V.D.Q.S.) sur la rive gauche : *Côtes du Vivarais* (V.D.Q.S.) et *Costières du Gard* (A.O.C.) sur la rive droite.

Côtes du Rhône

Etirées sur près de deux cents kilomètres entre Vienne et Avignon, les Côtes du Rhône déroulent leur longue litanie de vignobles, avec pour seul fil conducteur le fleuve qui leur a donné son nom.

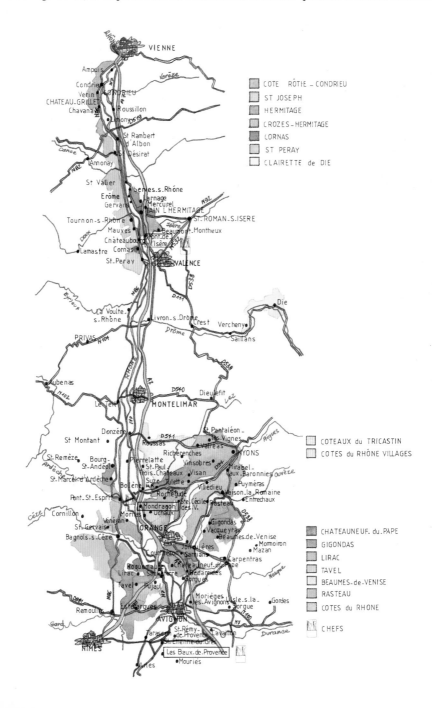

Michel Chabran
Chabran / Tain-l'Hermitage (Drôme)

L'établissement que dirige **Michel Chabran** est situé à Pont-de-l'Isère (26), avenue du 45e Parallèle : il est donc mi-méridional, mi-nordique par la force des choses et de la géographie.

Il y avait là, naguère, un bistrot, que tenaient les grands-parents de Michel Chabran. Bien placé puisque faisant face au marché aux fruits qui se tenait chaque jour durant quatre à cinq mois, de mai à septembre. Le père de Michel, qui aurait dû prendre la succession de ses parents, décéda prématurément alors que Michel était au lycée à Valence. Les grands-parents faillirent vendre l'établissement, mais sur les conseils d'un ami, placèrent leur petit-fils à l'Ecole Hôtelière puis le firent entrer chez Jacques et André Pic où il se perfectionna pendant trois ans.

Après son service militaire à Compiègne, achevé à 19 ans et demi, Michel transforme le café familial en restaurant. Il travaille avec les ouvriers des grands chantiers de la région, fait les repas de classes, d'anciens combattants, de chasseurs, de sapeurs-pompiers, etc., tout en s'essayant à l'occasion à une cuisine plus élaborée. On est en 1968. Cinq ans plus tard, il décide d'une extension, crée des chambres, des salons, une grande salle de restaurant, et ne tarde pas à se faire remarquer. ''L'Express'' lui consacre un article élogieux. En 1980, il a sa première étoile au Michelin, sa première toque au Kléber, il figure aussi dans le Gault et Millau.

Pour le vin, il a d'abord subi la loi des représentants et il a, il le reconnaît volontiers, acheté un peu n'importe quoi dans ses débuts, écoutant les avis intéressés des VRP. Puis il a appris à choisir ses vins en dégustant les meilleurs d'entre eux chez des vignerons sérieux. Il a opté une fois pour toutes pour les vins jeunes, frais et à rotation rapide. De ces vins qu'on garde tout au long d'un repas. ''La plupart des clients d'aujourd'hui ne changent pas de vin pendant le repas.'' Mais il choisit, de sa région ou d'ailleurs, les crus les plus prestigieux. ''J'arrive du marché : j'y ai vu des chataignes, des garennes, du faisan ; je vais essayer de bâtir un menu avec tout ça et un excellent St-Joseph que je viens de déguster. Je pense qu'avec un vin comme celui-là et des produits de qualité on doit parvenir à une association fabuleuse !''

Dans sa cuisine, Michel Chabran travaille beaucoup avec le vin en association avec les aliments qu'il accommode. Par exemple, avec l'aiguillette de bœuf au Croze-Hermitage. Ou la pintade rôtie (de la Drôme) farcie de tapenade, au jus de carcasse et au rouge du Tricastin. Il a à sa carte une trentaine de plats dont plus de la moitié sont conçus avec l'appui des crus régionaux.

''Je privilégie les vins de la région, bien que je puisse présenter des grands crus d'autres terroirs. C'est une attitude qui découle d'une longue tradition familiale. J'ai toujours vu mes grands-parents, les Chabran comme les Soubeyran, vendre du vin à table, et du bon vin, du vin de Syrah de chez nous. Je me verrais mal travailler au fin fond de la Corrèze, ou à Lille ou à Strasbourg... J'aime beaucoup les Bordeaux, les Bourgogne, l'Alsace, mais quand même, quand le cœur parle, c'est surtout pour ma région.''

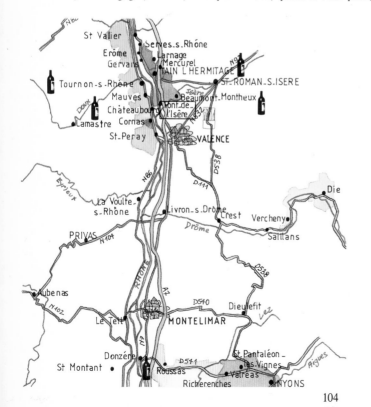

29, avenue du 45e Parallèle
Pont-de-l'Isère
26600 TAIN-L'HERMITAGE
Tél. 75 84 60 09

Hôtel-restaurant : Chabran.
12 chambres : 300 F à 600 F.
Fermeture hebdomadaire : dimanche soir et lundi (sauf saison).
Visites de caves organisées. Télévision, mini-bar, téléphone dans les chambres. Parking. Jardin.
Menus : 190 F, 390 F.
Carte : 500 F.
Cartes bancaires : Carte Bleue, Eurocard.

Sommelier : M. Yves RUSPELER.

O. et H. Bour
Domaine
de Grangeneuve
26230 Roussas
Tél. 75 98 50 22

Appellation : **COTEAUX DU TRICASTIN**
Nom : **DOMAINE BOUR - CUVÉE SPÉCIALE**
Couleur et millésime : **Rouge 87**
Producteur : **MM. O. et H. Bour, Domaine de Grangeneuve, 26230 Roussas**
Terroir : **sols caillouteux, anciennes alluvions du Rhône**
Cépages : **Syrah, Cinsault, Grenache, Mourvèdre**
Rendement : **50 hl/hectare**
Mode de culture : **traditionnel**
Vendange et vinification : **mécanique, vinification traditionnelle**
Elevage : **cuve**
Caractère : **charpenté, tanin fin marqué de cuir, persistance longue et vive**
Evolution : **vin de garde**
Observations : **Autres produits : rouge et rosé A.O.C. Coteaux du Tricastin, rouge vieilli en fût. Dégustation et visite du domaine sur rendez-vous**

Cave
des Clairmonts
Vignes vieilles
26600
Beaumont-Monteux
Tél. 75 84 61 91

Appellation : **CROZES-HERMITAGE**
Nom : **CROZES-HERMITAGE**
Couleur et millésime : **Rouge 86**
Producteur : **Cave des Clairmonts**
Terroir : **terrasses : dillivium alpin, sol très caillouteux. Coteaux : terres argileuses**
Cépages : **Syrah** / Rendement : **42 hl/hectare**
Mode de culture : **traditionnelle sur échalas et palissage sur fils, labours, fumures organiques 4.000 plants/ha**
Vendange et vinification : **manuelles avec tri sur pied. Vendange entière, cuvaison en cuves inox auto-pigeantes, thermorégulées 5 à 8 jours**
Elevage : **18 mois en cuves béton**
Caractère : **couleur pourpre, reflets violacés, nez puissant, cassis dominant, bel équilibre en bouche entre gras et tanins, bonne persistance**
Evolution : **peut être consommé de suite, les amateurs de vins plus souples pourront patienter 3 à 5 ans**

Paul Jaboulet Aîné
RN 7
La Roche de Glun
26600
Tain-l'Hermitage
Tél. 75 84 68 93

Appellation : **HERMITAGE**
Nom : **LA CHAPELLE**
Couleur et millésime : **Rouge 86**
Producteur : **M. Paul Jaboulet Aîné**
Terroir : **granit**
Cépages : **Petite Syrah**
Rendement : **36 hl/hectare**
Vendange et vinification : **manuelle, fermentation en cuve ciment 3 semaines**
Elevage : **en fûts de chêne pendant environ 18 mois**
Caractère : **très coloré, très typé Syrah, mûre sauvage, cassis, truffe noire**
Evolution : **ce vin vieillira vraisemblablement 25 ans et deviendra très fin, élégant, long en bouche, avec 3 dominantes, cassis, truffe noire et sous bois**
Observations : **sommes également propriétaires de l'Hermitage Blanc "Chevalier de Stérimberg", du Lys rouge "Domaine de Thalabel" et Croze-Hermitage Blanc Mule Blanche**

Cave
de Tain-l'Hermitage
B.P. 3
26600
Tain-l'Hermitage
Tél. 75 08 20 87

Appellation : **CROZES-HERMITAGE**
Couleur et millésime : **Rouge 88**
Producteur : **Cave de Tain-l'Hermitage**
Terroir : **partie granitique et partie alluvion fluvio-glaciaire**
Cépages : **Syrah** / Rendement : **40 hl/hectare**
Vendange et vinification : **traditionnelle, cuvaison de 7 à 10 jours**
Elevage : **partie en foudre chêne**
Caractère : **Arôme de petits fruits rouges, tannique sans excès, ample en bouche, bonne persistance**
Evolution : **peut se consommer jeune (dans sa première année) mais de très bonne garde également (3 à 5 ans)**
Observations : **la Cave de Tain-l'Hermitage vignifie et commercialise toute la gamme des Côtes du Rhône septentrionales : Hermitage, Crozes-Hermitage, St-Joseph, Cornas, St-Peray**

M. Chapoutier S.A.
18, avenue
Dr Paul Durand
26600
Tain-l'Hermitage
Tél. 75 08 28 65

Appellation : **HERMITAGE BLANC**
Nom : **CHANTE ALOUETTE**
Couleur et millésime : **Hermitage Blanc, Grande Cuvée**
Producteur : **M. Chapoutier**
Cépages : **Marsanne**
Rendement : **35 à 40 hl/hectare**
Mode de culture : **traditionnel**
Vendange et vinification : **traditionnelle, fermentation malolactique**
Caractère : **moelleux sans douceur, sec sans acidité**
Evolution : **charnu, jeune, vin de garde devenant élégant avec les années, avec un nez de "smoke"**
Observations : **typicité unique en son genre, doit être consommé avec des mets riches et peut accompagner des viandes blanches dans le cas par exemple d'une poularde en vessie**

Côtes du Rhône : les villages

Ils sont dix-sept, dix-sept villages du secteur méridional à pouvoir accoler leur propre nom à la dénomination régionale et se prévaloir ainsi de l'appellation *Côtes du Rhône-Villages*. Leur production (des vins rouges pour l'essentiel) est loin d'être négligeable, puisqu'elle a atteint en 1987 près de 20 % du volume global des Côtes du Rhône génériques. Distingués pour leurs terroirs, ils doivent en outre répondre à des normes très strictes en matière de rendement, d'encépagement, d'analyses. Si le grenache, cépage par excellence de la région, règne en maître, d'autres plants fins (syrah, mourvèdre, cinsault) doivent entrer — pour un minimum obligatoire de 25 % — dans la composition des vins. Au-delà de la recherche de la qualité, qui est leur règle commune, ces villages offrent une grande diversité de caractères plus ou moins renforcés par le talent des vinificateurs.

Dans la Drôme, cinq communes ont droit à l'appellation "Villages" : Rochegude, Rousset-les-Vignes, Saint-Pantaléon-les-Vignes, Saint-Maurice-sur-Eygues et Vinsobres. Les trois premières, aux sols mêlant graves et sables, fournissent des vins plutôt légers, fruités et coulants, assez rapidement faits, tandis qu'à Saint-Maurice, et surtout à Vinsobres, on récolte, sur d'arides terrains calcaires, des vins beaucoup plus chauds et corsés, à dominante de grenache, mais qui pêchent parfois par excès alcoolique.

C'est dans le Vaucluse que se situent les villages les plus réputés. Ils sont neuf au total : Cairanne, Beaumes-de-Venise, Roaix, Visan, Séguret, Sablet, Vacqueyras, Rasteau et Valréas (ce dernier logé dans la fameuse "enclave des papes"). Vacqueyras, aux sols très argileux et mitoyen de Gigondas, est incontestablement leur chef de file, avec des vins très foncés, puissants, mâchus, aux notes de violette et de framboise, qui font souvent de magnifiques bouteilles (de garde qui plus est). Beaumes-de-Venise, son voisin immédiat, donne des vins qui s'en rapprochent beaucoup. Quoique bénéficiant d'une bonne réputation, Cairanne fournit trop fréquemment des vins lourds et chargés en alcool. Beaucoup plus souples et tendres sont les vins de Valréas, récoltés sur des terrains où se mêlent argiles, calcaires et galets, tandis que ceux de Visan sont trapus et étoffés. Roaix, Sablet, Séguret et Rasteau offrent une gamme de vins moins typés, de caractères plus variés.

De l'autre côté de la vallée du Rhône, les trois villages du Gard (Laudun, Chusclan et Saint-Gervais) ont une production plus diversifiée. Si tous trois donnent une majorité de vins rouges, dans un style généralement léger, Laudun doit sa notoriété à un bon vin blanc de clairette et de roussanne, frais et fruité, tandis que Chusclan est célèbre pour son excellent rosé, élaboré comme le Lirac et le Tavel, qu'il rappelle d'ailleurs.

Domaine J.-L. Chave

Mauves
07300 Tournon
Tél. 75 08 24 63

Appellation : **HERMITAGE**
Nom : **J.-L. CHAVE**
Couleur et millésime : **Blanc et rouge**
Producteur : **M. J.-L. Chave**
Terroir : **Coteau avec terrasses**
Cépages : **rouge Syrah, blanc Marsanne-Roussanne**
Rendement : **moyen de 35 hl/hectare**
Mode de culture : **vignoble de coteau, taille en gobelet avec échalas**
Vendange et vinification : **traditionnelles**
Elevage : **en fûts de chêne**
Caractère : **rouge tannique, rond, puissant, arômes de mûres d'épices, blanc rond, puissant, arômes de miel, acacia et tilleul**
Evolution : **vin de garde**

M. et D. Courbis GAEC les Ravières

07130
Chateaubourg

Appellation : **SAINT-JOSEPH**
Nom : **DOMAINE DES ROYES**
Couleur et millésime : **Rouge 87**
Producteur : **GAEC des Ravières**
Terroir : **cuvette argilo-calcaire (35% calcaire pur et 12% calcaire actif, exposé plein Sud), présence de gros cailloux**
Cépages : **Syrah uniquement**
Rendement : **35 hl/hectare**
Vendanges et vinification : **manuelle, traditionnelle et en cuve auto-réglée**
Elevage : **en foudre de chêne pendant 15 mois**
Caractère : **robe très foncée, parfums de fruits sauvages rouges, long en bouche avec un peu d'âpreté les premières années**
Evolution : **vin de garde moyenne (10 ans), mais agréable dès 1990**
Observations : **autres vins : Saint-Joseph blanc, Cornas**

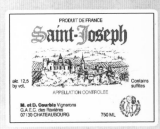

Autres bonnes adresses

Maison Delas, 07 Saint-Jean-de-Muzol. **M. Alain Voge**, 07 Cornas. **Raynion-Trollat**, 07 Saint-Jean-de-Muzol. **M. de Barjac**, 07 Cornas. **M. Graillot**, 26 Tain-l'Hermitage. **M. Dumazet**, 69 Limony-Condrieu. **M. Clape**, 07 Cornas. **Maison Guigal**, 69 Ampuis. **M. Jean-Louis Grippat**, 07 Tournon. **Maison Marsanne**, 07 Mauves. **Maison de Vallouit**, 07 Saint-Vallier. **Albert Dervieux**, 69 Ampuis

Le vin au fil des saisons...

JUILLET. Pendant ce mois qui ouvre traditionnellement la période vacancière, vous recherchez — soif oblige — des vins rafraîchissants et désaltérants. Pourquoi ne pas vous tourner vers les rosés, ces mal-aimés, ces méprisés (pas toujours à tort, avouons-le) des connaisseurs, qui n'y voient que des vins bâtards. Il en existe pourtant de fort bons, mais qu'il faut savoir distinguer dans la foule compacte et parfois redoutable des "petits rosés" de toutes origines. En outre, le rosé présente l'avantage de convenir, comme vin unique, sur les repas de plein air, grillades et autres barbecues, solidement implantés dans les mœurs estivales de nos compatriotes. Mais, de grâce, fuyez l'immuable trilogie rosé de Provence — rosé d'Anjou — Tavel, que l'on vous assène dans les trois quarts des restaurants de l'Hexagone ! Parmi les bons rosés à siroter mollement sous vos tonnelles ou parasols, voici quelques beaux spécimens qui ne déchoiront pas, même sur des nourritures fines : le *Marsannay* et son autre cousin de province, le plus nordique *Bourgogne-Irancy*, deux vins typés qui fleurent bon leur terroir ; le très fruité *Pinot noir* d'Alsace ; le savoureux *Arbois* (surtout l'*Arbois-Pupillin*) dont la couleur tire, avec l'âge, sur la "pelure d'oignon" ; le rarissime *Rosé des Riceys*, de pur pinot ; le basque *Irouléguy* (meilleur en rosé qu'en rouge) ; le *Lirac rosé*, voisin du Tavel et bonne alternative à celui-ci. Chinon, Bourgueil et Sancerre produisent également, mais en faible quantité, d'excellents rosés. Du côté des "gris" qui se revendiquent comme tels (vins de raisins rouges vinifiés comme de la vendange blanche, d'une teinte extrêmement pâle), goûtez aux *Côtes de Toul*, au berrichon *Châteaumeillant* ou bien encore au léger mais fin pineau d'Aunis, originaire de Touraine. Dans le rayon des rouges d'été, que l'on peut servir à fraîche température, classez par exemple les francs *Vins du Poitou*, les inévitables *Beaujolais-Villages* ou les guillerets "vins de pays" des Côtes du Tarn. Si vous êtes fervent des vacances azuréennes, vous pouvez faire d'agréables découvertes en triant dans l'armée des *Coteaux d'Aix* ou, dans l'arrière-pays provençal, parmi les *Côtes du Ventoux* ou les *Coteaux de Pierrevert*, peu onéreux de surcroît. Toujours chez les méridionaux, mais en Languedoc cette fois, découvrez le plaisant *Faugères*.

AOÛT. Sous la canicule aoûtienne — si du moins elle est au rendez-vous — vous pouvez continuer votre prospection des vins rosés. Dans la kyrielle d'appellations qui s'offrent à vous, certains vins, quoique peu célèbres, demeurent tout à fait honorables : le *Cabrières* (sans nul doute le meilleur rosé languedocien), le *Saint-Pourçain*, les *Côtes du Lubéron* (généralement mieux réussis en rosé qu'en rouge) ou, parmi les autres petits "gris" ligériens, le gris meunier de l'Orléanais (couleur "œil de perdrix") et le pineau d'Aunis du Vendômois (couleur "œil de gardon"). En matière de blancs, sur les coquillages et petits crustacés dont raffolent les Français près des plages, élisez plutôt des vins francs et très secs : le *Gros-Plant* (qu'on tire de plus en plus "sur lies", comme son grand-frère le Muscadet), le *Saumur* au goût de tuf, le *Tursan* des Landes, le *Jurançon* ("brut", comme aiment à le souligner sur l'étiquette certains producteurs locaux), le délicieux vin de *La Clape*, produit près de Narbonne, ou le méconnu mais non moins excellent *Sauvignon de Saint-Bris*, récolté près d'Auxerre. A l'apéritif, sorte d'institution en cette période estivale, fuyez le pastis-poison et préférez-lui des vins blancs de caractère : *Pouilly-Fumé* à la saveur épicée, vins souples et bouquetés de la Côte chalonnaise *(Rully, Montagny)* ou *Chablis* (prélevé de préférence au niveau des "premiers crus").

Guy Jullien
La Beaugravière / Mondragon (Vaucluse)

Modeste établissement en bordure de la Nationale 7, La Beaugravière est devenue, par la grâce d'un cuisinier à la solide vocation, une étape obligatoire sur la route des vins des Côtes du Rhône.

Guy Jullien brûlant de passion pour les produits du terroir en général et pour les plus nobles, la truffe et le vin, en particulier, a modernisé, mais sans excès inutiles, les vieux plats provençaux dans un grand respect de la tradition et des saveurs.

En saison, la truffe de la région tient la place d'honneur mais, grâce à une savante congélation, on peut la déguster à longueur d'année.

Le plus fabuleux demeure cependant sa carte des vins des Côtes du Rhône : 550 références du nord et du sud avec des Châteauneuf du Pape depuis 1945.

Le doute n'habite pas l'esprit de Guy Jullien. Il affirme sans ambage : *"Les Côtes du Rhône sont les meilleurs vins. Ils ont longtemps servi à améliorer d'autres crus, ce n'est pas sans raison. Ils n'ont pas encore subi les assauts des œnologues et ils gardent leur expression propre pour plusieurs raisons : ils bénéficient du meilleur climat, le rendement des vignes est strictement contrôlé, la vinification demeure traditionnelle et les vignerons se donnent la peine de faire du bon travail !"*

Avec les Côtes du Rhône, Guy Jullien célèbre des multitudes de mariages : le Châteauneuf du Pape blanc avec les poissons, le rouge avec toutes les viandes rouges, les gibiers à plumes et les préparations à base de truffes, les villages avec les viandes blanches, les volailles et le lapin (fricassée de blancs de volaille, filet d'agneau mariné à l'ail et rôti au jus de thym, rable de lapin farçi de son foie et rôti). Enfin, il y a le Muscat de Beaumes de Venise, incomparable en apéritif, avec le foie gras et les desserts (gratin de fraises, tarte aux pommes chaudes, feuilleté glacé au miel et caramel fondant) et le vin doux naturel de Rasteau qui supporte bien les desserts au chocolat.

"La palette des Côtes du Rhône est telle, qu'elle permet de tout faire" estime Guy Jullien qui, chaque jour, en apporte la preuve.

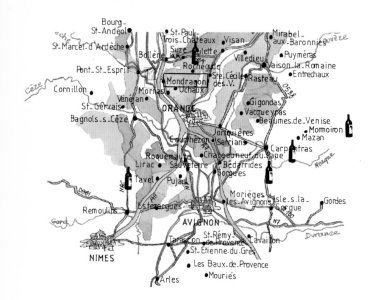

RN 7
84430 MONDRAGON
Tél. 90 40 82 54

Hôtel-restaurant : La Beaugravière. 2 étoiles.
4 chambres : 225 F à 295 F.
Fermeture annuelle : 15/09 au 30/09.
Fermeture hebdomadaire : dimanche soir (été), lundi (hiver).
Visites de caves organisées. Téléphone dans les chambres. Parking-Garage. Jardin.
Chiens admis.
Menus : 92 F, 160 F, 260 F.
Carte : 250 F.
Petit-déjeuner : 20 F.
Cartes bancaires : Carte Bleue, Eurocard.

Château de l'Estagnol

S.A. Chambovet Père & Fils

Propriétaire-exploitant

Suze-la-Rousse

26 Drôme

Tél. 75 04 81 38

Appellation : **COTES DU RHONE**
Nom : **CHATEAU DE L'ESTAGNOL**
Couleur et millésime : **Rouge millésime 88, médaille d'or au concours national**
Producteur : **Mme Claudine Chambovet**
Terroir : **sablonneux**
Cépages : **Syrah, Grenache, Mourvèdre, Cinsault**
Rendement : **50 hl/hectare**
Vendange et vinification : **mi-manuelle, mi-mécanique, vinification 25% carbonique, 75% foulo égrappage**
Elevage : **6 mois en foudres de chêne avant mise en bouteilles**
Caractère : **coloré, rond, fruité (framboise) bouquet du terroir**
Evolution : **de 2 à 6 ans**
Observations : **autres vins : Blanc de Blanc, issu de cépage Bourboulenc autres vins : La Serre du Prieur, Domaine de Sainte-Marie**

G.A.E.C.

H. Brunier & Fils

3, route de Châteauneuf-du-Pape

84370 Bédarrides

Tél. 90 33 00 31

Appellation : **CHATEAUNEUF-DU-PAPE**
Nom : **DOMAINE DU VIEUX TÉLÉGRAPHE**
Couleur et millésime : **Rouge 86**
Producteur : **MM. Henri Brunier & Fils**
Terroir : **plateau caillouteux**
Cépages : **70% Grenache, 15% Syrah, 15% Mourvèdre**
Rendement : **30 hl/hectare**
Vendange et vinification : **vendange manuelle avec tri systématique, vinification traditionnelle en cuves inox, température contrôlée**
Elevage : **mise en bouteilles à 2 ans. 8 mois de foudres de chêne**
Caractère : **robe pourpre intense, nez de petits fruits rouges (cassis-mûre). Bouche : tanins assez marqués, gras et long en bouche**
Evolution : **vin de garde, bien équilibré. Maturité : 1992**
Observations : **autres vins : Vieux Télégraphe Blanc 88. Visites et dégustations sur r.v.**

S.C.E.A. Domaine de Cabrières

Route d'Orange, C.D. 68

84230 Châteauneuf-du-Pape

Tél. 90 83 73 58 et 90 83 70 26

Appellation : **CHATEAUNEUF-DU-PAPE**
Nom : **DOMAINE DE CABRIÈRES**
Couleur et millésime : **A.O.C. Rouge 85**
Producteur : **M. Louis Arnaud et ses enfants**
Terroir : **hauts plateaux dilivium alpin avec gros galets de silex et sous-sol argilo-calcaire**
Cépages : **Grenache, Mourvèdre, Cinsault, Counoise, Muscardin, Picpoul et Terret Noir**
Rendement : **31 hl/hectare**
Vendange et vinification : **tri à la vendange. Vinification traditionnelle : cuvaison longue**
Elevage : **en barriques de chêne (12 à 18 mois), mise en bouteilles armoriées au Domaine**
Caractère : **vin typé par sa chaleur sans être alcoolisé. Tout en nuances aromatiques violette, cassis, mûre. Vin floral, très élégant**
Evolution : **promise pour 15 ans où les arômes iront vers : réglisse et cuir**
Observations : **les millésimes sont scrupuleusement respectés. Le Domaine produit aussi une autre cuvée de haute qualité : ''Les Silex''.**

S.C.A. du Château de la Gardine

G. Brunel & Fils

84230 Châteauneuf-du-Pape

Tél. 90 83 73 20

Appellation : **CHATEAUNEUF-DU-PAPE**
Nom : **CHATEAU DE LA GARDINE**
Couleur et millésime : **Rouge 86**
Producteur : **MM. G. Brunel & Fils**
Terroir : **typique Châteauneuf-du-Pape : cailloux roulés et calcaire pour le Baremien**
Cépages : **Grenache, Syrah, Mourvèdre, Cinsault, Muscardin, Roussane, Bourboulenc, Grenache Blanc, Clairette**
Rendement : **28 hl/hectare dans les bonnes années**
Vendange et vinification : **à la main uniquement, vinification traditionnelle, tri important de la vendange, pigeage**
Elevage : **pas de règle absolue, pas de panacée, mais tout le savoir-faire de Patrick Brunel vigneron**
Caractère : **charnu et souple, riche et élégant**
Evolution : **vieillissement selon la grâce du Millésime en foudres, mais également en petites barriques de bois neuf forêt française chauffe moyenne**

Domaine Mathieu

Route de Courthezon, BP 32

84230 Châteauneuf-du-Pape

Tél. 90 83 72 09

Appellation : **CHATEAUNEUF-DU-PAPE**
Nom : **DOMAINE MATHIEU**
Couleur et millésime : **Rouge 86**
Producteur : **Domaine Mathieu**
Terroir : **tous types de sols caractérisant le terroir de Châteauneuf-du-Pape et en particulier de gros galets roulés.**
Cépages : **75% Grenache plus les autres cépages faisant l'appellation**
Rendement : **30 à 35 hl/hectare**
Vendange et vinification : **manuelle, traditionnelle avec longue macération**
Elevage : **vieillissement en fûts de chêne**
Caractère : **rouge grenat avec pointe de rubis. Bien typé Grenache avec arômes de fruits rouges, airelle et pointe de cerise. Plein, charpenté et équilibré**
Evolution : **vieillissant bien, mais déjà bon à consommer**
Observations : **autres vins : Domaine Mathieu, Blanc 87**

**Château
Mont-Redon**

84230 Châteauneuf-
du-Pape

Tél. 90 83 72 75

Appellation : **CHATEAUNEUF-DU-PAPE**
Nom : **CHATEAU MONT-REDON**
Couleur et millésime : **Rouge 1986**
Producteur : **Familles Abeille-Fabre**
Terroir : **cailloux roulés**
Cépages : **Grenache, Syrah, Cinsault, Mourvèdre**
Rendement : **35 hl/hectare**
Mode de culture : **traditionnel**
Vendange et vinification : **manuelle, vinification traditionnelle**
Elevage : **bois, cuvaison longue 3 semaines minimum**
Caractère : **rouge sombre, nez de cacao, beaucoup de souplesse**
Evolution : **de bonne garde**

Domaine de Nalys

Route de
Courthézon
84230 Châteauneuf-
du-Pape

Tél. 90 83 72 52

Appellation : **CHATEAUNEUF-DU-PAPE**
Nom : **DOMAINE DE NALYS**
Couleur et millésime : **Blanc 88**
Producteur : **Domaine de Nalys**
Terroir : **cailloux roulés sur sous-sol miocène**
Cépages : **Grenache Blanc, Clairette Blanche, Bourboulenc**
Rendement : **35 hl/hectare**
Mode de culture : **traditionnel**
Vendange et vinification : **manuelle, basse température**
Elevage : **cuves inox**
Caractère : **très floral**
Evolution : **peut se garder 10 ans**
Observations : **autres vins : Châteauneuf-du-Pape Rouge
dégustation sur rendez-vous**

**S.C.A. Domaine
des Anges**

84570 Mormoiron

Tél. 90 61 88 78

Appellation : **COTES DU VENTOUX**
Nom : **CLOS DE LA TOUR**
Couleur et millésime : **Rouge 86**
Producteur : **M. Malcolm Swan**
Terroir : **argilo-calcaire, cailouteux**
Cépages : **Syrah, Grenache**
Rendement : **35 hl/hectare**
Mode de culture : **traditionnelle**
Vendange et vinification : **manuelle, vinification traditionnelle foulée, vinification 12 jours**
Elevage : **un an en fûts de chêne**
Caractère : **belle couleur, arômes de vanille, cassis. Équilibré et fin**
Evolution : **vin de garde, mais on peut l'apprécier à partir de 1990**
Observations : **autres vins : Domaine des Anges, Rouge et Blanc
dégustation sur rendez-vous**

**Prieuré de
Montezargues**

30126 Tavel

Tél. 66 50 04 48

Appellation : **TAVEL**
Nom : **PRIEURÉ DE MONTEZARGUES**
Couleur et millésime : **Rosé 88**
Producteur : **G.A.F.F. (Groupement Agricole Familial et Foncier)**
Terroir : **sol pauvre, sable, galets**
Cépages : **Grenache, Cinsault, Carignan, Clairette, Bourboulenc, Syrah, Mourvèdre**
Rendement : **45 hl/hectare**
Mode de culture : **traditionnel**
Vendange et vinification : **manuelle, vinification 24 h sans départ de fermentation en
cuves inox extraction du jus de gouttes, pressurage Bucker (pneumatique)
thermorégulation**
Caractère : **13 à 13°5 vin souple et fruité avec de la fraîcheur**
Evolution : **vieillissement 2 à 3 ans, à boire frais et non glacé**
Observations : **dégustation à la cave tous les jours, samedi et dimanche sur rendez-vous**

Autres bonnes adresses

Château de Beaucastel, 84 Courthézon. **Domaine de la Soumade**, 84 Rasteau. **Domaine de Saint-Luc**, 84 La Baume-de-
Transit. **Domaine Les Gouberts**, 84 Gigondas. **Château Rayas**, 84 Châteauneuf-du-Pape.

coup de coeur à claude clévenot '1989

CLOS DU MOULIN
IMPRIMERIE

CLAUDE CLÉVENOT CRÉATION - CLOS DU MOULIN IMPRIMERIE

16 BIS, RUE VICTOR-HUGO - 69220 BELLEVILLE-SUR-SAONE - TÉLÉPHONE 74 69 61 90 - TÉLÉCOPIE 74 69 68 41

Raymond Thuilier
et Jean-André Charial

Oustau de Baumanière / Les Baux-de-Provence
(Bouches-du-Rhône)

En Provence, et même ailleurs, on ne présente plus l'Oustau de Baumanière, sa sœur jumelle la Cabro d'Or, ni la famille du maître de maison. **Raymond Thuilier**, à près de nonante ans, maire des Baux-de-Provence depuis une vingtaine d'années, a pratiquement passé la main à son petit-fils. Sinon à la mairie, du moins derrière les fourneaux. Il est vrai que le fondateur de la dynastie y opérait depuis 45 ans !

Jean-André Charial, le petit-fils, a curieusement débuté à H.E.C. ce qui n'est pas inutile (nous allons le voir plus loin) mais ne constitue pas précisément l'anti-chambre de la grande cuisine, avant d'aboutir ici, dans cet établissement qui s'enor-gueillit de trois étoiles au Michelin depuis plus de trente ans !

Trois étoiles que l'on retrouve au Bottin Gourmand et aussi (entre autres) deux toques au Gault et Millau.

Charlotte d'agneau aux aubergines, soufflé de homard au pistou, mousseline de rougets, poularde de Bresse en vessie, feuilleté de ris-de-veau, mousse de brandade de morue, filet de rascasse au safran, sauté de chevreau (plat insolite en restauration), cigales de mer dans leur croûte de sel, pigeonneaux au miel, poularde aux chanterelles, feuilleté chaud au fraises des bois, etc. font partie des grands classiques de Baumanière et de la Cabro d'Or sa voisine et associée.

Car l'Oustau de Baumanière est devenue une manière de holding qui occupe plus de 130 personnes. Jean-André Charial n'est pas pas pour rien aux Hautes Etudes Commerciales, car, outre la restauration, Baumanière s'est lancée avec le succès que l'on sait dans l vente de vins et autres produits de qualité portant sa griffe.

Dix-huit cuisiniers et un chef opèrent en cuisine, vingt-quatre personnes dont trois maîtres d'hôtel en salle. A cet effectif, déjà importan il faut ajouter huit jardiniers !

Bon an mal an, Baumanière et la Cabro d'Or totalisent près de 50 000 couverts. Le jardin n'est pas uniquement décoratif : la plupa des légumes frais en proviennent.

Quant à la cave, celle de Baumanière contient 40 000 bouteilles de toutes origines et celle de Fontvieille à peu près autant.

Evidemment tous les grands noms des vignobles provençaux et rhodanniens sont présents : Côtes-du-Rhône, Côtes-du-Ventoux, Côtes-d Lubéron et bien sûr Côteaux d'Aix, Hermitage, Crozes, Côte-Rôtie, et Muscat de Beaumes-de-Venise. Ce dernier est généralement utilis pour les déglaçages ansi que pour l'élaboration de certains desserts.

En cuisine, le Châteauneuf-du-Pape Rouge pour le gros gibier, le Côte-du-Rhône Blanc pour quelques préparations à base de poisso voire le Châteauneuf-du-Pape Blanc en cousinage avec le homard, sont fréquemment employés.

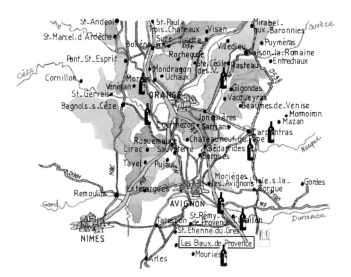

13520 LES BAUX-DE-PROVENCE
Tél. 90 54 34 03

Hôtel-restaurant : Oustau de Baumanière.
4 étoiles luxe. 24 chambres : 820 F à 1 120 F.
Fermeture annuelle : 15 janvier au 6 mars.
Fermeture hebdomadaire : mercredi et jeudi midi.
Télévision, mini-bar, téléphone dans les chambres.
Parking-Garage. Jardin. Parc. Piscine (privée).
Tennis (privé).
Chiens admis.
Menus : 600 F.
Carte : 750 F.
Petit-déjeuner : 75 F.
Cartes bancaires : Diners Club, Carte Bleue, America Express, Eurocard.

Sommelier : M. Gilles OZELLO.

aul Avril

ropriétaire-
ticulteur

"Clos des Papes"

4230 Châteauneuf-
u-Pape

él. 90 83 70 13

Appellation : **CHATEAUNEUF-DU-PAPE**
Nom : **CLOS DES PAPES**
Couleur et millésime : **Rouge 86**
Producteur : **M. Paul Avril**
Terroir : **dilivium alpin, argilo-calcaire**
Cépages : **Syrah, Mourvèdre, Grenache**
Rendement : **30 hl/hectare**
Mode de culture : **traditionnel**
Vendange et vinification : **à la main, avec tri traditionnel**
Elevage : **18 mois en foudres de chêne**
Caractère : **petits fruits rouges, épicé, tannique, vin de garde**
Evolution : **entre 3 et 10 ans**
Observations : **dégustations et visites du Chai sur rendez-vous**
autre vin : Châteauneuf-du-Pape Blanc

**hâteau de
eaucastel**

4350 Courthézon

él. 90 70 70 60

Appellation : **CHATEAUNEUF-DU-PAPE**
Nom : **CHATEAU DE BEAUCASTEL**
Couleur et millésime : **Rouge 86**
Producteur : **M. Perrin**
Terroir : **argilo-calcaire, molasse marine recouvert de diluvium alpin**
Cépages : **les 13 cépages de l'appellation**
Rendement : **25 hl/hectare**
Vendange et vinification : **traditionnelles**
Elevage : **en fûts**
Caractère : **vin très expressif de son terroir**
Evolution : **de longue garde**
Observations : **autre vin : Château de Beaucastel Blanc**

**erard Père et Fils
omaine de Terre
erme**

.P. 30

4370 Bédarrides

Appellation : **CHATEAUNEUF-DU-PAPE**
Nom : **DOMAINE DE TERRE FERME**
Couleur et millésime : **Blanc 88**
Producteur : **MM. P. et J. Bérard**
Terroir : **argilo-calcaire**
Cépages : **Grenache Blanc, Clairette, Bourboulenc**
Rendement : **35 hl/hectare**
Vendange et vinification : **les raisins entiers sont mis directement dans le pressoir
pneumatique et vinifiés à basse température (jamais plus de 18°)**
Elevage : **en cuve inox émaillée**
Caractère : **belle présence, grande fraîcheur, goût caractéristique de fruits exotiques
(ananas-mangue-banane-fruits de la passion)**
Evolution : **longévité grande : 8 à 10 ans**
Observations : **cave ouverte tous les jours, de préférence sur rendez-vous**
autres vins : Châteauneuf-du-Pape Rouge

**hristian Meffre
hâteau Raspail**

4190 Gigondas

él. 90 65 85 32

Appellation : **A.O.C. GIGONDAS**
Nom : **CHATEAU RASPAIL**
Couleur et millésime : **Rouge 85**
Producteur : **M. Christian Meffre**
Terroir : **marne jurassique, calcaire**
Cépages : **Grenache, Syrah, Cinsault**
Rendement : **32 hl/hectare**
Vendange et vinification : **traditionnelles**
Elevage : **sous bois pendant 10 à 15 mois**
Caractère : **vin puissant, corsé avec arôme de fruits à noyaux**
Evolution : **atteint sa plénitude au bout de 5 ans, peut être conservé 10 ans et plus
selon les millésimes**

**hâteau Saint-
stève d'Uchaux**

oute de Sérignan
chaux

4100 Orange

él. 90 40 62 38

Appellation : **COTES DU RHONE**
Nom : **VIOGNIER CHATEAU SAINT-ESTÈVE**
Couleur et millésime : **Blanc 88**
Producteur : **MM. Gérard Français & Fils**
Terroir : **côteaux exposés au sud, sol maigre, graveleux et sablonneux**
Cépages : **Viognier**
Rendement : **25 hl/hectare**
Vendange et vinification : **vendange manuelle, macération pelliculaire, fermentation à
basse température**
Elevage : **mise en bouteilles début du printemps**
Caractère : **arômes fins et délicats de fleurs et de fruits (violette, pêche) longue persistance**
Evolution : **à boire dans les deux ans**
Observations : **autres produits : tradition Rouge, Grande Réserve Rouge, Rosé, Blanc
méthode traditionnelle**

**Les Filles de
Joseph Boyer**

13890 Mouriès

Tél. 42 04 70 39

Appellation : **COTEAUX DES BAUX**
Nom : **DOMAINE DE LAUZIÈRES**
Couleur et millésime : **Rouge 83**
Producteur : **Les Filles de Joseph Boyer**
Terroir : **argilo-calcaire**
Cépages : **70% Grenache, 20% Cinsault et Carignan, 10% Mourvèdre et Syrah**
Mode de culture : **traditionnel**
Vendange et vinification : **traditionnelle, contrôle des températures**
Elevage : **en foudres de chêne**
Caractère : **vin de caractère, belle robe tannique**
Evolution : **vin de garde, maturité entre 5 et 7 ans**
Observations : **autres vins : Rouge 83, 86, Rosé
dégustation tous les jours sauf dimanche**

Noël Michelin

Terres Blanches

13210 St-Rémy-
de-Provence

Tél. 90 95 91 66

Appellation : **COTEAUX DES BAUX**
Nom : **DOMAINE DES TERRES BLANCHES**
Couleur et millésime : **Rouge 87**
Producteur : **M. Noël Michelin**
Terroir : **argilo-calcaire**
Cépages : **27% Cabernet Sauvignon, 34% Grenache, 13% Cinsault, 13% Sirah
Counoise, Mourvèdre**
Vendange et vinification : **manuelle, traditionnelle (contrôle des températures)**
Elevage : **12 mois en foudres de chêne et minimum 6 mois en bouteilles avant
commercialisation**
Caractère : **pourpre soutenu, des arômes de petits fruits, épicés et réglissés, tendre et
mûr en bouche**
Evolution : **à déguster dans les 3 ans**
Observations : **autres vins : Blanc 88 et Rosé 88, Cuvée Aurélien (Cabernet-Sirah 88)
disponibles printemps 90)**

**Domaine de
Trévallon**

13150
St-Etienne-du-Grès

Appellation : **COTEAUX DES BAUX**
Nom : **DOMAINE DE TREVALLON**
Couleur et millésime : **Rouge 87**
Producteur : **Mme Jacqueline Durrbach**
Terroir : **calcaire**
Cépages : **Cabernet-Sauvignon et Syrah**
Rendement : **29 hl/hectare**
Mode de culture : **traditionnel**
Vendange et vinification : **manuelle et traditionnelle**
Elevage : **fûts de chêne 15 à 18 mois**
Caractère : **finesse des arômes, belle structure tannique**
Evolution : **entre 3 et 10 ans**
Observations : **quantités limitées, visite sur rendez-vous par lettre**

Autres bonnes adresses

G.A.E.C. Les Buisserons, 84 Vaison-la-Romaine. **Château Rayas,** 84 Châteauneuf-du-Pape. **Domaine Durban,** 84 Beaum
de-Venises.

Jura

Adossé au flanc occidental du vieux massif, au-dessus de la plaine bressanne, le vignoble jurassien s'étire de manière très dispersée, sur environ quatre-vingts kilomètres de long et recouvre au total une superficie de 1 300 hectares. Dans ce pays de polyculture et de petite propriété, la vigne escalade les versants les mieux exposés de petites vallées retirées, qui semblent très loin du monde. Le vignoble comprend trois principaux secteurs : l'un, le plus important, autour d'Arbois, l'autre dans la région de Poligny, le dernier enfin aux environs de Voiteur.

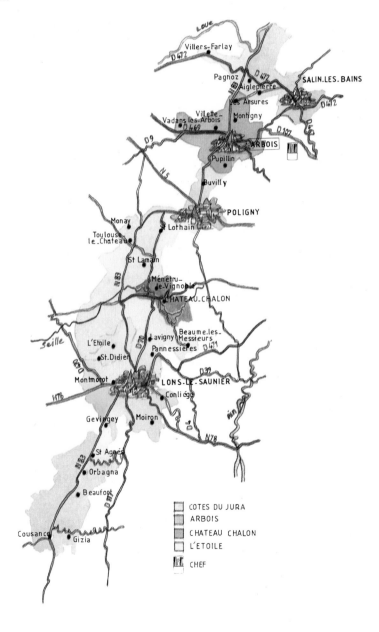

Jura, un parfum d'antan

Sur des sols à prédominance calcaire et marneuse, l'encépagement est tout à fait singulier. Il est en effet constitué de vieux plants typiquement franc-comtois : le poulsard et le trousseau en rouge, le savagnin en blanc, auxquels s'ajoutent le pinot noir et le chardonnay de la Bourgogne voisine. Ceux-ci produisent des vins fortement typés, très originaux, marqués profondément par leur terroir et fleurant un parfum de vieille France qui n'appartient qu'à eux.

Rapportée aux dimensions relativement modestes du vignoble, la gamme des vins est d'une étonnante variété. Mettons de côté *Château-Chalon,* micro-vignoble voué exclusivement au vin jaune, ainsi que *l'Etoile,* une petite appellation concernant surtout des vins mousseux. En revanche, les *Côtes du Jura* et *Arbois* (la doyenne des A.O.C. françaises, créée le 15 mai 1936) déploient tout l'éventail des genres jurassiens. Sous ces deux appellations se rencontrent des vins blancs tranquilles, dont la saveur marie la noix, la résine et la pierre à fusil, d'agréables vins gris, des vins rosés de saignée, très personnalisés sous leur teinte corail qui vire au topaze avec l'âge, des vins rouges dits "rubis" à cause de leur robe claire, à la fois fins et charpentés, des vins de méthode champenoise, des vins jaunes et ces autres rares breuvages que sont les "vins de paille". Ceux-ci sont issus de raisins vendangés tardivement puis "passerillés", c'est-à-dire mis à sécher sur des claies ou des lits de paille, ou encore suspendus à des crochets, et vinifiés seulement au printemps suivant, avant de vieillir en fûts. Ce sont des vins extrêmement liquoreux et de très longue garde. Tous les vins de la région, y compris les rosés, offrent d'ailleurs cette particularité de se conserver fort longtemps.

Le vin jaune

C'est un vin unique en son genre, qu'on ne produit qu'en Jura, et qui atteint son expression la plus accomplie avec le fameux *Château-Chalon,* récolté sur un terroir de marnes bleues recouvert d'éboulis calcaires (30 hectares répartis sur les communes de Château-Chalon, Ménétru-le-Vignoble, Nevy-sur-Seille, Domblans et Voiteur). Il est issu du seul cépage savagnin, dont l'origine est d'ailleurs discutée. Comme celui-ci fut développé autour de l'abbaye féminine de Château-Chalon, certains suggèrent qu'il fut rapporté de Tokay par une abbesse hongroise. D'autres soutiennent qu'il s'agit d'un plant originaire de Xérès (dont les vins sont élaborés de la même manière qu'en Jura), et qui fut acclimaté dans la région par une abbesse espagnole. D'aucuns y voient encore un plant indigène — on le nomme d'ailleurs aussi "naturé" — appuyant leur thèse sur l'éthymologie *(savagnum,* en bas latin, signifierait "sauvage"). La question, bien évidemment, ne sera jamais tranchée...

Le futur vin jaune est récolté très tardivement, parfois jusqu'à la mi-novembre (on dit d'ailleurs que c'est un "vin de gelée"). Vinifié classiquement en blanc, il est écoulé — une fois les fermentations achevées — en fûts, où on l'abandonne sans le moindre "ouillage" (remplissage) pendant plusieurs années, les pertes dues à l'évaporation n'étant jamais comblées. Il se développe alors progressivement, à la surface du vin, une mince pellicule de levures aérobies qui, tout en atténuant l'oxydation, lui communique lentement son goût et sa couleur de jaune. Certains producteurs, pour obtenir plus sûrement ce voile bactérien, ensemencent le vin avec des levures locales sélectionnées. Le vin vieillit ainsi pendant au moins six ans (durée minimale imposée par la loi). A l'issue de cette période, il est logé en "clavelin", un flacon de 65 cl qui est sa bouteille exclusive.

Habillé d'or profond, puissant en alcool, le vin jaune exhale des arômes complexes et pénétrants, tout en développant cette inimitable saveur de noix et ce goût de rancio, à l'interminable persistance en bouche. C'est un vin majestueux, qui réclame des égards particuliers. Il faut le déboucher largement à l'avance et le boire à une température moyenne (environ 12°), jamais glacé en tout cas. En revanche, la bouteille étant ouverte, il peut se maintenir en parfait état des semaines durant. Quant à sa longévité, elle est légendaire — juste contrepartie de la lenteur de son élaboration. Il peut en effet affronter plusieurs décennies de garde, voire même dépasser le siècle, sans céder un pouce de ses extraordinaires qualités.

Malgré leur prix élevé (justifié d'ailleurs par leur faible production et les conditions de leur élaboration), buvez de temps à autre de ces magnifiques vins jaunes du Jura, quintessence de la nature et du savoir-faire des vignerons franc-comtois : ils vous surprendront peut-être, mais ne vous décevront jamais.

Savoie

La Savoie fournit une agréable palette de vins rustiques et francs qui, tout en convenant à merveille à la cuisine et aux fromages locaux, s'accordent joliment à la charcuterie et aux mets poissonneux, ou se boivent encore pour le simple plaisir d'eux-mêmes.

Agrippé aux premières pentes alpines, le vignoble savoyard, très disséminé, recouvre actuellement quelque 1 200 hectares. Ses vins sont issus d'un cocktail de cépages, parmi lesquels figurent en bonne place des plants locaux, parfaitement adaptés aux rigueurs du climat montagnard : pour les blancs la jacquère et l'altesse (un cépage rapporté, dit-on, de Chypre à l'époque des croisades), pour les rouges la mondeuse. Sont également cultivés le chardonnay, le chasselas et le gringet (une variété de savagnin), ainsi qu'en rouge le gamay et le pinot noir.

La majorité de la production est rangée sous l'appellation *Vin de Savoie*. Les vins blancs sont de loin les plus répandus. A base de jacquère, ils sont en général frais et vifs, souvent même ''perlants'', et dénotent un goût de silex. Cependant, ils pèchent parfois par une verdeur excessive. Les meilleurs d'entre eux sont récoltés sur les communes ou lieux-dits des Abymes, d'Apremont, de Chautagne, de Cruet, de Montmélian et de Chignin (réputé également pour son *Chignin-Bergeron,* un vin de pure roussanne, d'un caractère orignal). De bons rouges de mondeuse, aromatiques et fruités, sont produits à Arbin, Chignin, Cruet, Montmélian et Saint-Jean-de-la-Porte.

L'appellation *Roussette de Savoie* désigne des vins d'altesse, fins et bouquetés, dont les meilleurs crus sont Frangy, Marestel, Monthoux et Monterminod. *Seyssel* et *Crépy* ont chacun droit à leur appellation, le premier pour un vin de pure altesse, délicat et parfumé, et le second pour son vin de chasselas, nerveux et perlant, récolté au-dessus des rives du Léman.

Tous ces vins sont en général à boire en primeur, quoique les rouges de mondeuse tolèrent quelques années de vieillissement.

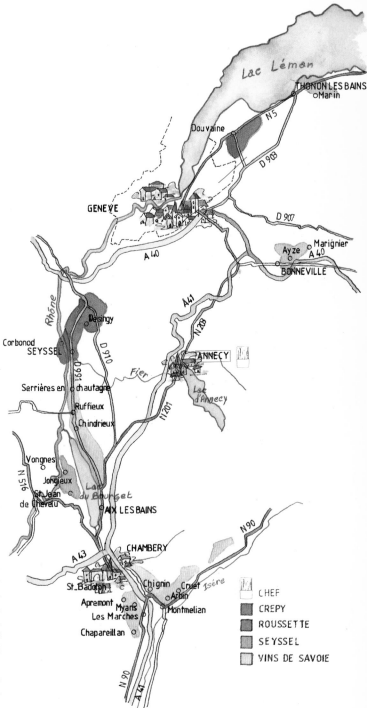

CHEF

CRÉPY

ROUSSETTE

SEYSSEL

VINS DE SAVOIE

Jean-Paul Jeunet
Jean-Paul Jeunet / Arbois (Jura)

Après avoir étudié à l'Ecole Hôtelière de Nice, puis avoir travaillé dans des maisons de haute renommée, La Réserve à Beaulieu, Troisgros à Roanne, Le Ritz, La Marée, Lenôtre à Paris, **Jean-Paul Jeunet** est revenu au pays auprès de son père André.

Devenu le patron, il transformait l'année dernière, le vieil Hôtel de Paris en un établissement de grand confort, bien équipé et bien décoré auquel il donnait son nom.

Jean-Paul Jeunet est le champion de l'authenticité. Pour lui, la cuisine est la recherche de saveurs d'autrefois avec la légèreté d'aujourd'hui. Il utilise des produits régionaux de manière différente pour les alléger tout en retrouvant les harmonies qui se sont perdues.

Cette authenticité, il la retrouve aussi dans les vins des vignerons du Jura *"des hommes passionnés, amoureux de leur métier et ne ménageant pas leur peine."*
Il avoue : *"Je suis fou de ce produit du terroir, un vin exceptionnel qui doit ses qualités à la netteté de sa vinification. Ses saveurs olfactives sont très subtiles et prennent toute leur valeur en bouche. Le vin du Jura n'est pas un rosé, mais un véritable rouge au même titre que le Bordeaux et le Bourgogne. Il est le fruit d'un alliage harmonieux entre deux cépages, le Poulsart qui lui donne finesse et subtilité et le Trousseau qui apporte charpente et tanin. Les dosages de chaque vigneron créent la variété."*

Ces rouges, Jean-Paul Jeunet les recommande avec des viandes légères et des volailles, comme sa noisette d'agneau, son aiguillette de bœuf avec galette de céleri et foie gras, sauce à la lie de vin, ou son pigeon aux ravioles de racines au lait de chèvre.

Il n'est pas moins enthousiaste lorsqu'il parle du curieux vin jaune issu du cépage Sauvignon, élevé six ans en fût et qui peut se conserver un siècle sans rien perdre, grâce à ses agents tanniques, de son parfum et de son goût de noix. Ses viandes blanches et ses poulardes, ses écrevisses à la crème aux morilles comme son brocheton semblent spécialement conçus pour magnifier cet incomparable vin jaune.

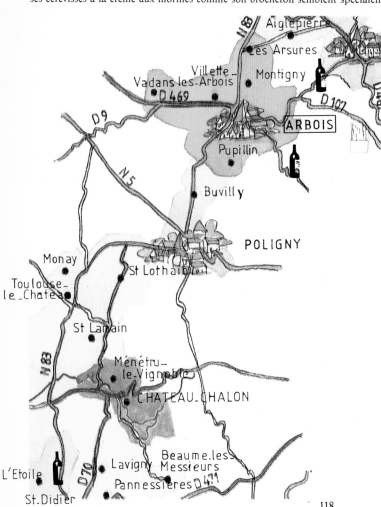

9, rue de l'Hôtel de Ville
39600 ARBOIS
Tél. 84 66 05 67

Hôtel-restaurant : **Jean-Paul Jeunet.** 2 étoiles.
18 chambres : 300 F à 500 F.
Fermeture annuelle : décembre, janvier.
Fermeture hebdomadaire : lundi soir, mardi, sauf vacances scolaires et septembre.
Visites de caves organisées. Télévision, mini-bar, téléphone dans les chambres. Ascenseur.
Parking-Garage.
Chiens admis.
Menus : 120 F.
Carte : 400 F.
Petit-déjeuner : 35 F.
Cartes bancaires : Diners Club, Carte Bleue, Eurocard

ucien Aviet
Caveau de
cchus''

600 Montigny-
s-Arsures

el. 84 66 11 02

Appellation : **ARBOIS**
Couleur et millésime : **Rouge 87 ''Cuvée des Géologues''**
Producteur : **M. Lucien Aviet**
Terroir : **trias et lias, marnes variées superficiellement caillouteux**
Cépages : **Trousseau**
Rendement : **35 hl/hectare**
Vendange et vinification : **manuelles et tries sévères. Vinification traditionnelle en fûts de chêne**
Elevage : **en fûts de chêne pendant 16 mois**
Caractère : **vin bien structuré, tannique, fruits rouges, épices, grande longueur en bouche**
Evolution : **à boire dès 1989 et pendant 15 années sans problème**
Observations : **autres vins : Poulsard Rouge, Blanc Chardonnay, Blanc Savagnin, Vin Jaune. Accueil sur rendez-vous au caveau**

cques Puffeney
int-Laurent
600 Montigny-
s-Arsures

el. 84 66 10 89

Appellation : **ARBOIS**
Couleur et millésime : **Rouge 1987**
Producteur : **M. Jacques Puffeney**
Terroir : **trias et lias, marnes variées superficiellement caillouteux**
Cépages : **Trousseau**
Rendement : **27 hl/hectare**
Vendange et vinification : **manuelle et tries sévères. Vinification traditionnelle en fûts de chêne**
Elevage : **en fûts de chêne pendant 15 mois**
Caractère : **vin structuré de grande complexité, tannique, belle robe rouge, arôme fruits rouges, confiture de griottes**
Observations : **autres vins : Poulsar Rouge, Blanc Chardonnay, Blanc Savagnin. Vin jaune, vin méthode champenoise. Accueil à la cave sur rendez-vous**

omaine
cques Tissot
, rue de
ourcelles
600 Arbois

el. 84 66 14 27

Appellation : **ARBOIS A.O.C.**
Nom : **DOMAINE JACQUES TISSOT**
Couleur et millésime : **Vin jaune 1982**
Producteur : **M. Jacques Tissot**
Terroir : **marnes**
Cépages : **100% Savagnin**
Rendement : **25 hl/hectare**
Vendange et vinification : **manuelles**
Elevage : **vieillit 6 ans en fûts de chêne de 228 litres**
Caractère : **nez intense de noix, très typé, bouche longue et concentrée**
Evolution : **peut devenir centenaire**
Observations : **notre Domaine est à votre disposition pour plus de renseignements (tarif sur demande, caveau ouvert tous les jours). Visite cave sur rendez-vous autres vins : Arbois Rouge, Rosé, Blanc. Côte du Jura, Blanc, Rouge**

ins du Jura
.A.E.C. Château
e l'Etoile
Vandelle & Fils
iticulteurs
9570 L'Étoile

el. 84 47 33 07

Appellation : **L'ÉTOILE**
Nom : **CHATEAU DE L'ÉTOILE**
Couleur et millésime : **Blanc 87**
Producteur : **MM. J. Vandelle & Fils**
Terroir : **marnes triastiques, argileuses**
Cépages : **Chardonnay**
Rendement : **50 hl/hectare**
Mode de culture : **traditionnel**
Vendange et vinification : **traditionnelles avec contrôle des températures**
Elevage : **en fûts de chêne pendant 18 mois**
Caractère : **belle robe jaune clair, nez puissant, grande longueur en bouche**
Evolution : **à boire de 1989 et pendant dix ans sans risque**
Observations : **autres vins : Blanc méthode Champenoise, Rosés, Rouges, Vins Jaunes Vin de Paille. Accueil à la propriété tous les jours de la semaine**

utres bonnes adresses

. J. Gros, 39 L'Étoile. **Château d'Arlay**, 39 Arlay. **Fruitière Vinicole d'Arbois**, 39 Arbois. **M. F. Lornet**, 39 Montigny-les-rsures. **Rolet Frères**, 39 Arbois. **Fruitière Vinicole de Pupillin**, 39 Pupillin. **M. D. Petit et Fils**, 39 Pupillin.

Marc Veyrat-Durebex
Auberge de l'Eridan / Annecy (Haute-Savoie)

Marc **Veyrat-Durebex** fait exception à la règle. Il est devenu prophète en son pays. Après avoir peiné durant sept ans dans une auberge, à 1 500 mètres d'altitude, il a, en cinq ans seulement, fait de l'Auberge de l'Eridan au bord du lac d'Annecy, un restaurant luxueux et raffiné parmi les plus cotés de France.

Renvoyé de trois écoles hôtelières pour indiscipline, Marc Veyrat est tout, sauf conformiste. Il bouscule les critiques, affronte Paul Bocuse, et introduit dans ses casseroles des plantes aromatiques aux noms barbares, papiolene, finü ou ailï, qu'il va cueillir lui-même à 2 000 mètres d'altitude, se souvenant qu'il a été moniteur de ski.

Avec un sens inné de l'invention, il s'est fait le champion des produits régionaux, et des vins de Savoie. *"Ils ont, dit-il, fait d'énormes progrès depuis cinq ans. On les disait frais et fruités, ce qui sous-entendait, qu'un peu verts, ils ne convenaient qu'à l'apéritif. Ils sont maintenant devenus excellents comme la Roussette de Chemonex du Clos de la Peclet, le Chignin Bergeron de Quénard ou l'Apremont de Boniface, qui peuvent rivaliser avec beaucoup de vins d'autres vignobles français.*

"Les blancs accompagnent très bien les poissons : lotte et son foie aigre à l'acha, et particulièrement ceux du lac, omble chevalier, mille feuille de truite."

Les rouges de Savoie retiennent également l'attention de Marc Veyrat, notamment la Mondeuse, très puissante, fruitée, pas trop tanniqu et que certains propriétaires comme Michel Grisard s'emploient à vinifier en vue du vieillissement. *"Des millésimes de la fin des année 70 et du début des années 80 sont maintenant exceptionnels."*

Homme de défi et de folie, comme tous les grands créateurs, Marc Veyrat est un parfait avocat des vins de Savoie : *"Ce sont les vir qui ont fait les plus grands progrès ces dernières années. De grands vignerons sont en train d'émerger car ils ont pris conscience que l'o pouvait faire de très grands vins en Savoie et en Haute-Savoie."*

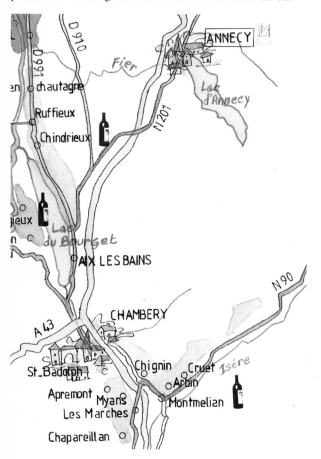

7, avenue de Chavoires
74000 ANNECY-LE-VIEUX
Tél. 50 66 22 04

Restaurant : Auberge de l'Eridan.
Fermeture annuelle : février et du 15/08 au 07/09.
Fermeture hebdomadaire : mercredi et dimanche soir
Parc. Chiens admis.
Menus : 280 F, 380 F, 600 F.
Carte : 450 F.
Cartes bancaires : Diners Club, Carte Bleue, America
Express, Eurocard.

Sommelier : M. Christian ALLANDRIEU.

Cave Coopérative de Chautagne

Ruffieux
73310 Chindrieux
Tél. 79 54 27 12

Appellation : **VIN DE SAVOIE CRU CHAUTAGNE**
Couleur et millésime : **Rouge 88**
Producteur : **Cave de Chautagne, 73310 Ruffieux**
Terroir : éboulis calcaires sur molasse grèseuse
Cépages : **Gamay**
Rendement : **72 hl/hectare**
Mode de culture : **vignes en côteaux (densité + 6 000 pieds/hectare)**
Vendange et vinification : **vendange manuelle et vinification, en rouge, traditionnelle**
Caractère : **robe légèrement purpurine, saveur fruitée. Discrétion de son arôme floral**
Evolution : **servir à bonne température 15 à 17° entre 1 et 4 ans d'âge**
Observations : **jouit d'une grande réputation depuis le XVIIIᵉ siècle (vin préféré de la Cour de Sardaigne)**

Vins Fins de Savoie Domaine Dupasquier

Aimavigne
73710 Jongieux
Tél. 79 44 02 23

Appellation : **VIN DE SAVOIE**
Nom : **GAMAY DE SAVOIE**
Couleur et millésime : **Rouge 87**
Producteur : **M. Noël Dupasquier**
Terroir : sol caillouteux
Cépages : **Gamay**
Rendement : **72 hl/hectare**
Vendange et vinification : **vendanges manuelles, vinification traditionnelle avec contrôle des températures**
Elevage : **foudres de chêne, 11 mois**
Caractère : **saveur fruitée, vin charpenté et très gouleyant à servir avec viandes blanches, jambon cru de Montagne et fromage**
Evolution : **peut s'apprécier dès maintenant, mais évolue bien jusqu'à 4 ans**
Observations : **dégustation sur rendez-vous. Autres produits : Rouges Pinot et Mondeuse. Blancs : Jacquère, Roussette, Marestel et le fameux Marc de Savoie**

Les Fils de René Quénard

"Les Tours"
Chignin
73800 Montmélian
Tél. 79 28 13 39

Appellation : **VIN DE SAVOIE**
Nom : **CHIGNIN-BERGERON "La Bergeronnette"**
Couleur et millésime : **Blanc 88**
Producteur : **MM. Les Fils de René Quénard**
Terroir : **en côteaux sol peu profond, caillouteux, exposition sud-sud ouest**
Cépages : **100% Roussanne**
Rendement : **60 hl/hectare**
Vendange et vinification : **manuelle, débourbage à froid, contrôle température (18-22°)**
Elevage : **cuves inox, embouteillage printemps 89**
Caractère : **vin blanc sec, sucres réducteurs, mais pas du tout acide**
Evolution : **s'apprécie dès la 1ʳᵉ année, bonne évolution sur 3 ou 4 ans**
Observations : **cépage de qualité, la Roussanne appelé à Chignin Bergeron, donne un vin à la robe jaune paille aux reflets dorés, un parfum puissant de fleurs et d'abricot, goût très fin, rond presque moelleux, très bonne persistance en bouche.**

Autres bonnes adresses

Cave Coopérative "Le Vigneron Savoyard", 73 Apremont. **A. et M. Quénard**, 73 Chignin. **Ch. Monterminod**, 73 St-Alban-Leysse. **D. Chatagnat**, 73 Frangy. **E. Carrel**, 73 Jongieux. **Cave Coopérative de Cruet**, 73 Cruet. **Alexis Genoux**, 73 Arbin. **Maison Mollex,** 01 Corbonod.

Languedoc-Roussillon

Languedoc et Roussillon, ils sont au vin un peu ce que la Beauce et la Brie sont au blé : un réservoir immense, surabondant, qui produit, bon an mal an, ses 25 millions d'hectolitres. Vigne omniprésente, presque obsédante, peuplant les paysages de cette splendide région, vaste amphithéâtre qui, de la Camargue à la Catalogne, s'adosse aux derniers contreforts du Massif central et des Pyrénées, pour baigner ses pieds dans l'eau du golfe du Lion.

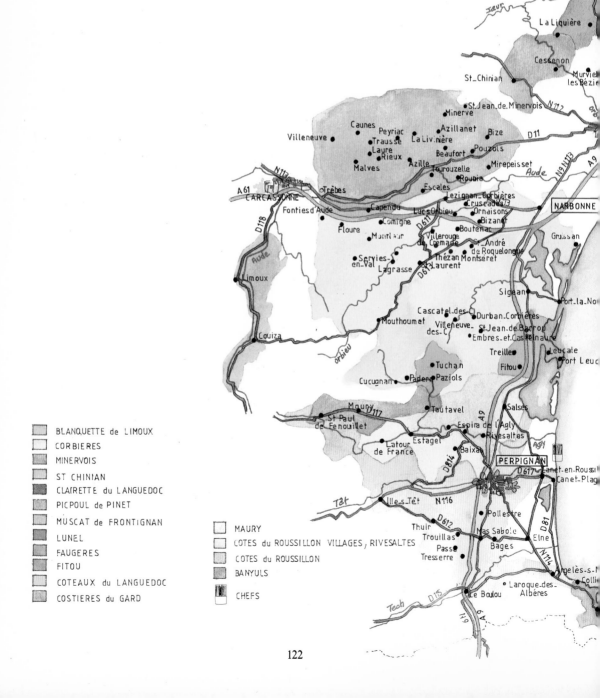

BLANQUETTE de LIMOUX
CORBIERES
MINERVOIS
ST CHINIAN
CLAIRETTE du LANGUEDOC
PICPOUL de PINET
MUSCAT de FRONTIGNAN
LUNEL
FAUGERES
FITOU
COTEAUX du LANGUEDOC
COSTIERES du GARD

MAURY
COTES du ROUSSILLON VILLAGES / RIVESALTES
COTES du ROUSSILLON
BANYULS
CHEFS

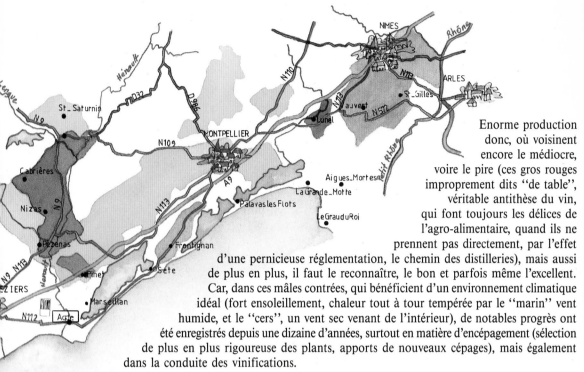

Enorme production donc, où voisinent encore le médiocre, voire le pire (ces gros rouges improprement dits "de table", véritable antithèse du vin, qui font toujours les délices de l'agro-alimentaire, quand ils ne prennent pas directement, par l'effet d'une pernicieuse réglementation, le chemin des distilleries), mais aussi de plus en plus, il faut le reconnaître, le bon et parfois même l'excellent. Car, dans ces mâles contrées, qui bénéficient d'un environnement climatique idéal (fort ensoleillement, chaleur tout à tour tempérée par le "marin" vent humide, et le "cers", un vent sec venant de l'intérieur), de notables progrès ont été enregistrés depuis une dizaine d'années, surtout en matière d'encépagement (sélection de plus en plus rigoureuse des plants, apports de nouveaux cépages), mais également dans la conduite des vinifications.

Oublions vite les anonymes et infâmes breuvages qui gonflent encore démesurément les flots de ce gigantesque océan de vin. Si l'on excepte les V.D.N. (vins doux naturels), vieille spécialité locale, qui eux, en revanche, mériteraient d'être mieux connus des Français (délicieux muscats languedociens, superbe Banyuls roussillonnais...), nos deux régions recèlent déjà plusieus vins confirmés.

En Languedoc, ce sont le noir et vigoureux *Fitou* (A.O.C. depuis 1948), le souple et fruité *Faugères,* le plus rustique *Saint-Chinian,* la blanche *Clairette de Bellegarde.*

Deux vins méritent particulièrement l'attention, car ils ont réalisé depuis une décennie un remarquable bond qualitatif : le *Minervois* et les *Corbières,* tous deux promus en A.O.C. depuis 1985. A cheval sur l'Aude et l'Hérault, en vieux pays cathare, le vignoble minervois, selon les lieux, décline plusieurs facettes de son fier caractère : rouges solides et riches dans sa partie centrale, au pied de la Montagne Noire, vins souples et fruités dans la région des serres et des terrasses de la Cesse, rouges rugueux et blancs incisifs sur les causses calcaires, autour de Minerve. Pays aride et montagneux, appartenant exclusivement à l'Aude, les Corbières offrent, elles aussi, tout un éventail de crus : rouges mâchus et puissants dans les Hautes-Corbières, plus charnus vers la Montagne d'Alaric, vins fins et aromatiques dans le centre de la contrée, rouges coulants et blancs faciles à boire dans la zone maritime.

Les autres, ce sont les honnêtes *Costières du Gard,* qui établissent une sorte de transition entre Languedoc et Côtes du Rhône, les *Côtes de La Malepère* et les *Côtes de Cabardès,* déjà sous influence océanique, et l'armée serrée des *Coteaux du Languedoc,* dont onze ont le droit d'afficher leur origine particulière : *Cabrières, Coteaux de Vérargués, Coteaux de la Méjanelle, La Clape, Montpeyroux, Pic Saint-Loup, Quatourze, Saint-Drézéry, Saint-Georges-d'Orques, Saint-Saturnin, et Picpoul de Pinet.* Parmi ceux-ci, une mention doit être accordée au *Cabrières,* ce vin "vermeil" qui est un excellent rosé de carignan et de cinsault, et à *La Clape,* un vin blanc nerveux et d'arôme floral, récolté sur un aride massif calcaire aux portes de Narbonne.

En Roussillon, ce sont les chaleureux *Côtes du Roussillon,* au sein desquels se dégage l'élite des "villages", avec des vins sombres et bien bouquetés, et le fin mais plus confidentiel *Collioure,* tous A.O.C. Sans compter, sur les deux régions, une flopée de "vins de pays", quelquefois bien vinifiés : il en éclot presque à chaque saison (en vrac, *Coteaux de Peyriac, Val d'Orbieu, Coteaux de la Cité de Carcassonne, Vicomté d'Aumelas, Coteaux des Fenouillèdes,* etc.).

Nicolas Albano
La Tamarissière / Agde (Hérault)

Nicolas Albano est l'héritier d'une longue tradition. Il a pris goût à la cuisine en traînant dans les jambes de sa grand-mère et de sa mère autour du fourneau de la guinguette, ouverte depuis 1882 face au vieux port de pêche, à l'embouchure de l'Hérault.

L'exemple était bon puisque, première cuisinière du littoral méditerranéen, la grand-mère Albano avait obtenu un coq couronné au feu guide Kléber.

Après avoir fréquenté l'université, Nicolas Albano allait parfaire ses connaissances dans d'excellentes maisons, notamment comme chef de partie au Negresco à Nice et à l'Hermitage à Monte-Carlo, avant de revenir, en 1962, à La Tamarissière dont il devait faire une somptueuse maison au milieu des fleurs.

Premier homme en cuisine, après deux "mères à la lyonnaise", Nicolas Albano est à la fois un excellent cuisinier et un parfait défenseur des produits de la région. Comme lui, sa cuisine a l'accent méridional. Traditionnelle, elle a évolué en se dépouillant de ce qui est trop lourd.

Pour accompagner cette cuisine régionale, Nicolas Albano, Maître Cuisinier de France, propose, sur une carte de 380 crus français, trente-cinq vins de la région parmi lesquels des vins de pays comme le Domaine de Grange Rouge d'Agde ou la Fadèze de Marseillan.

Pour les coquillages, la bouillabaisse et la bourride préparées selon les recettes de grand-mère, il préconise un Picpoul de Pinet, très typé avec une légère acidité en bouche.

Pour des plats moins rustiques, le loup au beurre rouge, la daube de Saint-Jacques et crevettes royales, la marinière de coquillages, le ragoût de ris et rognons ou la poularde de Bresse demi-deuil, sa préférence va au Faugères.

"Les vignes de Faugères, explique-t-il, *poussent sur un sol de schiste. Le vin très léger, aux parfums de fruits cuits, de pruneaux et de fraises des bois, peut s'accorder aussi bien avec les viandes que les poissons, mais il faut le servir relativement frais, vers 16°, car il devient un peu lourd en bouche s'il est servi plus chaud."*

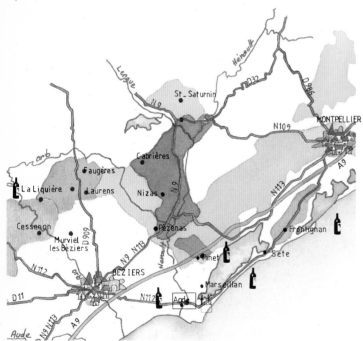

21, quai Théophile Cornu
34300 AGDE
Tél. 67 94 20 87

Hôtel-restaurant : La Tamarissière. 3 étoiles.
30 chambres : 250 F à 500 F.
Fermeture annuelle : 01/12/89 au 15/03/90.
Fermeture hebdomadaire : restaurant : dimanche soir et lundi du 15/03 au 15/06 et du 15/09 au 30/11.
Visites de caves organisées. Télévision, mini-bar, téléphone dans les chambres. Parking. Jardin.
Piscine (privée).
Chiens admis.
Menus : 120 F, 180 F, 245 F.
Carte : 300 F.
Petit-déjeuner : 35 F et 50 F.
Cartes bancaires : Diners Club, Carte Bleue, American Express, Eurocard.

Autres bonnes adresses

Domaine de l'Arjolle : 34 Pouzolles. **Domaine St Martin de la Garrigue :** 34 Montagnac. **Château Coujan :** 34 Murviel-les-Béziers. **M. Caujal :** 34 Pinet. **M. Guiraud :** 34 Béziers. **Domaine de l'Abbaye de Valmagne :** 34 Villeveyrac. **Château de la Condamine Bertrand :** 34 Paulhan. **M. Jougla :** 34 Prades-sur-Venezobre. **CMF :** 34 Frontignan.

Sté Château de La Liquière

La Liquière
34480 Magalas
Tél. 67 90 29 20

Appellation : **FAUGÈRES**
Nom : **CHATEAU DE LA LIQUIÈRE**
Couleur et millésime : **Rouge 87**
Producteur : M. Vidal-Gaillard
Terroir : schiste
Cépages : **Carignan, Grenache, Syrah, Mourvèdre**
Rendement : **38 hl/hectare**
Mode de culture : traditionnel
Vendange et vinification : **manuelle, macération carbonique, maîtrise des températures**
Elevage : **cuverie traditionnelle**
Caractère : **le Rouge sent bon la garrigue, le ciste et le cuir, les parfums s'harmonisent avec des goûts de pain grillé, de fruits à pépins exotiques**
Evolution : **de 1 à 5 ans**
Observations : autres vins : Rosé à la couleur rose pastel
dégustation sur rendez-vous

Claude Gaujal

Récoltant
B.P. n° 1
34850 Pinet
Tél. 67 77 02 12

Appellation : **PICPOUL DE PINET**
Nom : **CUVÉE L. GAUJAL**
Couleur et millésime : **Blanc 88**
Producteur : M. Claude Gaujal
Terroir : argilo-calcaire
Cépages : **Picpoul**
Rendement : **45 hl/hectare**
Vendange et vinification : **vendange à la machine, vinification basse température**
Elevage : **cuves**
Caractère : **finesse et caractère marqué de l'appellation**
Evolution : **à consommer et déguster dans l'année suivant la récolte, soit 1989**
Observations : **5 Médailles d'Or au Concours Général Agricole, 83, 84, 85, 86, 89. Silènes d'Or 1988, Oscar des Vins 1988**

Pastourel Yves et Fils

Château de la Peyrade
34110 Frontignan
Tél. 67 48 61 19

Appellation : **MUSCAT DE FRONTIGNAN**
Nom : **CHATEAU DE LA PEYRADE**
Couleur et millésime : **Doré, Muscat Jaune non millésimé**
Producteur : **MM. Pastourel Yves et Fils**
Terroir : **terrains calcaires propices à la qualité et aux arômes**
Cépages : **Muscat Blanc Petit Grain**
Rendement : **28 hl/hectare**
Vendange et vinification : **vendanges sans écraser le raisin, contrôle des températures**
Elevage : **en cuves**
Caractère : **fruité avec des arômes très divers de fleurs, de miel**
Evolution : **à consommer jeune, peut très bien vieillir, agréable à boire dans les premières années, mais frais (8°)**
Observations : **dégustaion à la propriété et visite des caves**

Groupement Agricole Foncier de la Grange Rouge

34300 Agde
Tél. 67 94 21 76

Appellation : **VIN DE PAYS DE L'HÉRAULT**
Nom : **DOMAINE GRANGE ROUGE**
Couleur et millésime : **Blanc 88**
Producteur : M. Pourthie
Terroir : **argilo-calcaire caillouteux**
Cépages : **Chardonnay**
Rendement : **50 hl/hectare**
Vendange et vinification : **manuelle, décantation. Contrôle température. Basse température**
Elevage : **mis en bouteilles en novembre**
Caractère : **très aromatique**
Evolution : **à consommer jeune**
Observations : autres vins : Rosé de Saignée, Cabernet, Sauvignon, Blanc de Blanc, Merlot. Dégustation sur rendez-vous

M. Georges Lantheric Domaine "La Fadèze"

34340 Marseillan
Tél. 67 77 26 42

Appellation : **VIN DE PAYS DE L'HÉRAULT**
Nom : **LA FADÈZE**
Couleur et millésime : **Blanc 88**
Producteur : **MM. Lentheric & Fils**
Terroir : **argilo-calcaire**
Cépages : **Terret**
Rendement : **70 hl/hectare**
Vendange et vinification : **mécanique, contrôle de température**
Elevage : **cuve stérile**
Caractère : **le Terret-Bourret au nez charmeur laisse découvrir en bouche une longueur, une souplesse inhabituelles.**
Evolution : **de 1 à 3 ans**
Observations : **autres vins : Blanc Sauvignon, Rouge : Merlot-Syrah, Rosé**
dégustation : tous les jours

Claude-Robert Giraud
Le Réverbère / Narbonne (Aude)

Si **Claude-Robert Giraud** est très largement "étoilé", c'est bien sûr grâce aux bases d'un métier qu'il a appris dans les plus huppés des établissements parisiens, mais c'est surtout — comme il se plaît à le proclamer avec passion — parce qu'il aime son Art et qu'il croit à ce qu'il fait !

La cuisine qu'il élabore dans l'excellent établissement où il officie depuis dix ans, "Le Réverbère", a été reconnue par de nombreuses distinctions dans les divers guides et ouvrages spécialisés : une couronne au Kléber dès 81, une première étoile au Michelin en 82, puis en 83, c'est le Gault et Millau. En 87, il est admis dans la prestigieuse coterie des Maîtres Cuisiniers de France. En 88, il obtient 3 étoiles au Bottin Gourmand, 4 points au Champerard. Enfin en 89, c'est la deuxième étoile au Michelin.

Claude-Robert Giraud considère que les vins de sa région sont maintenant devenus excellents : *"Des efforts considérables ont été faits par les vignerons. Et je suis persuadé que dans les six ans à venir, le Midi va devenir la dernière venue des grandes régions vinicoles, au sens noble du terme !"*

Il utilise ces vins dans certaines de ses recettes mais préfère consacrer son talent au mariage réussi des plats avec les vins. *"Les deux sont indissociables. Mais un mariage culinaire réussi doit se faire entre un cru régional et une recette du terroir. Racine pour racine !"*

Si vous passez par là, craquez pour son "pigeon à la gentiane" qu'il marie avec une excellente cuvée Château Lavoulte-Gasparets 1985, un Corbière de la meilleure tenue, choisi pour sa fine pointe d'amertume rappelant l'olive et l'amande amère des garrigues, qui soutient excellemment la gentiane.

Claude-Robert Giraud — grand amateur de tous les bons vins — soigne amoureusement ses bouteilles dans une cave naturelle, enterrée, mais avec une compensation tant pour l'hygrométrie que pour la température. Il peut ainsi offrir aux amateurs éclairés 320 lignes de crus ou de millésimes différents, dont 95 consacrées aux meilleurs vins de la région : Corbières, Maury, Fitou, La Clape, Minervois, Faugères, Saint-Chinian, sans oublier les somptueux Banyuls, Rivesaltes, Cerbère.

Sa passion, Claude-Robert Giraud la fait partager chaque été — les jours de fermeture précise-t-il ! — aux vignerons, aux restaurateurs de la région. En faisant une tournée maritime à bord d'une superbe goélette ancienne qui, au gré des ports ensoleillés, fait découvrir et déguster les meilleures recettes locales, avec les meilleurs crus locaux !

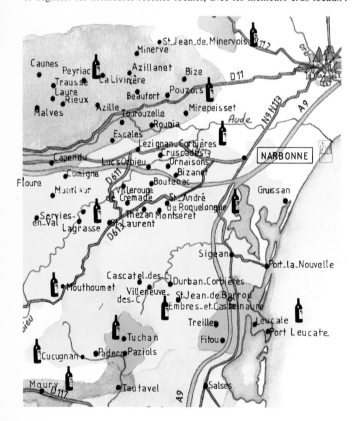

4, place des Jacobins
11100 NARBONNE
Tél. 68 32 29 18

Restaurant : Le Réverbère. 4 étoiles.
Fermeture hebdomadaire : dimanche soir et lundi.
Chiens admis.
Menus : 220 F à 350 F.
Carte : 250 F.
Cartes bancaires : Carte Bleue, Eurocard.

Sommelier : M. Jean-François BORDALLO.

Indivision Georges Bertrand propriétaire vigneron Domaine de Villemajou

11200 St-André-de-Roquelongue

Tél. 68 45 10 43

Appellation : **CORBIÈRES**
Nom : **DOMAINE DE VILLEMAJOU**
Couleur et millésime : **Rouge 85**
Producteur : **Indivision Georges Bertrand**
Terroir : **argilo-calcaire graveleux**
Cépages : **Carignan, Cinsault, Grenache noir et Syrah**
Rendement : **40 à 50 hl/hectare**
Mode de culture : **taille gobelet**
Vendange et vinification : **manuelle, raisins ramassés en petites comportes**
Elevage : **12 mois en cuve et 6 mois en barriques**
Caractère : **rouge profond, son bouquet doit sa complexité à l'équilibre des cépages utilisés, solide structure et bonne ampleur en bouche**
Observations : **dégustation sur rendez-vous. Autres vins : Rosé Perlant, Blanc**

Domaine des Amouries Alain Castex

vigneron
Davejean
11330 Mouthoumet

Tél. 68 70 03 28

Appellation : **CORBIÈRES**
Nom : **DOMAINE DES AMOURIES**
Couleur et millésime : **Rouge 86**
Producteur : **M. Alain Castex**
Terroir : **schiste**
Cépages : **Carignan, Grenache, Cinsault, Syrah**
Rendement : **30 hl/hectare**
Vendange et vinification : **manuelle, 50% macération carbonique, 50% traditionnelle, longue cuvaison**
Elevage : **fûts de chêne**
Caractère : **épice de canelle, fruits rouges**
Evolution : **entre 3 et 4 ans**
Observations : **dégustation sur rendez-vous. Autres vins : Blanc de Blanc, Gris d'une Nuit Rosé, Cuvée Vieille Vigne Rouge**

Cave des Côtes d'Alaric

Camplong
11200
Lézignan-Corbières

Tél. 68 43 60 86

Appellation : **CORBIÈRES**
Nom : **PEYRES NOBLES**
Couleur et millésime : **Rouge 85**
Producteur : **Cave des Côtes d'Alaric**
Terroir : **argilo-calcaire**
Cépages : **Carignan, Cinsault, Grenache** / Rendement : **50 hl/hectare**
Vendange et vinification : **vendanges manuelles, mi-macération en grains entiers, mi-vinification traditionnelle**
Elevage : **en foudre de chêne, durant 1 à 2 ans**
Caractère : **robe pourpre, vin charpenté avec notes boisées, arôme de fruits mûrs**
Evolution : **garde de 4 à 10 ans**
Observations : **caveau ouvert tous les jours en été, du lundi au samedi jusqu'au 31 décembre. Autres vins : Fonbories 85, Oscar des A.O.C. du Languedoc-Roussillon. Vin des Républiques 85, Médaille d'Argent Concours Général Agricole**

Société du Domaine du Château de Caraguilhes

St-Laurent-de-la-Cabrerisse
11220 Lagrasse

Tél. 68 43 62 05

Appellation : **CORBIÈRES**
Nom : **CHATEAU DE CARAGUILHES**
Couleur et millésime : **Rouge 83**
Producteur : **Michèle et Lionel Faivre**
Terroir : **argilo-calcaire, caillouteux de coteaux**
Cépages : **Carignan, Grenache noir, Syrah, Mourvèdre**
Rendement : **45 hl/hectare**
Mode de culture : **traditionnel avec vendanges manuelles**
Vendange et vinification : **macération carbonique**
Elevage : **cuves ciment et foudres de chêne**
Caractère : **aromatique, fin**
Evolution : **très bonne garde**
Observations : **gamme complète : Blanc de Blanc, Gris de Gris. Rouge 79, 83, 85, 86 87 et vin doux naturel. Dégustation sur place**

S.C.A. de Vinification Castelmaure

11360 Embres-et-Castelmaure

Tél. 68 45 91 83

Appellation : **CORBIÈRES**
Nom : **CUVÉE POMPADOUR**
Couleur et millésime : **Rouge 85**
Producteur : **S.C.V. Castelmaure**
Terroir : **1/2 schiste, 1/2 calcaire**
Cépages : **Carignan, Grenache noir, Syrah** / Rendement : **45 hl/hectare**
Vendange et vinification : **macération carbonique de longue durée**
Elevage : **vieillissement barriques bordelaises**
Caractère : **couleur riche et profonde, bouquet intense et complexe d'humus, de cannelle, de truffe, de cassis, de fleur de genêts, de noix de muscade, soutenu par une fine odeur de bois noble et de vanille. Bouche ample, généreuse et veloutée**
Evolution : **Déjà élevé mais supporte un vieillissement de 5 à 7 ans**
Observations : **caveau de dégustation ouvert de 8 h-12 h et 14 h-18 h en semaine, et du 15/6 au 15/9 tous les jours, samedi et dimanche compris. Autres vins : Castelmaure rouge 87, Castelmaure blanc 88, Castelmaure rosé 88, Castelmaure rouge Vieux 83**

**Henry Gualco
Château Etang
des Colombes**

11200
Lézignan-Corbières
Tél. 68 27 00 03

Appellation : **CORBIÈRES**
Nom : **CHATEAU ÉTANG DES COLOMBES**
Couleur et millésime : **Rouge 85**
Producteur : **M. Henry Gualco**
Terroir : **grave argilo-calcaire**
Cépages : **Syrah, Mourvèdre, Grenache, Carignan**
Rendement : **42 hl/hectare**
Mode de culture : **labour et désherbage partiel**
Vendange et vinification : **traditionnelles**
Elevage : **fûts neufs et première mise à 14 mois**
Caractère : **couleur pourpre, nez complexe : odeur sauvage (garrigue) avec des notes épicées. Vin plein avec structure très présente et fin de bouche harmonieuse**
Evolution : **de 4 à 10 ans, vin de garde**
Autres vins : **dégustation et visite tous les jours. Autres vins : Blanc de Blanc, Gris Colombes**

**Domaine
du Révérend**

11350 Cucugnan
Tél. 68 45 01 13

Appellation : **CORBIÈRES**
Nom : **DOMAINE DU RÉVÉREND**
Couleur et millésime : **Blanc 87**
Producteur : **Domaine du Révérend**
Terroir : **argilo-calcaire caillouteux**
Cépages : **85% Maccabeu blanc, 15% Grenache blanc** / Rendement : **38 hl/hectare**
Vendange et vinification : **vendange manuelle en caisses. Vinification par macération pelliculaire, suivie d'une fermentation à température contrôlée**
Elevage : **en cuves, sur lies fines**
Caractère : **arôme floral (fleurs blanches) et fruité (poire). Vin ample et gras en bouche**
Evolution : **de 2 à 4 ans**
Observations : **ce vin exprime élégamment la personnalité du Maccabeu travaillé traditionnellement sur son terroir de prédilection. Autres vins : Corbières rosé, Corbières rouge. Dégustation, ouvert tous les jours**

**Les Vignerons
du Cap Leucate**

Cave Coopérative
2, av. Francis Vals
11370 Leucate
Tél. 68 40 01 31

Appellation : **FITOU**
Nom : **DAME DE CEZELLY**
Couleur et millésime : **Rouge 85**
Producteur : **Cave Coopérative**
Terroir : **argilo-calcaire blanc**
Cépages : **25% Grenache noir, 10% Mourvèdre et Maccabeu, 65% Carignan noir**
Rendement : **45 hl/hectare**
Mode de culture : **traditionnel**
Vendange et vinification : **vendanges manuelles, vinification par macération carbonique**
Caractère : **bien charpenté, équilibre harmonieux, d'une couleur rubis, avec des arômes épicés**
Evolution : **à garder 5, 6 ans**
Observations : **A.O.C. Muscat de Rivesaltes. A.O.C. VDN Rivesaltes. A.O.C. Corbières rouge, rosé, blanc. Dégustation gratuite, ouvert tous les jours, même dimanche matin**

**Cave
des Producteurs
"Les Coteaux"**

11120
Pouzols-Minervois
Tél. 68 46 13 76

Appellation : **A.O.C. MINERVOIS**
Nom : **ANCIEN COMTÉ DE POUZOLS**
Couleur et millésime : **Rouge 86**
Producteur : **Cave des Producteurs "Les Coteaux"**
Terroir : **colluvions profondes à forte pierrosité**
Cépages : **Carignan, Grenache, Syrah**
Rendement : **50 hl/hectare**
Mode de culture : **traditionnel**
Vendange et vinification : **manuelle, vinification macération carbonique**
Caractère : **couleur rubis, arômes fruits rouges, note poivrée fondue en bouche**
Evolution : **à boire dans les 3 ans suivant la récolte**
Observations : **magasin de vente ouvert tous les jours. Visite de la cave, dégustation en groupe, sur rendez-vous. Autres vins à découvrir : Rosé "Cuvée des Lauriers", Blanc sec "Sélection au Terroir"**

**Cave Coopérative
de la Région de
Peyriac-Minervois**

11160
Peyriac-Minervois
Tél. 68 78 11 20

Appellation : **MINERVOIS**
Nom : **TOUR SAINT-MARTIN**
Couleur et millésime : **Rouge 86**
Producteur : **Cave des Vignerons de Peyriac-Minervois**
Terroir : **terrasses anciennes silico-calcaires (graviers) de l'Argent Double**
Cépages : **Syrah, Mourvèdre, Grenache, Carignan** / Rendement : **55 hl/hectare**
Vendange et vinification : **vendange manuelle et macération en vendange entière**
Elevage : **6 mois d'élevage en barriques**
Caractère : **robe rubis sombre et légèrement ambrée. Nez fin de fruits rouges avec des notes épicées et vanille**
Evolution : **servir chambré sur de beaux plats de viandes, canards, gibiers, tournedos**
Observations : **dégustation et vente directe. Caveau ouvert toute l'année : en semaine durant l'année, en permanence l'été (y compris dimanche). Autres vins à signaler : le meilleur blanc Minervois (Médaille d'Or Paris, 86-87), du vin rosé Minervois, agréable et plaisant d'un bon rapport qualité-prix**

Balade en Languedoc-Roussillon
... avec Patrick Pagès

Et le Languedoc-Roussillon d'être toujours dans le vent de l'histoire ! Le plus ancien vignoble de France est à Quartouze. Assis sur des terrasses de galets, il contemple sereinement le devenir de cette région-laboratoire. De Champagne au Bordelais, d'Alsace à la Bourgogne, de Provence à la Loire, tous se sont enrichis, à travers les siècles, du travail, de la recherche, de l'intelligence de ce Sud-pilote ! Ici l'homme vit intensément, il est prêt à relever tous les défis.

Devant cet amphithéâtre naturel, théâtre de la mer et de la nature, reflet d'un miroir de culture méditerranéenne en ses racines...

De Collioure à Pont-Saint-Esprit s'étale le plus grand vignoble A.O.C. du monde.

Ici naît de l'écume et des marais, de la Camargue à la Cévenne, d'équinoxe en tramontane, un formidable essor. Plus de trente appellations découpent et façonnent la viticulture, et singularisent les vignerons du Languedoc-Roussillon. Notion de terroir, de cépages, de millésime, ici autant qu'ailleurs on a droit à la différence.

Terroir, cépage, savoir-faire et climat interviennent, certes, chacun à sa façon, comme partout. Mais, plus qu'on ne l'imagine, ces paramètres conjuguent et combinent leurs effets. Le vin issu de la syrah, sur tel terroir n'est pas forcément comparable à tel cru de même cépage issu d'une autre zone. Sans parler des microclimats, des habitudes et des modes opératoires souvent différents, selon les lieux et les traditions. Et lorsqu'un vin issu d'un cépage déterminé, mourvèdre par exemple, est aussi bon ici que là, cela veut dire qu'ici et là un terroir est propice au mourvèdre ; il peut être, ailleurs, inadéquat... Aux hommes de savoir tirer parti des leçons de la nature, de l'héritage des anciens et de l'expérience acquise sur le tas.

Tel grenache noir, gras et rondeur, puissance, souplesse, aux arômes de fraises et de groseilles du Château de Campuget, dans les Costières de Nîmes, est le compagnon idéal d'un bœuf à la gardiane, alors que tel autre grenache, aux flaveurs d'eucalyptus, de girofle, de laurier du Mas Julien fait un mariage de raison et même d'amour avec l'agneau pascal. Et ce fitou de Château de Nouvelles, de mûres et de réglisse, sera royal sur un lapin aux pruneaux.

Un vieux carignan, haut en couleur, de structure riche en extraits secs, généreux, fleurant la cerise et la banane, vinifié en primeur, du Château de Bouïs dans les Corbières... Quelle puissance, ce cépage, sur les schistes brun de St-Chinian, de Cazals-Viel ou de Berlou, révélateur de sanglier et de truffes noires ; ou sur les schistes noirs de Maury, parfums de cerises et de cacao ! Et toi, syrah aux tanins fins, de pourpre et velours de cassis, de violette et de mûres, de vanille sur les Faugères de Gilbert Alquier, avec un civet, un saupiquet cher à Joseph Delteil...

Ah ! ce cinsault du Domaine d'Ormesson de Lézignan la cèbe de rondeur, de finesse, d'élégance aux reflets grenat couleur pivoine...

Et ce mourvèdre d'abricot et de violette, concentré de belthegeuse, du Mas Gournier de l'Uzège et celui du Docteur Parcé, myrtilles et truffes, et celui de la petite Cassagne de Maroget, dans les Costières, majestueux sur des perdrix à l'étouffée aux lentilles ! Ce sol, ici argilo-calcaire du Château de Mojan à La Clape va produire un nectar éclatant de petits fruits rouges. Pour ce Château de Fourques, à Pic St-Loup, rappelant au vieillissement les cerises à l'eau de vie, de réglisse : frénésie du foie de veau aux raisins... Ces territoires du Minervois aux noms de rivières, schiste pour les blancs, causse calcaire pour les rouges.

Chez Maris, Meysonnier, la Livinière resplendissant de framboises, et ceux des Corbières, Château Etang des Colombes, du Château les Palais, de la Côte du Rhône gardoise avec fruité, souplesse, Côtes du Roussillon au nez complexe, Sarda Mallet, Puig, qui stimule charcuteries, escargolade et autres cassoulets. Blanc de Bourboulenc à La Clape, tout en rondeur, Clairette du Languedoc de Jany, vive et nerveuse, Clairette Bellegarde, unique au monde sur une brandade de morue, blanc de maccabéo sur un territoire d'arène granitique aux flaveurs de pêches, d'abricots, chez Salvat à Taïchac. Grenache blanc du Domaine l'Amarine, Picpoul de Pinet carte noire, fête des coquillages, fête à cette méditerranée, à ses bourrides, seiches, sépions, légumes à l'huile vierge.

Blanquette de Limoux, le vin effervescent aux odeurs d'amande grillée, de beurre frais, de pomme, de tilleul bon à boire à toute heure.

Les rosés de grenache, les inégalables Tavel, tous émouvants, tous différents sur une caille au genièvre. Ah Languedoc-Roussillon et tes muscats ! Et toi le maître à boire, Pierre Torrès, de les codifier, de les expérimenter, de les révéler à eux-mêmes, qu'ils soient de Rivesaltes, de St-Jean-de-Minervois, de Lunel, de Frontignan, mariage de miel et de confit, les vins doux naturels de cacao, de fruits secs, d'amande grillée tels l'Etoile, les Rivesaltes des Frères Cazes, les Maury, les Banyuls...

Vin de pays, vin de cépage aussi, Mas Daumas, Mas Chichet, Domaine de Bosc, St-Martin-la-Garrigue et les primeurs, tous divins.

Amis, ne cherchez pas à comprendre, mais bien à apprendre. Cette diversité, cette richesse transcende et dépasse l'homme : une balade en vin, chez nous, n'est jamais en vain.

Nous découvrir, c'est ''apprécier'' notre culture, notre gastronomie, notre terroir.

Le bonheur est ici, et l'amour aussi.

Patrick PAGÈS
Vialas, le 6 avril 1989

Dominique de Girard-Passerieux Château de Paraza

araza

1200

ézignan-Corbières

Tél. 68 43 20 88

Appellation : **MINERVOIS**
Nom : **CHATEAU DE PARAZA (Cuvée spéciale 86)**
Couleur et millésime : **Rouge 86**
Producteur : **M. Dominique de Girard**
Terroir : **argilo-calcaire apporte le corps et donne au vin la chair et le moelleux. Graviers et cailloux donnent finesse et bouquet tout en favorisant les précocités et le degré**
Cépages : **20% Carignan, 30% Grenache, 20% Cinsault, 30% Syrah**
Rendement : **50 hl/hectare**
Vendange et vinification : **manuelles, macération carbonique**
Elevage : **en partie, fûts de chêne**
Caractère : **robe grenat, brillant, arôme distingué, souple à l'avalée, saveur des garrigues.**
Evolution : **à partir d'1 an. Bon vin de garde**
Observations : **vente au caveau à la propriété, tous les jours sauf week-end. Visite du Château et des Terrasses sur r.-v. A découvrir : Château de Paraza vieilli fût chêne, Château de Paraza rosé de saignée**

Miquel Frères Domaine de Barroubio

4360 Saint-Jean-le-Minervois

Tél. 67 38 14 06

Appellation : **MUSCAT DE SAINT-JEAN MINERVOIS**
Nom : **DOMAINE DE BARROUBIO**
Couleur et millésime : **Blanc 87**
Producteur : **Marie-Thérèse Miquel**
Terroir : **plateau calcaire, exposition plein Sud**
Cépages : **Muscat, petit grain**
Rendement : **25 hl/hectare**
Mode de culture : **traditionnel**
Vendange et vinification : **manuelle, traditionnelle**
Elevage : **cuve émail**
Caractère : **fin, fruité, vanillé**
Evolution : **sur 2 ans maximum**
Observations : **vente et dégustation sur rendez-vous. A.O.C. Minervois rouge**

Château de Nouvelles M. Daurat-Fort

1350 Tuchan

Tél. 68 45 40 03

Appellation : **MUSCAT DE RIVESALTES CONTROLÉE**
Couleur et millésime : **Cristal 86**
Producteur : **M. Robert Daurat-Fort**
Terroir : **argilo-calcaire**
Cépages : **50% petit grain rond blanc, 50% Alexandrie / Rendement : 20 hl/hectare**
Vendange et vinification : **manuelles, macération pelliculaire**
Elevage : **la conservation se fait d'abord sur fines lies, à l'abri de la lumière, de l'air, en cave fraîche**
Caractère : **bel équilibre en bouche, très fondu avec des arômes d'un fruité incomparable et une finale épanouie, goût figue mûre et épices avec des tonalités citron bien rafraîchissantes**
Evolution : **pour la plénitude en bouche, la finesse, la persistance de la sève il sera épanoui au bout de 6 mois. A consommer pour sa jeunesse**
Observations : **entre 8-10°. Dégustation sur r.-v. Autres vins : AOC Rivesaltes ambré, Rancios hors d'âge 10 ans, 15 ans. AOC Fitou types vins de garde de 4 à 5 ans d'âge**

Autres bonnes adresses

Ch. Lavoulte-Gasparet, 11 Boutenac. **Ch. Les Palais**, 11 Saint-Laurent-de-la-Cabrerisse. **Ch. Aiguilloux**, 11 Thézon-des-Corbières. **Cave Coopérative de Saint-Laurent-de-la-Cabrerisse (pour Cuvée des Demoiselles, Cuvée des Vignerons)**, 11 Saint-Laurent-de-la-Cabrerisse. **Ch. de Pech Lait**, 11 Ribaute. **Ch. Les Ollieux**, 11 Montseret. **Ch. Saint-Auriol**, 11 Lagrasse. **Domaine Maris**, 34 Olonzac. **Ch. Cabezac**, 11 Ginestas. **Ch. Roquette-sur-Mer**, 11 Gruissan. **Domaine de Rivière-le-Haut**, 1 Fleury-d'Aude. **Domaine de Vires**, 11 Narbonne. **Ch. Moujan**, 11 Narbonne. **Ch. de Ricardelle**, 11 Narbonne. **P. Colomer**, 1 Tuchan.

Didier Banyols
Relais Saint-Jean / Perpignan (Pyrénées Orientales)

"*L*a restauration, c'est en cuisine que ça se passe", proclame Didier Banyols. Autodidacte formé dans la brasserie de son beau-père, il est venu à la cuisine par un choix délibéré. Il a décidé de lâcher la brasserie du centre de Perpignan "qui marchait fort", pour reprendre un petit restaurant de quartier, au pied de la cathédrale.

Totalement réaménagé, bien décoré, le Relais Saint-Jean est rapidement devenu l'un des meilleurs restaurants de la ville. Les Perpignanais et les touristes y apprécient la cuisine de saison "traditionnelle actualisée" de Didier Banyols, un perfectionniste, un novateur à l'esprit fertile. Ils apprécient aussi les vins soigneusement sélectionnés par Marie-Louise Banyols, aussi compétente que passionnée. Sur la carte, elle a inscrit une trentaine de crus du Roussillon qu'elle a su faire aimer par son mari. "*Ces vins du Roussillon, dit Didier Banyols, en sont encore à leurs balbutiements. Ils n'ont pas derrière eux une longue tradition, mais ce sont de bons vins, agréables à boire jeunes et qui sont en progrès constants. Ils sont assez légers pour accompagner le poisson et notamment les rougets. En général, les produits de la mer et de la terre d'une même région vont bien ensemble. Ils se marient également avec les volailles et les viandes rouges ou blanches comme la souris d'agneau au gratin de tomate et d'aubergine.*"

Le "grand" de la région, pour Didier Banyols, est le vin doux naturel de Banuyls et en particulier celui du Dr Parcé, présent dans le plus grands restaurants de France. "*Plus qu'à l'apéritif, dit-il, il faut le boire en fin de repas avec les desserts et surtout ceux au chocol. qui ne supportent rien d'autre hormis l'eau, ou après le café avec un bon cigare. Tout en rondeur, il fait également merveille avec le fo gras, avec des poissons comme le turbot au curry, ou avec des plats typés comme le canard aux figues avec une sauce aigre douce. procure de grands moments de plaisir.*"

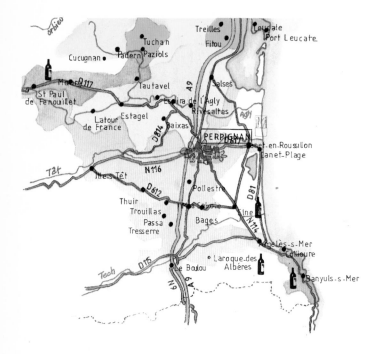

Place Gambetta
66000 PERPIGNAN
Tél. 68 51 22 25

Restaurant : Relais Saint-Jean.
Fermeture annuelle : 15 jours en février, 15 jours en jui
Fermeture hebdomadaire : dimanche et lundi midi.
Chiens admis.
Menus : 130 F, 190 F, 260 F.
Carte : 300 F.
Cartes bancaires : Diners Club, Carte Bleue, America
Express, Eurocard.

Sommelier : Mme Marie-Louise BANYOLS.

Autres bonnes adresses

Fernand Vaquer, 66 Elne. **Domaine Sarda**, 66 Perpignan. **Domaine Cases**, 66 Rivesaltes. **Robert Daura-Fort (Château de Nouvel les)**, 11 Tuchan. **Le Docteur Parcé**, 66 Perpignan. **Monsieur Doré (Château de Jau)**, 66 Cases de Pene.

Mas Amiel
C. Ch. Dupuy
66460 Maury
Tél. 68 29 01 02

Appellation : **MAURY**
Nom : **CHARLES DUPUY "MAS AMIEL"**
Couleur et millésime : **Rouge - Cuvée spéciale 78**
Producteur : **M. Charles Dupuy**
Terroir : **calcaire - schiste**
Cépages : **90% Grenache Noir, 10% Carignan**
Rendement : **24 hl/hectare**
Mode de culture : **traditionnel**
Vendange et vinification : **manuelles**
Elevage : **bonbonnes de verre et foudres**
Caractère : **belle couleur rouge orangé rubis. Nez généreux d'épices, cacao amer. Bouche bien structurée, note boisée et de fruits confits avec fine note astringente**
Evolution : **très prometteur en garde**
Observations : **à servir peu chambré (14 à 16°)**

Société
Coopérative
Vinicole
Les Vignerons de
Maury
28, avenue Jean
Jaurès
66460 Maury
Tél. 68 59 00 95

Appellation : **MAURY**
Nom : **VIEILLE RÉSERVE**
Couleur et millésime : **Rouge tuilée, Millésime 1980**
Producteur : **Les Vignerons de Maury (Groupement de Producteurs)**
Terroir : **schistes noirs (de l'aptien)**
Cépages : **Grenache Noir**
Rendement ; **22 hl/hectare**
Mode de culture : **taille en gobelet**
Vendange et vinification : **vendange à surmaturité, mutés sur Marc (macération de 3 semaines)**
Elevage : **demi-muids de chêne**
Caractère : **superbe robe tuilée autour d'un nez intense, fin et complexe, rappelant le café, le pruneau et quelques fruits confits. En bouche on retrouve l'onctuosité du miel et la puissance du cacao autour d'une charpente charnue et liquoreusement soutenue. Très long**

Sté Coopérative
Banyuls "L'Etoile"
66650
Banyuls-sur-Mer
Tél. 68 88 00 10

Appellation : **A.O.C. BANYULS**
Nom : **L'ETOILE**
Couleur et millésime : **Select Vieux 1970**
Cépages : **75% Grenache Noir, 10% Carignan, 15% Grenache Rouge**
Rendement : **20 hl/hectare**
Mode de culture : **en terrasses**
Vendange et vinification : **macération sous alcool**
Elevage : **traditionnel, demi-muids chêne vieux**
Caractère : **robe tuilée, note rancio dominante miel et fruits secs, très long en bouche, gras, élégant**

Mas Rancoure
Dr E. Pardineille
66740 Laroque des
Albères
Tél. 68 89 03 69

Appellation : **CÔTES DU ROUSSILLON**
Nom : **CUVÉE VINCENT**
Couleur et millésime : **Rouge 85**
Producteur : **Dr Pardineille**
Terroir : **argilo-siliceux-caillouteux. Vignes en terrasses**
Cépages : **Carignan (centenaire), Grenache Noir et Syrah**
Rendement : **45 hl/hectare**
Mode de culture : **traditionnel**
Vendange et vinification : **manuelle, macération carbonique**
Elevage : **12 mois en foudres et petits fûts de chêne, le vin est assemblé ensuite**
Caractère : **arômes de fruits rouges cuits, reflets rubis et grenats et notes épicées, bonne structure, souple et équilibré**
Evolution : **entre 2 et 7 ans**
Observations : **autres vins : Cuvée Vincent 86 et Rivesaltes 82 (Médaillon)**

Jacques Chichet
Mas Chichet par
Théza
66200 Elne
Tél. 66 22 16 78

Appellation : **VIN DE PAYS CATALAN**
Nom : **CABERNET MAS CHICHET**
Couleur et millésime : **Rouge 85**
Producteur : **M. Jacques Chichet**
Cépages : **Cabernet Franc et Cabernet Sauvignon**
Rendement : **50 hl/hectare**
Mode de culture : **traditionnel**
Vendange et vinification : **manuelle et traditionnelle égrappée**
Elevage : **fûts de chêne**
Caractère : **couleur bois acajou soutenue et vive, nez complexe de sous-bois et truffe, harmonieux et puissant en bouche**
Evolution : **10/15 ans**

Provence

*Inondée par un soleil aussi ardent qu'inlassable, la vieille Provence offre des vins qui sont synony-
mes de vacances et d'été perpétuel...*

Ce sont d'abord quelques belles appellations locales : *Bandol,* aux rouges sombres, robustes et parfumés,
Cassis, avec ses blancs nerveux et floraux, auxquels s'ajoutent les microvignobles de *Bellet* et de *Palette.*
Ce sont aussi les *Coteaux d'Aix-en-Provence,* qui, avec leurs cousins des Baux, fournissent d'agréables vins
(environ 120 000 hl par an), rouges et rosés pour la plupart, dont certains ont une réelle valeur. En Haute
Provence, ce sont encore les *Côtes du Lubéron,* qui établissent la jonction avec les Côtes du Rhône, et les
méconnus *Coteaux de Pierrevert* et, plus bas les *Coteaux Varois.* Mais le gros morceau reste le bataillon
fourni des *Côtes de Provence,* élevés à la dignité de l'appellation contrôlée depuis 1977.

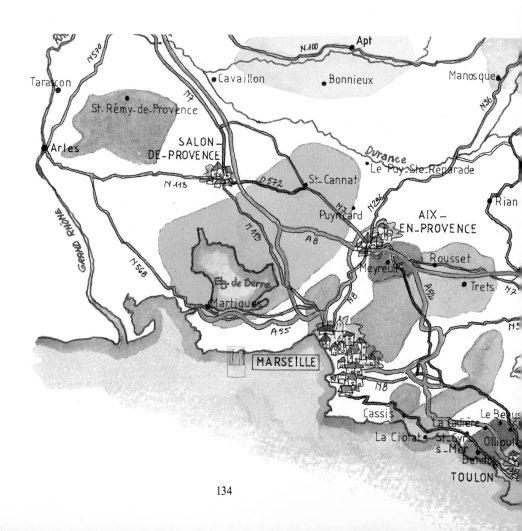

Recouvrant une superficie de 18 000 ha, soigneusement classés et situés pour l'essentiel dans le Var, le vignoble des *Côtes de Provence* se divise en trois zones principales. De Toulon à Fréjus, le versant côtier du massif des Maures est bardé de vignes qui escaladent ses premiers flancs, aménagés en ''restanques'' (terrasses) ; les sols, d'origine primaire, sont composés de schistes et de granit. De Toulon jusqu'à Saint-Raphaël, en passant par Les Arcs-sur-Argens, la ''dépression permienne'' décrit un vaste arc de cercle, contournant les Maures ; la vigne croît ici sur de vieilles formations géologiques où se mêlent le grès rouge, l'argile et le sable. Au nord enfn, le vignoble occupe le plateau ''triasique'', formé au début de l'ère secondaire et constitué en majeure partie de terrains calcaires. S'ajoutent à ces trois zones quelques secteurs annexes : dans les Bouches-du-Rhône, le triangle viticole Marseille-Aix-Saint-Maximin et l'arrière-pays de La Ciotat ; dans les Alpes Maritimes, l'îlot de Villars-sur-Var.

Entre mer et montagne, le vignoble provençal s'épanouit dans un climat tout à fait privilégié. L'ensoleillement y est exceptionnel et quasi permanent. Les pluies (environ 600 mm par an) se concentrent sur deux périodes propices de l'année : au début du printemps, favorisant un démarrage précoce de la végétation, et à l'automne, régénérant la terre desséchée. Le mistral, qui souffle régulièrement, non seulement nettoie le ciel mais exerce une action bénéfique contre les maladies parasitaires de la vigne. Près de la côte, la mer fait sentir son influence humide et régulatrice. Dans un contexte aussi favorable, le concept de millésime devient évidemment relatif, les différences entre années se réduisant le plus souvent à quelques subtiles nuances.

Les cépages rouges les plus répandus sont le carignan (en recul néanmoins), le mourvèdre et le tibouren, deux plants typiquement provençaux, ainsi que le grenache, le cinsault et la syrah, autres cépages méridionaux ; quant au cabernet-sauvignon, cépage du Bordelais, il fait une apparition de plus en plus remarquée, s'acclimatant parfaitement à la région. En blanc, la clairette et l'ugni blanc sont les plants dominants.

Si les *Côtes de Provence* fournissent encore une majorité de vins rosés (60 %), assez ''standardisés'' dans leur ensemble mais évidemment bien adaptés à la forte demande estivale, les rouges sont en augmentation constante (35 %), à côté d'une infime minorité de blancs (5 %). Selon les terroirs et les types de vinification (cuvaisons plus ou moins longues, élevage court ou vieillissement en foudres de chêne...), les vins rouges sont tantôt souples, fruités et agréablement parfumés, tantôt solides, charpentés et corsés, exhalant avec l'âge de fines senteurs de baies et de fleurs sauvages, des tonalités d'épices et de cuit qui rapellent leur maquis d'origine. Des vins de ce second type sont notamment produits autour de Pierrefeu-du-Var, Cuers et Puget-Ville.

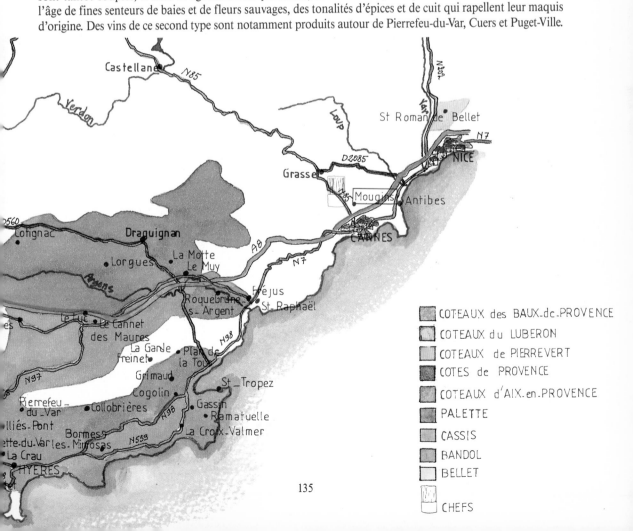

Jean-Paul Passédat
Le Petit-Nice / Marseille (Bouches-du-Rhône)

La tribu des *Passédat* règne sur le Petit-Nice avec une efficacité qui n'a échappé ni aux guides gastronomiques ni aux gourmets. Jean-Paul (le papa) Albertine (la maman) Gérald (le fils) composent cette tribu dont l'ancêtre, père de Jean-Paul, pâtissier de son état, acquit, en 1917, une villa de style grec située sur ce qui est aujourd'hui la Corniche J.F. Kennedy, au-dessus de l'Anse de Maldormé. Jean-Paul Passédat "fit" le Lycée Hôtelier de Nice avant de créer son restaurant. Son fils Gérald passa par le même établissement de formation de base que son père, avant de parfaire celle-ci en grandeur réelle, au Coq Hardi de Bougival, au Bristol, au Crillon, chez Lenôtre, chez Troisgros, chez Michel Guérard, etc. Puis il a rejoint le Petit-Nice, où ses parents (et 30 employés) avaient besoin de ses services.

Le Petit-Nice a eu les honneurs du Michelin pour la 1re fois en 1977, pour la 2e fois en 1981. D'abord doté de 2 toques au Gault et Millau, il en est aujourd'hui à sa 3e et à 3 étoiles au Bottin Gourmand. Il est Relais Gourmand. Il est affilié à la prestigieuse chaîne des Relais et Châteaux.

Jean-Paul Passédat, naturellement, donne la préférence aux vins de Provence pour entrer dans la composition de ses plats. Ses préparations au poisson, ses fumets, ont pour base le Cassis blanc dont quelques cuvées spéciales portent le nom de l'établissement. L'anguille de Martigues, par contre, est préparée au rouge de Bandol.

Le foie de canard y est servi en terrine comme partout, mais aussi préparé au Bandol rouge avec une gelée dans la composition de laquelle entre ce cru.

Quant à la pâtisserie, elle est soignée, car une partie non négligeable est élaborée au muscat de Beaumes-de-Venise !

Un coup d'œil dans les caves du Petit-Nice nous montre à quel point le vin est ici l'objet de soins attentifs.

Ces caves sont creusées dans le sous-sol rocheux de la Corniche et climatisées ; le sommelier gère les stocks par ordinateur : un stock courant de 30 000 bouteilles et un stock de vieillissement de 12 000. Tout ce qui doit d'abord vieillir est placé en "stères", bourguignonnes d'un côté, bordelaises de l'autre.

Ici, tous les vins de l'hexagone sont présents, mais ce qui est le plus réclamé par la clientèle, bien évidemment, ce sont les vins de la région, acquis directement par Jean-Paul Passédat auprès de producteurs dont il a pu, au fil des ans, tester la qualité des vins, la régularité des livraisons et la rectitude dans leurs rapports commerciaux avec leurs acheteurs.

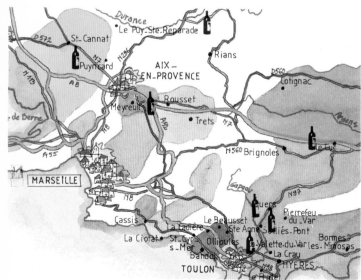

**Anse de Maldormé
Corniche J.F. Kennedy
13007 MARSEILLE
Tél. 91 52 14 39**

Hôtel-restaurant : Le Petit-Nice.
4 étoiles. 16 chambres : 900 F à 1 300 F.
Suite : 2 500 F.
Fermeture annuelle : janvier au 10 février 90.
Fermeture hebdomadaire : lundi (restaurant).
Visites de caves organisées. Ascenseur.
Télévision, mini-bar, téléphone dans les chambres.
Parking-Garage. Jardin. Piscine (privée).
Chiens admis.
Menus : 470 F.
Carte : 550 F, 600 F.
Petit-déjeuner : 70 F.
Cartes bancaires : Carte Bleue, American Express.

Sommelier : M. Philippe MAGNE.

Domaine La Laidière
G.A.E.C. Estienne
Ste-Anne-d'Evenos
83330 Evenos
Tél. 94 90 37 07

Appellation : **BANDOL**
Nom : **DOMAINE DE LA LAIDIÈRE**
Couleur et millésime : **Rouge 86**
Producteur : **MM. Estienne**
Terroir : **marno-sableux**
Cépages : **Mourvèdre, Grenache, Cinsault**
Rendement : **38 hl/hectare**
Mode de culture : **traditionnel**
Vendange et vinification : **manuelle, vinification : égrappage total**
Elevage : **18 mois en foudres de chêne, 6 mois en bouteilles avant commercialisation**
Caractère : **arômes fruités et complexes, plein de charme et de puissance**
Evolution : **entre 3 et 10 ans**
Observations : **autres vins : Blanc et Rosé dans l'appellation Bandol**

G.A.E.C. Peyraud
Domaine Tempier
Le Plan du
Castellet
83330 Le Beausset
Tél. 94 98 70 21

Appellation : **BANDOL**
Nom : **DOMAINE TEMPIER**
Couleur et millésime : **Rouge 87**
Producteur : **G.A.E.C. Peyraud**
Terroir : **argilo-calcaire**
Cépages : **Mourvèdre, Cinsault, Grenache** / Rendement : **35 hl/hectare**
Vendange et vinification : **manuelle et traditionnelle avec contrôle des températures, égrappage total**
Elevage : **en foudres de chêne pendant 18 à 24 mois, commercialisation 6 à 18 mois après mise en bouteille**
Caractère : **robe pourpre soutenue, élégant, harmonieux et équilibré, bel avenir**
Evolution : **entre 5 et 12 ans**
Observations : **autres vins : Cuvées spéciales "La Tourtine" et La Migoua. Rosé dans l'appellation Bandol**

Domaine de Terrebrune
A.O.C. Bandol
G. Delille et Fils
propriétaires
83190 Ollioules
Tél. 94 74 01 30

Appellation : **BANDOL A.O.C.**
Nom : **DOMAINE DE TERREBRUNE**
Couleur et millésime : **Rouge 85**
Producteur : **MM. G. Delille et Fils**
Terroir : **argilo-calcaire (argiles brunes)**
Cépages : **65% Mourvèdre, 17% Cinsault, 17% Grenache**
Rendement : **35 hl/hectare**
Vendange et vinification : **manuelle, sélection des raisins, vinification par gravité, cuvaison 8 à 10 jours**
Elevage : **2 années en foudres (sans tirages fréquents), 2 années en bouteilles avant commercialisation**
Caractère : **rubis soutenu, arôme fruits rouges (griotte-framboise) avec évolution amande/pâte d'amande, vanille. Grande longueur en bouche**
Evolution : **de 5 années à 20 années**
Observations : **autres vins : Rosé dans l'appellation**

Domaine Les Bastides
13610
Puy-Ste-Reparade
Tél. 42 61 97 66

Appellation : **COTEAUX D'AIX-EN-PROVENCE**
Nom : **DOMAINE LES BASTIDES - CUVÉE SPÉCIALE**
Couleur et millésime : **Rouge 86**
Producteur : **M. Jean Salen**
Terroir : **argilo-calcaire**
Cépages : **Grenache, Cabernet, Sauvignon**
Rendement : **40 hl/hectare**
Mode de culture : **traditionnel (sans produits chimiques)**
Vendange et vinification : **manuelle, traditionnelle**
Elevage : **en foudres de chêne pendant 18 mois**
Caractère : **rubis foncé, arômes de fruits mûrs, griotte, très charpenté**
Evolution : **entre 3 et 10 ans**
Observations : **autres vins : Rouge "Tradition", Rosé et Blanc en appellation Coteaux d'Aix**

Ph. et J. Carreau
Gaschereau
Château du Seuil
Aix-en-Provence
13540 Puyricard
Tél. 42 92 15 99

Appellation : **COTEAUX D'AIX-EN-PROVENCE**
Nom : **CHATEAU DU SEUIL**
Couleur et millésime : **Rosé 88**
Producteur : **MM. Ph. et J. Carreau Gaschereau**
Terroir : **collines avec sédiments calcaires, volcaniques**
Cépages : **Cabernet Sauvignon, Grenache, Syrah, Cinsault, Counoise**
Rendement : **45 hl/hectare**
Mode de culture : **traditionnel**
Vendange et vinification : **traditionnelle, contrôle température, soutiré par saignée à froid**
Elevage : **de courte durée**
Caractère : **arômes cassis, rond, fruité, élégant**
Evolution : **à boire jeune**
Observations : **dégustation et vente tous les jours à la Cave
autres vins : Rouge A.O.C., Blanc A.O.C.**

S.C.E. Domaine Kinu-Ito propriétaire récoltant

Domaine de la Lauzade
83340 Le Luc en Provence

Tél. 94 60 72 51

Appellation : **COTES DE PROVENCE**
Nom : **DOMAINE DE LA LAUZADE**
Couleur et millésime : **Rouge 88**
Producteur : **S.C.E. Kinu-Ito**
Terroir : **argilo-calcaire, étage permien**
Cépages : **Grenache, Cinsault, Syrah, Cabernet**
Rendement : **50 hl/hectare**
Mode de culture : **traditionnel, respect prescriptions écologiques**
Vendange et vinification : **manuelle, respect de l'intégrité biologique du vin, élevage en cuve**
Caractère : **2 types de vins suivant l'encépagement : le Domaine de la Lauzade : se veut vin de soif et de plaisir. Il est frais, joyeux, bellement aromatique, évocateur de la garrigue toute proche. La Cuvée La Fontaine : vin de fête et de rêve, il allie la puissance à la distinction, peut vieillir dix ans avec bonheur**
Observations : **visite de la cave et du caveau de dégustation tous les jours de 9 h à 19 h, dimanche et jours fériés de 11 h à 17 h**

Château Simone Appellation Palette Contrôlée

13590 Meyreuil
Tél. 42 28 92 58

Appellation : **PALETTE**
Nom : **CHATEAU SIMONE**
Couleur et millésime : **Rouge 85**
Producteur : **M. René Rougier**
Terroir : **calcaire (éboulis calcaires) NB = exposition Nord**
Cépages : **Grenache, Mourvèdre, Cinsault (les 3 cépages = 80%) +20% de 10 autres cépages (très ancien vignoble))**
Rendement : **38 hl/hectare**
Vendange et vinification : **manuelle, vinification traditionnelle**
Elevage : **foudres et fûts (3 ans de bois de chêne)**
Caractère : **très charpenté et structuré, tannique, grande complexité aromatique**
Evolution : **épanouissement optimum à 10 ans**
Observations : **autre Millésime Rouge disponible fin 1989 : le 86**
autres vins : Blanc, Rosé

Autres bonnes adresses

Château de Fontcreuse, 13 Cassis. **Clos Ste-Magdeleine**, 13 Cassis. **Domaine de la Bernarde**, 83 Le Luc. **Château Vignelaure** 83 Rians.

Le vin au fil des saisons...

SEPTEMBRE. Mois de la rentrée, des vendanges et de l'été déclinant, il vous laisse le choix ouvert. Si vous êtes nostalgique de vos vacances finissez la tournée des petits rosés avec un *Rosé de Loire* (récolté sur les territoires de la Touraine et de l'Anjou) ou un *Rosé du Béarn*, boisson glissantes et sans façons. Pour vous remonter le moral, vous pouvez *a contrario* faire sauter le bouchon de quelque beau cru du Bordelais o d'un fin "climat" bourguignon (en cave, vos grandes bouteilles sont alors à leur apogée de l'année, avant d'entrer doucement en hibernation) Vous avez encore le loisir de visiter les petites appellations périphériques de la vallée du Rhône *(Châtillon-en-Diois, Côtes du Vivarais, Coteau du Tricastin)*, vins bien accordés à la douceur septembrale.

OCTOBRE. C'est le mois de la chasse et des longues promenades en forêt. Sur les puissantes saveurs du gibier, choisissez des crus vineux et corpulents dont les arômes d'ailleurs rappellent parfois les fumets de la venaison. La gamme en est étendue : *Châteauneuf-du-Pape, Gigondas* ou grand rouges du nord des Côtes du Rhône, comme la *Côte-Rôtie*, l'*Hermitage* ou le noir et trapu *Cornas*; simples *Côtes du Rhône-Villages*, mais qu vous sélectionnerez parmi les plus musclés *(Vacqueyras, Cairanne...)*; des vins robustes de *Listrac*, de *Fronsac* ou des *Graves*; vins taillés en forc du Languedoc *(Fitou, Minervois, Corbières)*. Si vous êtes inconditionnel du Beaujolais, débouchez à tout le moins un *Chenas*, un *Morgon* ou un *Moulin-à-Vent,* vieux de quelques années.
En contrepoint de ces breuvages cynégétiques, offrez-vous, ne serait-ce qu'une fois l'an (en apéritif par exemple), l'un de ces précieux liquide que sont les vins jaunes du Jura, au sommet desquels trône le majestueux *Château-Chalon.*

*En pays de vin, la bonne cuisine est toujours au rendez-vous, notre sélection de 40 chefs de renom en apporte la confirmation. Cependant, de nombreux restaurateurs passionnés sont également de **véritables ambassadeurs de leur vignoble.** Nous vous livrons une liste non exhaustive, par régions vinicoles, d'étapes gourmandes de qualité, à découvrir ou redécouvrir.*

ALSACE

BALDENHEIM	67600 "LA COURONNE"	M. TREBIS
BLAESHEIM	67113 "AU BŒUF"	Georges VOEGTLING
COLROY-LA-ROCHE	67420 "LA CHENAUDIERE"	Marcel FRANÇOIS
FEGERSHEIM	67640 "LA TABLE GOURMANDE"	Alain REIX
LANDERSHEIM	67700 "AUBERGE du KOCHERSBERG"	Patrick KLIPFEL
LEMBACH	67510 "LE CHEVAL BLANC"	Fernand MISCHLER
MARLENHEIM	67520 "LE CERF"	Robert HUSSER
OTTROTT	67530 "HOTEL BEAU SITE"	Martin SCHREIBER
RHINAU	67860 "AU VIEUX COUVENT"	Jean ALBRECHT
STRASBOURG	67000 "BUEREHIESEL"	Antoine WESTERMANN
STRASBOURG	67000 "LA VIEILLE ENSEIGNE"	M. François LANGS
UNTERMUHLTHAL	67110 "L'ARNSBOURG"	Mme KLEIN
AMMERSCHWIHR	68770 "AUX ARMES DE FRANCE"	M. GAETNER
ARTZENHEIM	68320 "AUBERGE D'ARTZENHEIM"	Mme HUSSER/SCHMITT
COLMAR	68000 "AU FER ROUGE"	Patrick FULGRAFF
COLMAR	68000 "RENDEZ-VOUS DE CHASSE"	M. RIEHM
COLMAR	68000 "SCHILLINGER"	Jean SCHILLINGER
EGUISHEIM	68420 "CAVEAU D'EGUISHEIM"	
KAYSERSBERG	68240 "CHAMBARD"	Pierre IRMANN
RIBEAUVILLE	68150 "LES VOSGES"	Joseph MATTER
STEINBRUNN	68440 "LE MOULIN DE KAEGY"	Bernard BEGAT
WESTHALTEN	68250 "LE CHEVAL BLANC"	Famille KOELHER
WETTOLSHEIM	68000 "LE PERE FLORANC"	René FLORANC
BELFORT	90000 "CHATEAU SERVIN"	Mme Lucie SERVIN

BOURGOGNE (Coteaux de l'Auxerrois, Chablisien)

AUXERRE	89000 "LE JARDIN GOURMAND"	Pierre et Sylvie BOUSSEREAU
CHABLIS	89800 "HOST. DES CLOS"	Michel VIGNAUD
CHEVANNES	89240 "LA CHAMAILLE"	Pierre SIRI
JOIGNY	89300 "LES FRERES GODARD MODERN'HOTEL"	Jean-Claude GODARD
QUARRE-LES-TOMBES	89630 "AUBERGE DE L'ATRE"	Francis SALAMDARD
SAINT-FLORENTIN	89600 "LA GRANDE CHAUMIERE"	Jean-Pierre BONVALOT
TONNERRE	89700 "L'ABBAYE SAINT-MICHEL"	Daniel CUSSAC
VAUX	89290 "LA PETITE AUBERGE"	Jean-Luc BARNABET

BOURGOGNE (Côtes de Nuits)

ARNAY LE DUC	21230 "CHEZ CAMILLE"	M. POINSOT
BUISSON	21550 "LES COQUINES"	François JUILLARD
CHATILLON/SEINE	21400 "LA COTE D'OR"	Lucien PASTORET
DIJON	21000 "LA CHOUETTE"	Christian BREUIL
DIJON	21000 "LE CHAPEAU ROUGE"	Patrick LAGRANGE
DIJON	21000 "THIBERT"	Jean-Paul THIBERT
GEVREY-CHAMBERTIN	21220 "LA ROTISSERIE DU CHAMBERTIN"	Pierre MENNEVEAU
GEVREY-CHAMBERTIN	21220 "LES MILLESIMES"	Jean SANGOY
MARSANNAY-LA-COTE	21160 "LES GOURMETS"	Joël PERREAUT
VAL-SUZON	21121 "LE VAL SUZON"	MM. et Mmes PERREAU
VELARS-SUR-OUCHE	21370 "AUBERGE GOURMANDE"	André BARBIER

BOURGOGNE (La Côte de Beaune)

BEAUNE	21200 "LA ROTISSERIE DE LA PAIX"	Jean-Luc DAUPHIN
BEAUNE	21200 "L'ERMITAGE CORTON"	André PARRA
BOUILLAND	21420 "LE VIEUX MOULIN"	Jean-Pierre SILVA
PULIGNY MONTRACHET	21190 "LE MONTRACHET"	Thierry GAZAGNES

(suite page 172)

Roger Vergé
Le Moulin de Mougins / Mougins (Alpes-Maritimes)

Le hasard fait parfois merveilleusement les choses. Le Moulin de Mougins de Roger Vergé est situé dans le quartier de Notre-Dame de Vie.

Et il n'y a, en effet, rien de plus vivant que la cuisine de ce grand professionnel, Meilleur Ouvrier de France et Maître Cuisinier de France.

Sa passion, son inspiration, la sensualité qu'il met dans des préparations qui font rêver, Roger Vergé les puise à coup sûr dans les rayons du soleil qui dore les pierres de son moulin.

"La puissance du soleil, dit-il, *s'affirme dans tous les produits que j'utilise et on la retrouve dans les bouteilles des vins des Côtes de Provence et des Côtes du Rhône."*

Pour lui, la continuité est évidente entre les Côtes de Provence, les Bandols, les Cassis, les Côteaux des Baux et les Côtes du Rhône. *"Tous sont vins du soleil !"*

Dans les Côtes de Provence, il privilégie les rosés *"qui ont le plus d'expression et se démarquent mieux des autres vins du même type. Fruités, naturels, car ils ne sont pas chaptalisés, il faut les boire jeunes et frais avec tout ce qui est fort en saveurs méridionales : herbes, miel, huile d'olive...*

Ils sont merveilleux avec ce qui a trop de puissance pour les vins blancs et pas assez pour les vins rouges, poissons à l'ail, bouillabaisse, bourride ou barrigoule de légumes à l'huile d'olive et aux herbes."

Dans les vins blancs des Côtes du Rhône, Roger Vergé apprécie la force, la personnalité qui s'affirme avec un autre produit de la région, la truffe. *"Le Châteauneuf du Pape est exceptionnel,* dit-il, *avec tous les plats un peu crémeux ou fortement montés au beurre, et notamment le papeton d'aubergine."*

Plénitude et puissance caractérisent aussi les rouges qu'ils soient des Côtes du Rhône, des Côteaux d'Aix ou de Bandol.

"Les formes de vinification, les variétés de cépages sont si nombreuses que nous avons la gamme la plus étendue du vignoble français", proclame-t-il, avec la même conviction qu'il apporte à défendre sa cuisine du soleil.

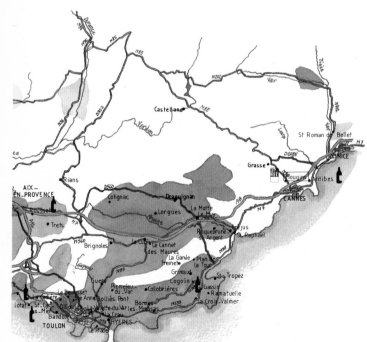

Quartier Notre-Dame de Vie
06250 MOUGINS
Tél. 93 75 78 24

Hôtel-restaurant : Moulin de Mougins.
4 étoiles. 5 chambres : 800 F à 1 300 F.
Fermeture annuelle : du 28 janvier au 6 avril 1990.
Fermeture hebdomadaire : lundi et jeudi midi (ouvert lundi soir du 15/07 au 15/09).
Télévision, mini-bar, téléphone dans les chambres.
Parking-Garage. Jardin. Parc.
Chiens admis.
Menus : 500 F.
Carte : 850 F.
Cartes bancaires : Diners Club, Carte Bleue, American Express, Eurocard.

Sommelier : M. Alain VENDÉ.

Autres bonnes adresses

Clos de la Bernade, 83 Le Luc. **Guigal,** 69 Ampuis. **Château Simone,** 13 Meyreuil. **Domaine Tempier,** 83 Le Plan. **Clos Ste-Magdeleine,** 13 Cassis. **Château de Beaucastel,** 84 Courthézon. **Jaboulet,** 26 La Roche de Glun. **Chapoutier,** 26 Tain-L'Hermitage. **Domaine Durban,** 84 Beaumes-de-Venise. **Gérard Chave,** 07 Tournon.

Château de la Bégude
M. Jacques Lefèbvre

13790 Rousset

Tél. 42 29 00 07

Appellation : **COTES DE PROVENCE**
Nom : **CHATEAU DE LA BÉGUDE**
Couleur et millésime : **Rouge 82**
Producteur : **M. Jacques Lefèbvre**
Terroir : **argilo-calcaire**
Cépages : **Grenache, Cinsault, Carignan, Ugni Blanc, Clairette**
Rendement : **40-50 hl/hectare**
Mode de culture : **traditionnel**
Vendange et vinification : **manuelle, vinification traditionnelle**
Elevage : **fûts de chêne**
Caractère : **élégant, fin, racé**
Evolution : **Rouges et Blancs longue garde**
Observations : **exploitation familiale de tradition vigneronne depuis quatre générations fondateurs de la confrérie des gourmets et goûteurs de vins du Château de la Bégude**

Les Maîtres Vignerons de la Presqu'île de Saint-Tropez
S.C.A. Domaine des Paris

Carrefour de la Foux
83580 Gassin

Tél. 94 56 32 04

Appellation : **COTES DE PROVENCE**
Nom : **CARTE NOIRE**
Couleur et millésime : **Rosé 88**
Producteur : **Maîtres Vignerons de Saint-Tropez**
Terroir : **argilo-sableux**
Cépages : **Grenache, Cinsault**
Rendement : **50 hl/hectare**
Vendange et vinification : **vinification à basse température après une légère macération**
Elevage : **en cuves acier inoxydable**
Caractère : **vin racé, très fruité, avec des nuances très florales, long en bouche**
Evolution : **à consommer de préférence dans l'année**
Observations : **température de service 8 à 10°. Existe en Rouge et Blanc**
autres qualités : Cuvée Prestige de la chasse, Rouge, Cuvée Prestige de la pêche, Rosé, Blanc, Château de Pampelonne, Rouge, Rosé
dégustation sur r.v.

Domaines Ott

22, bd d'Aiguillon
06601 Antibes

Tél. 93 34 38 91

Appellation : **BANDOL**
Nom : **CHATEAU ROMASSAN - DOMAINES OTT**
Couleur et millésime : **Cœur de Grain 1987, Cuvée Marcel Ott**
Producteur : **Jean Daniel Ott**
Terroir : **argilo-calcaire**
Cépages : **Cinsault, Mourvèdre**
Rendement : **40 hl/hectare**
Vendange et vinification : **vendange manuelle, coulée délicate**
Elevage : **en foudres de chêne : six mois**
Caractère : **saveur fruitée délicate, longueur en bouche**
Evolution : **2 à 3 ans**
Observations : **le Domaine produit également des Rouges de longue garde. Les Domaines Ott produisent en A.O.C. Côte de Provence le Blanc de Blanc "Clos Mireille" et le Rosé "Cœur de Grain" (Château de Selle). Accueil et visite sur r.v.**

Château de Pibarnon
Comte de Saint-Victor

83740 La Cadière-d'Azur

Tél. 94 90 12 73

Appellation : **BANDOL**
Nom : **CHATEAU DE PIBARNON**
Couleur et millésime : **Rouge 87**
Producteur : **M. le Comte de Saint-Victor**
Terroir : **triasique (début secondaire), très calcaire**
Cépages : **Mourvèdre**
Rendement : **33 hl/hectare**
Vendange et vinification : **vendange manuelle. Vinification : 3 semaines et 30° température contrôlée**
Elevage : **18 mois en fûts de chêne**
Caractère : **robe soutenue. Nez de mûre, fruits noirs, poivre, épices. Long en bouche.**
Evolution : **vin de garde : 10/15 ans, sera marqué par la truffe après 6 ans**
Observations : **autres vins : Rosé 1988 : floral, belle structure et long en bouche. Blanc 1988 : robe très claire aux reflets verts. Arômes délicats de fleurs**

Château Pradeaux
Les Héritiers du Comte Portalis

83270 St-Cyr/Mer

Tél. 94 32 00 13

Appellation : **BANDOL**
Nom : **CHATEAU PRADEAUX**
Couleur et millésime : **Rouge 84**
Producteur : **MM. Les Héritiers du Comte Portalis**
Terroir : **argilo-calcaire avec bancs de rocher**
Cépages : **100% Mourvèdre**
Rendement : **30 à 35 hl/hectare**
Mode de culture : **culture traditionnelle sans engrais ni désherbant, fertilisation grâce à 100 brebis**
Vendange et vinification : **foulage, fermentation en cuve de carreaux de célestins.**
Elevage : **foudres de chêne 4 à 5 ans**
Caractère : **très typé, du caractère, plein**
Evolution : **vin de garde**
Observations : **Château Pradeaux Rosé, dégustation et vente tous les jours, dimanche sur rendez-vous**

Prolongeant le Bordelais, dont il emprunte d'ailleurs les cépages, le vignoble de *Bergerac* est le plus étendu et le plus homogène du Sud-Ouest : à lui seul, il n'abrite pas moins de onze appellations. Dans la vallée du Lot, le vieux vignoble épiscopal de *Cahors* continue de produire à flots son ''vin noir'', issu de l'auxerrois, un vin hélas ! de plus en plus galvaudé et devenu, à quelques exceptions près, un produit de masse sans grand intérêt. A l'est de cette zone subsiste le petit vignoble de l'Aveyron.

Le bassin de la Garonne est lui aussi flanqué d'une guirlande de vignobles, dont certains renaissent avec succès après la longue période d'abandon qui suivit la dévastation phylloxérique. D'amont en aval, ce sont les *Côtes du Frontonnais,* dont les rouges légers et coulants abreuvent Toulouse, les *Côtes de Buzet,* une autre région de rouges (merlot et cabernets) dotée d'une importante coopérative, les *Côtes du Marmandais,* aux petits vins fruités et faciles, enfin les *Côtes de Duras,* dont les blancs valent mieux que les rouges.

Au pied des Pyrénées, le vignoble béarnais produit, à côté de ses vins génériques, le robuste *Madiran,* un rouge de tannat qui peut vieillir longtemps, le plus simple *Côtes de Saint-Mont,* le *Pacherenc du Vic-Bilh,* un blanc sec et mordant, et surtout le *Jurançon,* dont les magnifiques blancs moelleux, récoltés tardivement après ''passerillage'' du raisin et longuement vieillis sous bois, reviennent en force. Le Pays basque produit l'*Irouléguy,* dont les rosés sont plutôt fins, tandis que les sables landais accouchent du *Tursan,* un blanc particulièrement sec et vif, issu de cépage baroque. Ces deux vins sont vinifiés pour l'essentiel en coopératives.

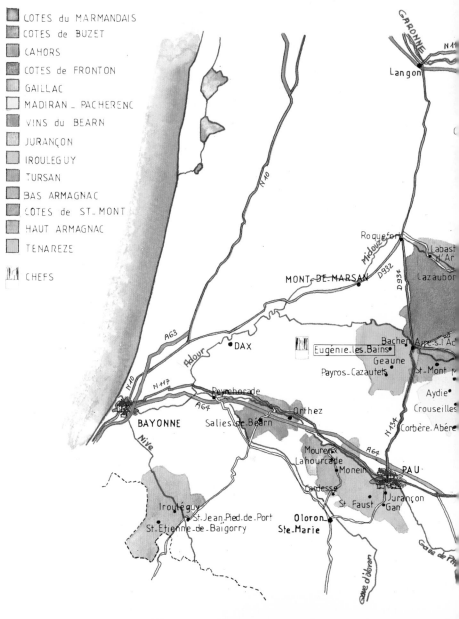

Sud-Ouest

Le Sud-Ouest est une constellation de vignobles, offrant un très large éventail de vins, plutôt rustiques dans l'ensemble, même si quelques-uns tranchent par une réelle finesse. Trois zones composent cette vaste région vinicole, éclatée et assez informelle.

André Daguin
Hôtel de France / Auch-en-Gascogne (Gers)

*A*ndré Daguin, né à Auch en 1935, est un véritable enfant du sud-ouest de l'hexagone. Si l'on excepte sa formation professionnelle à l'Ecole Hôtelière de Paris, voilà un homme qui n'a guère quitté sa région.

Célèbre pour ses petits déjeuners qui, selon le guide Champérard, sont uniques en France, Daguin, qui a obtenu, chose rare pour un maître-queue, un bac sciences expérimentales et a fait ses études... à la Faculté de Lettres de Toulouse, est aussi un homme public. Occupant à différentes dates ou conjointement les postes de président de la Chambre Hôtelière du Gers, de l'Union Patronale de ce même département, de la Chambre de Commerce et d'Industrie, de la Commission de Tourisme, de la Commission de Formation, et de vice-président de la Chambre Régionale de Commerce, du Comité Régional du Tourisme, il est l'auteur de deux ouvrages : ''Le Nouveau Cuisinier Gascon'' paru chez Stock en 1984 et de ''Good foods from Gascony'' publié aux U.S.A.

Palmes académiques (Officier) et Légion d'Honneur (Chevalier) sont venues en leur temps consacrer les multiples mérites de Daguin.

Deux étoiles au Michelin, trois toques au Gault et Millau, trois assiettes au Champérard, sont venues, entre autres, couronner ce chef — étonnant — et cet établissement — prestigieux — où œuvrent, pour notre plus grand plaisir, 45 fourmis affairées à leur si noble tâche.

Parmi ses spécialités reconnues comme sublimes la soupe de lentilles aux gésiers confits, l'aile de pigeon (désossée !) au jus de truff le jarret d'agneau en gasconnade, le filet de bœuf de Bazas à la ratatouille ; côté marée : outre l'huître froide à la gelée d'huîtres dégust en entrée, il faut essayer le feuilleté de morue à la graisse fine d'oie, et la brochette de saumon grillée aux cèpes, et finir avec un ou plusieu de ses fabuleux desserts. André Daguin est un des rares chefs à utiliser le vin de cépage, en l'occurrence le Colombard.

Sa cave, bien que située au rez-de-chaussée, est parfaitement conçue et climatisée. Francis Miquel, son complice, veille affectueuseme sur cette cave qui contient tous les grands vins de France et même d'ailleurs... avec une nette prédominance — combien naturelle ! · pour ceux du terroir.

Les Médoc y sont fort bien représentés mais aussi les meilleurs Madiran. On sait que ce cru est composé de 40 % de Tannat (un cépa qui, son nom l'indique, est fort riche en tanin) et de Cabernet, franc (Bouchy) et Sauvignon (Pinenc). On dit qu'un Madiran conçu ur quement avec du Tannat est quasi imbuvable dans sa jeunesse et manque de bouquet en son âge mûr.

Ce n'est sans doute pas l'avis de Daguin ni de Miquel : la cave de l'établissement héberge du Madiran pur Tannat de chez Alain Brumo (Château Montus) à Maumusson, provenant de la récolte 1985 et vieilli en fût de chêne.

''Seulement, dit Francis, il va falloir attendre une vingtaine d'années pour y goûter !''

Quant à l'utilisation des crus locaux en cuisine, André Daguin emploie généralement les Côtes-de-St-Mont, un VDQS gersois dont date de naissance (1981) peut laisser penser à une création récente ce qui est faux puisque la vigne existe depuis le IVe siècle !

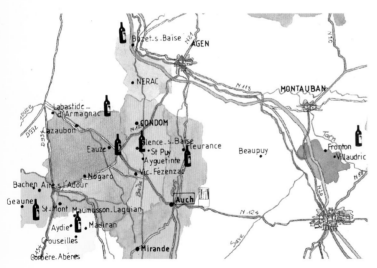

2, place de la Libération
32000 AUCH-EN-GASCOGNE
Tél. 62 05 00 44

Hôtel-restaurant : Hôtel de France.
3 étoiles. 29 chambres : 250 F à 1 200 F.
Fermeture annuelle : hôtel : aucune, restaurant : janvi
Fermeture hebdomadaire : hôtel : aucune, restauran
dimanche soir et lundi.
Visites de caves organisées. Télévision, mini-bar, téléphone dans les chambres. Ascenseur. Garage.
Boutique de produits régionaux.
Chiens admis.
Menus : 285 F et 425 F.
Carte : 350 F.
Petit-déjeuner : 65 F.
Cartes bancaires : Diners Club, Carte Bleue, Americ Express, Eurocard.

Sommelier : M. Francis MIQUEL.

Autres bonnes adresses

Château Haute Serre, 46 Gramat. **M. Charles Hours,** 64 Monein. **Vignobles Laplace Bouchy,** 64 Aydie. **Domaine Bouscasse, Ch teau Montus,** 32 Maumusson. **Château de Laubade,** 32 Sorbets. **M. Samalens,** 32 Laujuzan. **M. E. Brana,** 64 St-Jean Pied Port. **M. Laberdolive,** La Bastide d'Armagnac.

omaine
oingnères
1. et Mme Léon
afitte et leur Fille
)240 La Bastide
'Armagnac
él. 58 44 80 28
hai : 58 45 20 22

Appellation : **BAS-ARMAGNAC**
Nom : **FOLLE BLANCHE 1970**
Producteur : **M. Léon Lafitte**
Terroir : **bas-Armagnac (Grand-Bas) Commune : Le Freche**
Cépages : **Folle Blanche, Ugni Blanc, Colombard**
Vendange et vinification : **presses horizontales, sélection des jus, distillation, alambic armagnaçais, système SIER**
Elevage : **en fûts de chêne neufs, deux ans, puis bois épuisés en tanin**
Caractère : **jaune pâle, vieil or, rubis, ambré, millésimes de Folle Blanche et assemblages. Pruneaux, coing, vanille. Fond de Verre**
Evolution : **diminution de l'alcool, suavité, goût de rancio**
Observations : **la préférence au Domaine c'est la Folle Blanche pour son élégance puis des assemblages des trois cépages nobles, eaux de vie fines et nettes**

es Vignerons
éunis de Buzet
uzet-sur-Baïse
7160 Domazan
él. 53 84 74 30

Appellation : **BUZET**
Nom : **CHATEAU DE GUEYZE**
Couleur et millésime : **Rouge 86**
Producteur : **Vignerons Réunis**
Terroir : **Graves pour les 3/4, le reste argilo-calcaire**
Cépages : **Merlot, Cabernet Franc et Cabernet Sauvignon**
Rendement : **55 hl/hectare**
Mode de culture : **taille guyot, sol non travaillé**
Vendange et vinification : **vendange manuelle avec tri-éraflage, cuvaison longue à haute température**
Elevage : **18 mois avec élevage en bois neuf**
Caractère : **peu évolué, dense et ferme, bois encore dominant**
Evolution : **maturité vers 1992, longévité 12 à 15 ans**
Observations : **sélection sur le vignoble entre le Grand Vin du Château de Gueyze et le Second Vin dénommé "Tuque de Gueyze"**

ociété Civile
'Exploitation
gricole du
hâteau Bellevue
a Forêt
1620 Fronton
él. 61 82 43 21
61 82 44 34

Appellation : **COTES DU FRONTONNAIS**
Nom : **CHATEAU BELLEVUE LA FORET**
Couleur et millésime : **Rouge et Rosé**
Producteur : **Sté Civile d'Exploitation Agricole du Château Bellevue La Forêt**
Terroir : **boulbènes graveleuses**
Cépages : **50% Négrette, 25% Cabernet Franc et Sauvignon, 25% Syrah Gamay**
Rendement : **50 hl/hectare**
Mode de culture : **vignes palissées**
Vendange et vinification : **traditionnelle avec régulation des températures**
Elevage : **une partie des vins rouges en fûts de chêne. Rosé et Rouge traditionnels en cuves**
Caractère : **Rouge : arômes floraux puissants pour le traditionnel. Bouquets épicés. Charnu et rond pour l'élevage en fûts de chêne. Rosé : fruité élégant où se manifeste la mûre et les petits fruits rouges**
Evolution : **à consommer dans les quatre ans**

hâteau du
ariquet
Grassa Fille et
ils
2800 Eauze
él. 62 09 87 82

Appellation : **COTES DE GASCOGNE**
Nom : **DOMAINE DU TARIQUET "CUVÉE BOIS"**
Couleur et millésime : **Blanc 88**
Producteur : **P. Grassa Fille et Fils**
Terroir : **Boulbènes**
Cépages : **30% Colombard, 30% Gros Manseng, 40% Ugni Blanc**
Rendement : **70 hl/hectare**
Vendange et vinification : **mécanique, macération pelliculaire**
Elevage : **en fûts de chêne (100% neufs), 5 mois environ, fermentation de 3 semaines à basse température**
Caractère : **or pâle, arômes de fruits exotiques et de vanille, friand, fruité et souple. Bonne longueur en bouche**
Evolution : **entre 12 mois et 2 ans**
Observations : **autres vins : Côtes de Gascogne, cépage Ugni Blanc, Bas Armagnac "Folle Blanche", Bas Armagnac 15 ans d'âge**

roducteurs
laimont
oute d'Orthez
2400 Saint-Mont
él. 62 69 62 87

Appellation : **COTES DE SAINT-MONT**
Nom : **PLAIMONT TRADITION**
Couleur et millésime : **Blanc 88**
Producteur : **Producteurs Plaimont**
Terroir : **sol argilo-gravelo-siliceux**
Cépages : **Gros et petits Mansengs, Arrufiat, Petit Courbu**
Rendement : **60 hl/hectare**
Mode de culture : **traditionnel**
Vendange et vinification : **vendange manuelle, vinification par cépage**
Elevage : **fûts de chêne neuf**
Caractère : **fruits à chair jaune, blanche, plus mûre, plus grasse, plus structurée. Belle harmonie de bois de chêne et de raisins en fin de bouche**
Evolution : **vin de garde (5 à 8 ans)**
Observations : **à découvrir**

**Producteurs
Plaimont**

Route d'Orthez
32400 Saint-Mont

Tél. 62 69 62 87

Appellation : **COTES DE SAINT-MONT**
Nom : **CHATEAU DE SABAZAN**
Couleur et millésime : **Rouge 87**
Producteur : **S.C.E.A. Château de Sabazan**
Terroir : **sol argilo-gravelo-sableux**
Cépages : **Tannat, Cabernet Franc et Sauvignon, Fer Servadou**
Rendement : **40 hl/hectare**
Mode de culture : **traditionnel**
Vendange et vinification : **vendange manuelle, vinification traditionnelle par cépage**
Elevage : **fûts de chêne neuf**
Caractère : **bouquet complexe, structure charnue, note dominante boisée**
Evolution : **vin de garde (5 à 10 ans)**
Observations : **à découvrir**

**Domaine de
Lagajan-Pontouat
M. Georgacaracos**

32800 Eauze

Tél. 62 09 81 69

Appellation : **FLOC DE GASCOGNE (APÉRITIF AU JUS DE RAISIN FRAIS ET ARMAGNAC)**
Nom : **GENTILHOMME DE GASCOGNE**
Bas Armagnac. Eauze Capitale de l'Armagnac
Terroir : **Boulbènes légères et peu profondes**
Cépages : **Ugni Blanc, Colombard, Gros Manseng, Cabernet Franc et Cabernet Sauvignon**
Mode de culture : **traditionnel**
Vendange et vinification : **mécanique et vinification traditionnelle. Distillation : alambic armagnaçais familial. Distillation traditionnelle au feu de bois à 52°**
Elevage : **en fûts de chêne dans les chais de la propriété**
Caractère : **tous les produits sont issus de la propriété**
Observations : **produits : Floc de Gascogne Blanc et Rouge, Bas Armagnac millésimés. A visiter Musée de vieux outils de vigneron**

**MM. Michel
& Richard
Maestrojuan
G.A.E.C.
Bordeneuve-Entras**

Ayguetinte
32410
Castera-Verduzan

Tél. 62 68 11 41

Appellation : **FLOC DE GASCOGNE (JUS DE RAISIN FRAIS ET ARMAGNAC DE LA PROPRIÉTÉ)**
Couleur et millésime : **Rouge 87**
Producteur : **MM. Michel et Richard Maestrojuan**
Terroir : **calcaire**
Cépages : **Merlot et Cabernet Sauvignon**
Mode de culture : **traditionnel**
Vendange et vinification : **mécanique**
Elevage : **fûts de chêne pendant 1 an**
Caractère : **rubis lumineux, fruité, vif et bien équilibré**
Evolution : **à consommer dans les 2 ans, le floc conserve ainsi le caractère fruité qui le caractérise**
Observations : **autres produits : Floc Blanc, Armagnac et Vins de Pays**

**Vignobles Laplace
Château d'Aydie**

64330 Aydie

Tél. 59 04 01 17

Appellation : **MADIRAN**
Nom : **CHATEAU D'AYDIE**
Couleur et millésime : **Rouge 87**
Producteur : **Vignobles Laplace**
Terroir : **argilo-calcaire**
Cépages : **Tannat et Cabernet Sauvignon**
Rendement : **42 hl/hectare**
Mode de culture : **traditionnel**
Vendange et vinification : **manuelle, macération longue (3 semaines)**
Elevage : **fûts de chêne neufs 100%, 13 mois**
Caractère : **rubis intense, arômes de fruits rouges très mûrs, saveur de griottes**
Evolution : **entre 4 et 12 ans**
Observations : **Madiran Frédéric Laplace/Pacherenc du Vic-bilh / "Le Bouchy" visite de cave tous les jours**

**S.I.C.A. Monluc
Château Monluc**

32310 Saint-Puy

Tél. 62 28 55 02

Au CHÂTEAU de MONLUC en ARMAGNAC sont élaborés les deux composants du cocktail POUSSE-RAPIERE : la liqueur d'Armagnac à l'orange POUSSE-RAPIERE, base du cocktail, et le VIN SAUVAGE, Blanc de Blancs, Brut, du Château de Monluc, élaboré suivant la méthode traditionnelle Champenoise.
Le vignoble est planté d'Ugni-Blanc et de Gros Manseng, conduits en tonnelles.
La vinification des vins blancs destinés à la distillation en Armagnac se déroule dans le respect scrupuleux des règles de l'appellation. L'Armagnac obtenu est conservé dans des fûts de chêne et sera ensuite utilisé pour préparer la liqueur POUSSE-RAPIERE.
Les Blanc de Blancs qui donneront le Brut sont vinifiés avec le maximum de soins : séparation des jus, vinification à température contrôlée, stabilisation et élevage en cuve, filtration et assemblage.
La cuvée destinée à la méthode traditionnelle Champenoise est obtenue en assemblant des vins issus de vignes différentes et de trois années de récolte.
Les proportions idéales du cocktail POUSSE-RAPIERE : **1 volume de liqueur à l'Armagnac POUSSE-RAPIERE 6 volumes de VIN SAUVAGE, Brut du Château de Monluc.**

L'Armagnac

La région délimitée "Armagnac" couvre presque la totalité du département du Gers, une bonne partie du département des Landes et quelques cantons du Lot et Garonne. Les cépages, adaptés au type de sol et au climat sont de précocité moyenne ; ils donnent des vins de faible degré et d'acidité élevée. Ce sont généralement : le bacco 22A, le colombard, le jurançon blanc, le plant de Gréce et la folle blanche.

L'Armagnac comporte trois crus : à l'ouest, le Bas Armagnac qui produit l'eau de vie la plus fine ; au centre, la Ténareze dont l'alcool possède un goût sauvage très marqué par le terroir ; à l'est, le Haut Armagnac, la plus étendue des trois régions, qui ne produit pourtant que 5 % de l'Armagnac.

La vinification est simplifiée mais comme en Charente, les adjuvants sont interdits. Dès que le vin nouveau (le bourret) est fermenté, a lieu la distillation. La plupart des distillateurs, notamment ceux du Bas Armagnac, sont restés fidèles à l'alambic armagnacais (distillation continue) ; mais depuis 1972, l'alambic charentais a refait son apparition (distillation en double chauffe).

Comme pour le Cognac, le tonnelier joue alors un rôle important : les chênes centenaires de la forêt de Gascogne lui livrent "leurs cœurs" ; il en extraira merrains et rouelles. Un grand Armagnac vieillira dans le chêne blanc de la forêt de Monlezun.

Commence alors un long vieillissement où évaporation et oxydation, associées aux composants du bois dont se nourrit l'eau de vie, vont donner à l'Armagnac son caractère inimitable.

Un coup de cœur de Michel Guérard et André Daguin qui confirme la règle !..

Une eau de vie... de poire !

tienne Brana

3, rue du
1 Novembre
BP 20
4220
t-Jean-Pied-de-Port
él. 59 37 00 44

La distillerie **BRANA** possède son propre verger de poiriers William situé en coteaux, qui constitue un authentique cru. Elle s'assure ainsi d'une qualité exceptionnelle.
Les poires ayant atteint leur meilleur degré de maturité, sont mises en fermentation en cuves inoxydables sous contrôle des températures. La distillation a lieu dans les alambics de cuivre rouge à repasse, procédé lent mais choisi par le distillateur afin d'obtenir une eau de vie de qualité.
La poire BRANA offre un nez très fin marqué William avec caractère spécifique à notre cru.
En bouche, l'attaque est nerveuse et se développe en donnant l'impression de "croquer" le fruit. Onctueuse et longue, elle garde jalousement en elle toute sa finesse et sa saveur pour votre plus grand plaisir.

Michel Guérard
Les Prés d'Eugénie / Eugénie-les-Bains (Landes)

Michel Guérard n'a pas fini de nous étonner et de nous émerveiller. Meilleur apprenti et meilleur ouvrier pâtissier de France, il a bousculé beaucoup d'habitudes en faisant de chacune de ses assiettes une œuvre d'art, en attirant les parisiens en banlieue dans son petit bistrot d'Asnières, en leur tournant le dos pour aller s'installer, il y a maintenant quinze ans, au bout de la France, dans une minuscule station thermale oubliée depuis le passage de l'Impératrice Eugénie, et en créant la cuisine minceur.

D'une vieille maison en décrépitude, il a fait un hôtel de rêve. De la station, il a fait connaître le nom dans le monde entier, en même temps qu'il prenait la première place dans tous les guides gastronomiques.

Et le voici maintenant vigneron dans une ville d'eau ! Pas en amateur mais en vrai professionnel avec le sérieux qu'il met en toutes choses.

Ayant pris des cours d'oenologie, il a acquis une propriété et y a planté des cépages blancs réputés, le Semillon et le Sauvignon, ou très peu connus, le Baroque, les Manseng gros et petits qui font le Jurançon.

L'an dernier, il a fait sa première récolte et son premier vin blanc de Tursan. Il l'inscrit à sa carte à partir de cet été, mais en fait vieillir une partie en fût de chêne.

A son vin de Tursan, Michel Guérard trouve un très joli nez fruité avec des notes assez marquées de poire, de pamplemousse, de citro vert et de vanille. *"Il sera*, estime-t-il, *tout à fait à son aise avec les poissons, les coquillages, mais aussi avec des viandes blanches, de volailles et des abats blancs."*

Mais ce n'est pas parce qu'il est devenu producteur qu'il néglige les autres vins du sud-ouest. Il conserve toute son estime à ses confrère vignerons qui *"avec talent font faire des progrès considérables à leurs vins qu'ils soient de Jurançon, aussi bon secs que moelleux, d Madiran, en progression et parfois exceptionnels, ou de Cahors, qui ont du caractère et se civilisent. Nous assistons à un grand renouveau.*

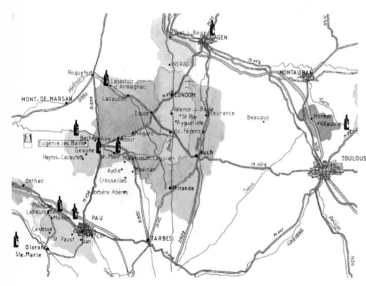

Eugénie-les-Bains
40320 GEAUNE
Tél. 58 51 19 01

Hôtel-restaurant : Les Prés d'Eugénie.
35 chambres : 1 100 à 1 400 F.
Fermeture annuelle : 11/12 au 05/02.
Visites de caves organisées.
Télévision, mini-bar, téléphone dans les chambres.
Ascenseur. Parking-Garage.
Jardin. Parc. Piscine (privée). Tennis (privé).
Menus : 380 F à 490 F.
Carte : 450 F.
Cartes bancaires : Diners Club, Carte Bleue, America Express, Eurocard.

Sommelier : M. François LUIZARD.

Autres bonnes adresses

M. Henri Ramonteu, 64 Monein. **M. Alain Brumont,** 32 Maumusson. **M. Terradot,** 64 Garlin. **Lafitte (Domaine Teston),** 32 Mau musson. **M. Grassa,** 32 Eauze. **Domaine du Meunier,** 32 Cazaubon (Barbotan). **M. Jean Jouffreau,** 46 Prayssac. **Château de San demagnan,** 32 Barbotan. **M. Francis Darroze,** 40 Roquefort. **M. Doubesky,** 47 Saint Gayrand.

1. Laberdolive

aurrey
0240 La Bastide
'Armagnac
'él. 58 44 81 32

Appellation : **BAS ARMAGNAC**
Nom : **DOMAINE DE JAURREY**
Producteur : **M. Laberdolive**
Terroir : **Grand-Bas Armagnac**
Cépages : Folle Blanche, Ugni Blanc, Colombard, Baco
Vinification : assemblage des jus avant fermentation
Distillation : alambic armagnaçais, distillation traditionnelle à 53°
Elevage : fûts de chêne de la propriété. Bois neuf pendant trois ans,
puis en fûts épuisés en tanins
Observations : **vieux millésimes. Quatre générations de propriétaires-récoltants**

**es Vignerons
Réunis des Côtes
e Buzet**

Buzet-sur-Baïse
7160 Damazan
'él. 53 84 74 30

Appellation : **BUZET**
Nom : **CARTE D'OR**
Couleur et millésime : **Rouge 85**
Producteur : **Les Vignerons de Buzet**
Terroir : **galets siliceux. Boulbènes argilo-calcaire**
Cépages : 50% Merlot, 25% Cabernet Franc, 25% Cabernet Sauvignon
Rendement : 65 hl/hectare
Vendange et vinification : **traditionnelles, cuvaison de 15 à 18 jours à 31°**
Elevage : en cuves, plus 6 mois en barriques, collage au blanc d'œuf
Caractère : une robe pourpre orangée, nez finement boisé rappelant le pruneau, vin
charnu mais souple, tanins complexes et fins.
Evolution : vin à maturité, il s'affinera encore pendant 4 à 5 ans
Observations : visite de la cave, de sa propre tonnellerie et de son musée de la vigne et
du vin. Dégustation gratuite

**Château La
Colombière
Baron François de
Driésen**

Propriétaire
écoltant
1620 Villaudric
'él. 61 82 44 05

Appellation : **COTES DU FRONTONNAIS - VILLAUDRIC**
Nom : **CHATEAU LA COLOMBIÈRE**
Couleur et millésime : **Vin Gris 1988, Baron de D.**
Producteur : **M. le Baron François de Driésen**
Terroir : **Grave siliceuse**
Cépages : Négrette, Gamay, Cabernet Franc
Rendement : 50 hl/hectare
Vendange et vinification : **vendange manuelle, pressurage direct, contrôle des
températures**
Caractère : robe d'un beau rose pâle, bouche ronde et fruitée, arômes fleuris très
expressifs avec des notes exotiques
Evolution : à boire dans les 3 ans
Observations : **autres vins : Baron de D. Rouge 86, Château La Colombière Rouge 86
Accueil, dégustation et vente tous les jours au Château sauf dimanche et jours fériés**

G.A.E.C. Barrère

4150 Lahourcade
'él. 59 60 08 15

Appellation : **JURANÇON**
Nom : **CLOS CANCAILLAÜ**
Couleur et millésime : **Blanc 86**
Producteur : **G.A.E.C. Barrère**
Terroir : **argilo-calcaire - caillouteux en surface**
Cépages : Gros Manseng et Petit Manseng / Rendement : **48 hl/hectare**
Vendange et vinification : **manuelle, tardive, par tries successives, vinification
traditionnelle, contrôle des températures**
Elevage : passage en vieux foudres de bois pendant quelques mois
Caractère : arômes d'agrumes, d'amandes douces et miel, moelleux, nerveux, bouche
ample et persistante
Evolution : à boire dès 1989 mais se bonifie en garde pendant plus de 20 ans
Observations : **accueil à la propriété tous les jours sauf dimanche
autres vins : Jurançon Sec "Clos de la Vierge"**

**Domaine
Bellegarde
Monsieur Labasse**

4360 Monein
'él. 59 21 33 17

Appellation : **JURANÇON**
Couleur et millésime : **Blanc 88**
Producteur : **M. Pascal Labasse**
Terroir : **argilo-calcaire**
Cépages : Petit Manseng
Rendement : **27 hl/hectare**
Mode de culture : **traditionnel, vigne palissée en hautain**
Vendange et vinification : **manuelle**
Elevage : en barriques neuves pendant 6 mois
Caractère : jaune paille très concentré, des arômes d'amandes grillées en pleine
évolution vers des arômes de fruits exotiques, agrumes et persistance exceptionnelle
Evolution : entre 2 et 15 ans et plus...
Observations : Jurançon Sec et Jurançon moelleux à base de Gros Mansengs

Etienne Brana

23, rue du 11
Novembre
BP 20
64220 St-Jean-
Pied-de-Port
Tél. 59 37 00 44

Appellation : **JURANÇON SEC**
Nom : **COLLECTION ROYALE**
Couleur et millésime : **Blanc, Collection Royale**
Producteur : **M. Etienne Brana**
Cépages : **sélection de Gros Manseng**
Mode de culture : **traditionnel**
Vendange et vinification : **sélection, pressurage doux, débourbage, contrôle des températures**
Elevage : **mise en bouteille dès l'hiver**
Caractère : **robe dorée, nuancée de vert, brillante. Nez fruité à dominante fruits exotiques, attaque en bouche douce mais franche. Vin vif et frais**
Evolution : **vin à boire dans les 2 ans**

Charles Hours
Clos Uroulat

Quartier Trouilh
64360 Monein
Tél. 59 21 46 19

Appellation : **JURANÇON**
Nom : **CLOS UROULAT**
Couleur et millésime : **Blanc 87**
Producteur : **M. Charles Hours**
Terroir : **argilo-siliceux**
Cépages : **Petit Manseng**
Rendement : **30 hl/hectare**
Mode de culture : **traditionnel en hautain**
Vendange et vinification : **après passerillage, manuelle par tris successifs**
Elevage : **en barriques 6 à 12 mois**
Caractère : **vin blanc moelleux avec légère acidité (friand) arômes de fruits exotiques au vieillissement arômes plus complexes : miel, floral**
Evolution : **entre 2 et 15 ans et plus...**
Observations : **autre coup de cœur de M. Guérard : Jurançon Sec (Cuvée sous bois) caractère : vin blanc sec de Gros Manseng vieille vigne, fermenté et élevé en barriques**

Producteurs
Plaimont

Route d'Orthez
32400 Saint-Mont
Tél. 62 69 62 87

Appellation : **MADIRAN**
Nom : **COLLECTION PLAIMONT**
Couleur et millésime : **Rouge 87**
Producteur : **Producteurs Plaimont**
Terroir : **argilo-gravelo-calcaire**
Cépages : **Tannat, Cabernet Sauvignon, Fer Servadou**
Rendement : **40 hl/hectare**
Vendange et vinification : **vendange manuelle, vinification traditionelle par cépage**
Elevage : **fûts de chêne neuf**
Caractère : **couleur rouge pourpre foncé légèrement violacé, fondu d'effluves alliant caractères vanillés légèrement épicés à la complexité des parfums de fruits mûrs. Bouche ample et très charnue**
Evolution : **vin de garde (5 à 10 ans)**
Observations : **à découvrir**

G. Dulucq & Fils
Peyros Cazautets

40320 Geaune
Tél. 58 44 50 68

Appellation : **TURSAN**
Couleur et millésime : **Blanc 88**
Producteur : **MM. G. Dulucq & Fils**
Terroir : **argilo-calcaire**
Cépages : **Baroque et Sauvignon**
Rendement : **45 hl/hectare**
Mode de culture : **traditionnel**
Vendange et vinification : **manuelle, basse température**
Elevage : **6 mois en cuves**
Caractère : **or pâle et limpide, parfums floraux fins et élégants, goût de miel et friand en bouche**
Evolution : **entre 6 mois et 2 ans**
Observations : **autres vins : Tursan Rosé et Tursan Rouge**

Château de Bachen

Duhort-Bachen
40800
Aire-sur-Adour
Tél. 58 71 86 51

Appellation : **TURSAN**
Nom : **BARON DE BACHEN**
Couleur et Millésime : **Blanc 88 (Sec)**
Producteur : **M. Michel Guérard**
Terroir : **argilo-limoneux sur Graves de l'Adour**
Cépages : **Baroque, Sauvignon, Sémillon, Gros Manseng, Petit Manseng**
Rendement : **48 hl/hectare**
Vendange et vinification : **vendange manuelle, débourbage à froid, vinification en fûts de chêne**
Elevage : **en fûts de chêne**
Caractère : **le fruité des différents cépages, fondu au boisé crée l'harmonie de ce vin à découvrir**
Evolution : **atteindra son apogée dans deux ou trois ans**
Observations : **visite du vignoble et des chais sur rendez-vous**
autres vins : ''Château de Bachen'' 1988

Périgord

Pays de petite propriété familiale (la superficie moyenne des exploitations ne dépasse par 5 ha), le Bergeracois se divise en quatre principaux secteurs.

L'aire d'appellation régionale recouvre toute l'étendue de l'arrondissement de Bergerac, soit quatre-vingt-treize communes. Les vins rouges se rangent sous les appellations *Bergerac* (10° minimum et rendement limité à 55 hl par hectare) et *Côtes du Bergerac* (11° minimum et rendement limité à 50 hl par hectare). Ce sont en général des vins fermes et francs, faciles à boire ; les seconds, plus corsés, peuvent vieillir quelques années. Si le *Bergerac rosé* reste peu répandu, les blancs en revanche représentent un volume appréciable. Ils sont secs *(Bergerac sec)* ou moelleux *(Côtes de Bergerac moelleux).* L'appellation *Saussignac* désigne une petite zone de production à l'ouest de Monbazillac (environ 2 500 hl par an), dont les vins, plus gras que les précédents, sont généralement mieux typés.

Sur la rive droite, à la limite de la Gironde, le vieux terroir de Montravel occupe plaine et coteaux autour de Vélines et de Saint-Michel-de-Montaigne. Sur environ 1 000 hectares de terrains argilo-calcaires, la vigne produit ici un vin blanc sec assez nerveux *(Montravel)* mais surtout d'excellents vins moelleux *(Haut-Montravel et Côtes de Montravel).* Ces derniers subissent un élevage de douze à dix-huit mois et lorsqu'ils sont bien vinifiés, affirment un style assez personnel. D'une teinte vert paille, ils sont séveux et une pointe d'amertume ajoute à leur saveur particulière. Ils peuvent en outre se conserver avec un certain bonheur.

Sur environ 200 hectares délimités des communes de Bergerac, Lambras, Creysse et Saint-Sauveur, le petit vignoble de *Pécharmant* recouvre des coteaux exposés en plein midi, formant hémicycle autour de la capitale bergeracoise. Recouvert de sables et de graviers, le sous-sol renferme un mélange argilo-ferrugineux, le "tran", qui fournit au vin son caractéristique goût de terroir. En fonction de faibles rendements (environ 40 hl par hectare), la production du Pécharmant demeure restreinte. C'est un vin fin et original. Vêtu de pourpre sombre, dégageant de jolis arômes de fruits rouges, il possède du corps et de la charpente, avec ce goût boisé que lui procure son élevage en fûts de chêne. Il vieillit en beauté, en se faisant plus velouté.

Etabli sur la rive gauche au sud de Bergerac, le vignoble de *Monbazillac* occupe, sur la côte et le plateau, 2 500 hectares répartis entre les communes de Monbazillac, Pomport, Saint-Laurent-des-Vignes, Colombier et Rouffignac-de-Sigoulès. Lié à l'exposition des pentes et à la nature des sols, un micro-climat, conjuguant à l'automne brouillards matinaux et chaleur du jour, favorise le développement de la "pourriture noble" et le rôtissement des raisins. Les vendanges sont effectuées tardivement, en principe par tries successives, et, à l'issue de lentes fermentations, les vins sont mis à vieillir en fûts. La mise en bouteilles intervient au plus tôt dix-huit mois après la récolte mais, chez les bons producteurs, ce délai est souvent considérablement allongé. La coopérative locale, qui possède le beau Château de Monbazillac, assure la vinification d'environ 30 % de la production (34 654 hl en 1983).

Produit de facture artisanale, le Monbazillac — à boire frais, autour de 7° —, peut être un vin superbe. Sous sa robe jaune d'or, qui se "paille" avec le temps, il recèle une chair onctueuse et parfumée comme le miel, qui emplit rondement la bouche. Il gagne bien sûr à être bu à un certain âge (entre quatre et huit ans) mais, dans les bonnes années, il peut se conserver durant deux ou trois décennies.

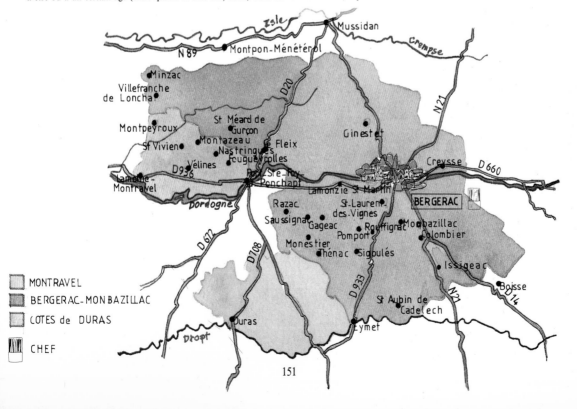

- MONTRAVEL
- BERGERAC-MONBAZILLAC
- CÔTES de DURAS
- CHEF

Jean-Paul Turon
Le Cyrano / Bergerac (Dordogne)

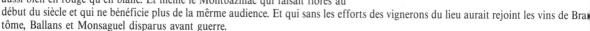

Jean-Paul Turon, du Cyrano à Bergerac — naturellement — n'appartient pas à une dynastie de chefs de cuisine. Toutefois son père était cuisinier aux Messageries Maritimes. Mais là s'arrête les références gastronomiques: son grand-père était chevrier !

Après la formation de base reçue au Lycée Hôtelier de Nice d'où il sortit avec un BTH et deux CAP (1966/69), Jean-Paul Turon travailla à l'ambassade d'Auvergne et du Rouergue, dans le 3ᵉ, puis au Taillevent, après avoir accompli son service militaire en 1970 comme steward du COTAM à l'époque du Président Pompidou. Ensuite il revint dans sa famille à Bergerac, au Cyrano, qui s'appelait déjà ainsi bien avant que ses parents l'achètent, et qui était un ancien relais de poste. Le matin, il travaille aux côtés de son père en cuisine, et sert ensuite en salle. *"Je connais ainsi les deux faces principales du métier, l'élaboration et le contact avec le public."* Etoiles et coqs au Kléber, 3 fourchettes au Michelin, deux toques et 14/20 au Gault et Millau, une mention au Guide Hubert sanctionnent la qualité de son travail. Jean-Paul Turon est très chauvin et ne s'en cache nullement. Pour lui, il n'est de bon vin que du bergeracois. Il l'utilise largement en cuisine aussi bien en rouge qu'en blanc. Et même le Montbazillac qui faisait florès au début du siècle et qui ne bénéficie plus de la mêrme audience. Et qui sans les efforts des vignerons du lieu aurait rejoint les vins de Bra tôme, Ballans et Monsaguel disparus avant guerre.

"Parmi les plat personnalisés que j'essaie de marquer de mon empreinte, je citerai la tourtière de pigeonneau au vin rouge de Bergera le ragoût de ris de veau et gésiers à la sauce au vin de Pécharmant (mini-région du bergeracois, qui donne un produit très typé, un pe tannique, à base de Merlot, Cabernet franc et Sauvignon et Malbec) la lamproie à la bordelaise au vin rouge, la blanquette d'anguil à la mode Neuvic, le sauté d'angille aux petits oignons et au blanc de Bergerac et la langoustine au Montbazillac et au gingembre... Et la cave ?

"Je me ravitaille surtout chez les propriétaires produisant dans notre zone d'appellation contrôlée. La plupart d'entre eux font des vin extrêmement corrects. Dans certaines coopératives, il y a aussi des techniciens compétents.
Je dispose dans ma cave traditionnelle (j'ai aussi naturellement une cave de jour) de plus de 60 appellations toutes couleurs du bergeracoi. Ce sont des vins à boire plutôt jeunes, qu'il s'agisse de Bergerac, de Montravel, de Pécharmant ou de Montbazillac. Dans les deux quatre ans, cinq à six pour le Pécharmant. Mais j'ai connu des cas de longévité quand même !"
Autres crus ?

"Bien sûr, surtout des vins du Sud-Ouest, Bordeaux, Médoc, Cahors, du Bourgogne, de l'Alsace, des Côtes-du-Rhône... Mais, quan on vient dans le Périgord, première région gastronomique de France, on mange et on boit périgourdin..."
Au Cyrano, par contre, vous ne trouverez pas de Madiran, de Buzet ou de Duras. Jean-Paul Turon reconnaît que c'est un parti pris. Ma ne veut pas y renoncer !

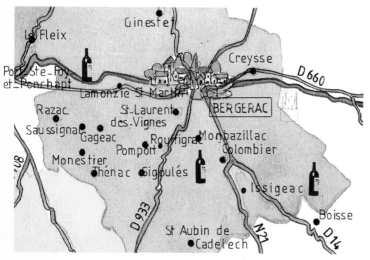

2, boulevard Montaigne
24100 BERGERAC
Tél. 53 57 02 76

Hôtel-restaurant : Le Cyrano.
2 étoiles NN. 11 chambres : 220 à 250 F.
Fermeture annuelle : 9 au 20 mars, 26 juin au 10 juillet, 14 au 26 décembre.
Fermeture hebdomadaire : dimanche soir (sauf juille août) et lundi.
Télévision dans les chambres. Téléphone dans les chambres. Parking-Garage. Salle restaurant climatisée Chiens admis.
Menus : 100 F, 150 F, 250 F.
Carte : 240 F.
Petit-déjeuner : 28 F.
Cartes bancaires : Diners Club, Carte Bleue, America Express, Eurocard.

Autres bonnes adresses

Vieux Vignoble du Repaire, 24 Sigoule. **Cave Coop.**, 24 Montbazillac. **Château Le Mayne**, 24 Montbazillac. **Château Treuil-de Nailhac**, 24 Sigoules. **Château Calabre**, 24 Port-Ste-Foy-Pomchapt. **Domaine du Haut-Pécharmant**, 24 Peyrelevade. **Château L. Renaudie (Cave Coop.)**, 24 Montbazillac. **Château Champarel**, 24 Pécharmant. **Domaine de La Vaure**, 24 Bergerac. **Château Lades vignes**, 24 Pomport. **Clos de Gamot (Jouffreau)**, 46 Preyssac. **Domaine de Bouffevent**, 46 Lamonzie-St-Martin.

Henry Ryman S.A.
Château La
Jaubertie

Colombier
24560 Issigeac
Tél. 53 58 32 11

Appellation : **BERGERAC SEC**
Nom : **SAUVIGNON BLANC CHATEAU LA JAUBERTIE**
Couleur et Millésime : **Blanc 88**
Producteur : **Henry Ryman S.A.**
Terroir : **argilo-calcaire**
Cépages : **Sauvignon**
Rendement : **60 hl/hectare**
Mode de culture : **traditionnel**
Vendange et vinification : **par machine, vinification à température basse**
Elevage : **en cuves**
Caractère : **sec et fruité**
Evolution : **à boire avant Noël 1990**
Observations : **un vrai Sauvignon**

S.C.E.A. Alard
Le Theulet

Monbazillac
24240 Sigoulès
Tél. 53 57 30 43

Appellation : **COTES DE BERGERAC**
Nom : **CHATEAU THEULET**
Couleur et millésime : **Rouge 86**
Producteur : **S.C.E.A. Alard**
Terroir : **argilo-calcaire**
Cépages : **50% Merlot, 25% Cabernet Sauvignon, 25% Cabernet Franc**
Rendement : **45 à 50 hl/hectare**
Vendange et vinification : **cuvaison de 3 à 4 semaines à température contrôlée**
Elevage : **cuves et barriques de chêne neuves**
Caractère : **vin typé et chaleureux, riche en couleur et tanin**
Evolution : **vin de garde, mais peut être consommé dès la 3ᵉ année**
Observations : **la S.C.E.A. Alard produit aussi : Bergerac Sec : vin sec, gras aux arômes intenses, long en bouche. Château Theulet et Château La Calevie. Monbazillac : (vin de côte) vin doux, très gras, d'une grande finesse aux arômes de fleurs sauvages. Château Theulet et Château La Calevie**

G.A.E.C. Château
Court-Les-Mûts

Razac de
Saussignac
24240 Sigoulès
Tél. 53 27 92 17

Appellation : **COTES DE BERGERAC ROUGE**
Nom : **CHATEAU COURT-LES-MÛTS**
Couleur et millésime : **Rouge 86**
Producteur : **M. Pierre-Jean Sadoux**
Terroir : **argilo-calcaire + alluvions anciennes de la Dordogne**
Cépages : **50% Merlot, 20% Cabernet Franc, 27% Cabernet Sauvignon, 3% Malbec**
Rendement : **45-50 hl/hectare**
Vendange et vinification : **mécanique, cuves 3 semaines, éraflé à 28°C, fermentation malo-lactique et filtration précoce**
Elevage : **après séjour en barriques neuves de chêne, léger collage à l'albumine d'œuf. Passage au froid et mise en bouteilles au bout de 18 mois**
Caractère : **plein, charpenté, note de vanille, arômes de fruits rouges**
Evolution : **vin de garde, peut être apprécié dès maintenant**
Observations : **propriété familiale de 56 ha, dirigée par Pierre-Jean Sadoux et son collaborateur Henry Mondie, tous deux œnologues**

Château Le Fagé
François Gérardin
Viticulteur

Pomport
24240 Sigoulès
Tél. 53 58 32 55

Appellation : **MONBAZILLAC**
Nom : **CHATEAU LE FAGÉ**
Couleur et millésime : **Blanc 83**
Producteur : **M. François Gérardin**
Terroir : **"Côte Nord" cœur du vignoble de Monbazillac, argilo-calcaire**
Rendement : **25 à 35 hl/hectare**
Vendange et vinification : **sélection des jus et thermorégulation**
Caractère : **Cette étrange Botrytis cinérea (pourriture noble) qui transforme nos raisins de Sauvignon, Sémillon et Muscadelle en de véritables fruits confits permet de réaliser ce nectar à l'arôme de fleurs sauvages et au goût de miel**
Evolution : **A l'apéritif, sur le foie gras, les fromages à ferment bleu, vous vous délecterez avec un vin assez âgé (jusqu'à 30 ans). Sur le dessert, un Monbazillac assez jeune sera en parfaite harmonie. Servir frais (7 à 8°C)**
Observations : **un vignoble de 40 ha géré pour la qualité. Panorama*** sur la vallée de la Dordogne. Dégustation ouverte tous les jours. Accès par D14 et D17**

S.C.E.A. Domaine
de Krevel

Calabre
33220 Port-Ste-
Foy-Ponchapt
Tél. 53 24 77 27
et 57 46 55 35

Appellation : **MONTRAVEL**
Nom : **K. DE KREVEL**
Couleur et millésime : **Blanc 87**
Producteur : **Hecquet-Kreusch**
Terroir : **molasses de l'Agenais, structure tertiaire, très remanié, argilo-calcaire**
Cépages : **60% Sémillon, 30% Sauvignon, 10% Muscadelle / Rendement : 45 hl/hectare**
Vendange et vinification : **manuelle, une partie de la vendange est traitée en macération pelliculaire avant pressurage. Débourbage à basse température.**
Fermentation intégrale en barriques neuves
Elevage : **conservation sur lie de fermentation, en barriques pendant près de 9 mois, avec battonage une fois par mois selon l'évolution du vin**
Caractère : **arôme primaire, expression des cépages. Arôme secondaire lié à la fermentation à petit volume et à l'autolyse des levures. Saveur : fondu de vanillé, note de pain grillé, etc.**
Evolution : **déjà bon à boire, bien que prometteur**
Observations : **dégustation sur rendez-vous M. Hecquet : 57 46 55 35**

Relativement disséminé au départ du fleuve *(Côtes d'Auvergne, Côtes du Forez, Côte roannaise*, avec leurs vins rouges et rosés de pur gamay), le vignoble ligérien s'étoffe à partir de Pouilly-sur-Loire. On entre là dans le domaine incontesté du sauvignon, qui imprime sa marque aux vins blancs de *Pouilly-Fumé,* de *Sancerre,* de *Quincy,* de *Reuilly* et de *Menetou-Salon ;* les rouges et rosés de pinot noir restent secondaires. L'encépagement se diversifie en Touraine. Si le chenin blanc (ou "pineau de la Loire") règne exclusivement à *Vouvray,* à *Montlouis* et dans les *Coteaux du Loir,* le sauvignon occupe une place grandissante dans la composition des *Touraine* génériques. Même dualité pour les vins rouges : alors que le cabernet franc (ou "breton") accouche seul du *Bourgueil,* du *Saint-Nicolas* et du *Chinon,* le gamay — parfois associé au cot — gagne du terrain en appellation régionale, et même en dénomination locale *(Touraine-Amboise, Touraine-Mesland).*

Le chenin se retrouve seul dans les vins blancs angevins *(Coteaux du Layon, Coteaux de l'Aubance, Savennières, Coteaux de la Loire),* avec une petite restriction pour le *Saumur* (proportion d'au moins 80 %), tandis que les *Anjou* rouges et le *Saumur-Champigny,* issus principalement du breton, tolèrent un appoint de cabernet-sauvignon et de pineau d'Aunis. En revanche, les rosés secs, qu'ils soient de Touraine ou d'Anjou, mélangent volontiers les cépages : cabernets, cot, gamay, groslot, menu pineau, pineau d'Aunis. A l'inverse, le *Cabernet d'Anjou* est — comme l'indique son nom — un rosé mono-cépage.

En pays nantais, où se conclut le vignoble de Loire, le plant unique reprend ses droits : le muscadet (ou "melon de Bourgogne") et le gros-plant (ou "folle blanche") ont donné leurs noms aux vins respectifs qu'ils produisent.

Les vins de Loire ont un tempérament facile. Si quelques-uns sont à boire en primeur (Muscadet) ou à consommer dans leurs premières années (Sancerre, Pouilly-Fumé), la plupart — bien qu'ils soient agréables dès l'époque de leur mise en bouteilles — sont capables de supporter de longues gardes, en affinant lentement leur personnalité : c'est le cas, par exemple, du Bourgueil, du Chinon, ou des Coteaux du Loir, dont les bons représentants (vinifiés traditionnellement) peuvent souvent tenir dix à quinze ans, et même au-delà dans les grands millésimes. Les profondes caves de tuffeau, qui truffent le sous-sol du Val de Loire, aident d'ailleurs grandement à leur conservation.

Mais la palme de la longévité revient sans conteste aux grands vins blancs de la région : qu'ils soient moelleux (Coteaux du Layon, Coteaux de Saumur) ou secs (Savennières, Jasnières), ceux-ci semblent détenir le secret de l'indestructibilité, sans parler du Vouvray, qui peut vieillir plusieurs décennies en préservant un caractère d'éternelle jeunesse.

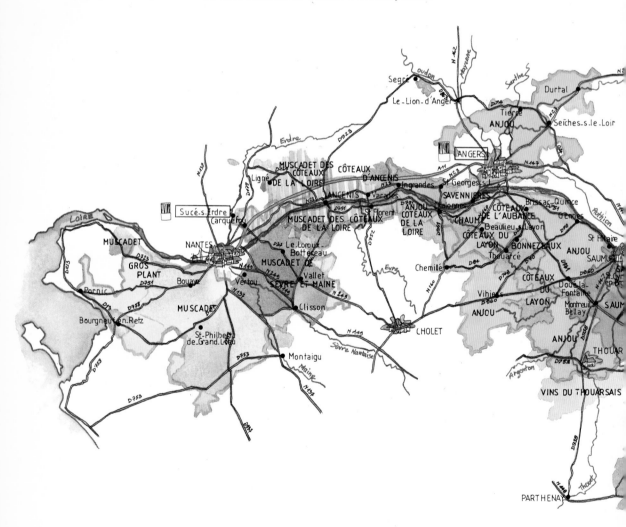

Vallée de la Loire

Des monts d'Auvergne jusqu'à l'Océan, la Loire draine un long cortège de vignobles, dont elle est en vérité le seul trait d'union mais qu'elle imprègne de sa nonchalante influence, ne serait-ce que comme gigantesque régulateur climatique.

Joseph Delphin
La Châtaigneraie / Sucé-sur-Erdre (Loire-Atlantique)

Installé à Sucé-sur-Erdre, au manoir de la Châtaigneraie, depuis le 9 novembre 1988, Joseph Delphin a délaissé les bords de la Loire pour les rives de l'Erdre. En bordure de Loire, à Ste-Luce, c'est sa fille Jocelyne et son gendre Albert Guilhem qui ont pris sa suite. Leur cuisine, sans cesser d'être de qualité, a évolué et le Beauséjour, dont les prix ont connu une adaptation aux circonstances, pratique une cuisine de marché et travaille beaucoup avec la clientèle des zones industrielles voisines.

La Châtaigneraie a continué dans la tradition de haute qualité du Beauséjour en demeurant axée essentiellement sur la cuisine à base de produits de la mer. L'établissement est installé dans un ancien manoir daté de 1872, en tuffeau, plutôt original, voire même baroque, et qui a dû subir trois mois de réfection, travaux délicats dans un site classé. Le bâtiment réaménagé par un architecte nantais M. Yves Le Roux, ses fondations refaites, peut accueillir 50 couverts dans un cadre exceptionnel, avec le charme des bords de Loire, et un parc de 2 ha, le tout situé à 15 km de Nantes.

Joseph Delphin est assisté par son fils Jean-Louis, 22 ans, ancien apprenti pâtissier à Carquefou et qui a préparé son CAP cuisine chez Robuchon, après avoir été "stagiaire" chez Troisgros, Bocuse et Chapel. Ici, on fait le pain deux fois par jour.

Quelques fleurons de la cuisine de la Châtaigneraie : biscuit de langoustine à la crème de ciboulette, salade armoricaine de homard à la moutarde aux trois herbes, salade de pousses d'épinard aux foies gras chauds aux airelles, coquelet en salade à la crème, salade de lotte au curcuma, aux lardons et poivrons, ragoût de saumon frais au vin doux de Loire ; sandre au beurre blanc, filet de sole au safran, grenouilles fraîches du pays, lotte aux aromates, estouffade de turbot au muscadet et aussi la volaille de Bresse, le filet de pigeon, le ris de veau truffé, le magret de canard au gratin dauphinois, etc.

La cave ? A La Châtaigneraie mais aussi à Beauséjour, elle est climatisée : 90 % d'humidité, une température de 14°. Là, reposent, en attendant l'amateur, 220 variétés de vins des plus grandes régions vinicoles de France... et quinze variétés de Champagne. A noter l'utilisation d'un Muscadet original et assez peu connu : le Muscadet boisé.

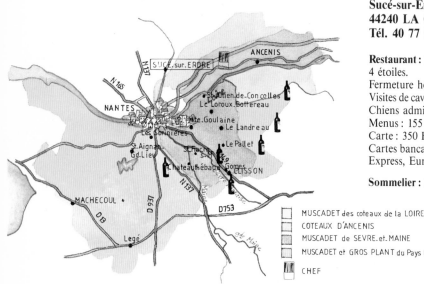

156, route de Carquefou
Sucé-sur-Erdre
44240 LA CHAPELLE-SUR-ERDRE
Tél. 40 77 90 95

Restaurant : La Châtaigneraie.
4 étoiles.
Fermeture hebdomadaire : mardi.
Visites de caves organisées. Parking-Garage. Jardin. Parc.
Chiens admis.
Menus : 155 F à 300 F.
Carte : 350 F.
Cartes bancaires : Diners Club, Carte Bleue, American Express, Eurocard.

Sommelier : M. Loïc CHOTAR.

MUSCADET des coteaux de la LOIRE
COTEAUX D'ANCENIS
MUSCADET de SEVRE.et.MAINE
MUSCADET et GROS PLANT du Pays Nantais
CHEF
VIGNERONS

Guy Bossard
La Bretonnière
44430 Le Landreau
Tél. 40 06 40 91

Appellation : **GROS-PLANT DU PAYS NANTAIS**
Nom : **GROS-PLANT**
Couleur et Millésime : **Blanc 88 - Sec**
Producteur : **M. Guy Bossard**
Terroir : **côteaux argilo-siliceux**
Cépages : **Folle Blanche**
Rendement : **60 hl/hectare**
Mode de culture : **biologique sous contrôle depuis 1975**
Vendange et vinification : **manuelle 100%, fermentation thermorégulée**
Elevage : **cuves inox, foudres de chêne**
Caractère : **fraîcheur, finesse, élégance, arômes de fleurs blanches**
Evolution : **bonne garde pour la région, jusqu'à 5 ans**
Observations : **autres produits : Muscadet de Sèvre et Maine "Sur Lie"**

**Barre Frères
"Beau-Soleil"**
Gorges
44190 Clisson
Tél. 40 06 90 70

Appellation : **MUSCADET DE SEVRE-ET-MAINE SUR LIE**
Couleur et millésime : **Blanc 88**
Producteur : **Domaine A. Barre, Communes de Gorges et Le Pallet**
Terroir : **terrains anciens, principalement schiste, sable, argile. Peu profonds reposant généralement sur roches éruptives (gabro)**
Cépages : **Melon de Bourgogne, appelé ici Muscadet** / Rendement : **55 hl/hectare**
Vendange et vinification : **mécanique, contrôle des températures, pas de dégradation malolactique, mise en bouteilles sur lie** / Elevage : **fûts : 60% - cuves : 40%**
Caractère : **couleur or très pâle, mêlée de reflets vert tendre brillants. Bouquet fin et délicat à dominance florale et touches de pomme, citron, fruits exotiques. Frais et raffiné. Idéal pour les huîtres, fruits de mer, crustacés, poissons de Loire, les poissons de l'Océan**
Evolution : **consommation à partir de Pâques suivant la récolte. Peu d'aptitude au vieillissement au-delà de 2 ans, sauf années exceptionnelles**
Observations : **autres propriétés proposées : Muscadet de Sèvre-et-Maine A.C. Sur lie : Château de La Bretesche, Maison s/Sèvre, Château de l'Epinay, St-Fiacre**

Jean Douillard
Viticulteur
"La Fruitière"
44690
Château-Thébaud
Tél. 40 06 53 05

Appellation : **MUSCADET SEVRE-ET-MAINE SUR LIE**
Nom : **PREMIÈRE (CUVÉE JEAN DOUILLARD)**
Couleur et millésime : **Blanc 87**
Producteur : **M. Jean Douillard, La Fruitière, 44690 Château-Thébaud**
Terroir : **sur les Côteaux de la Maine au sol caillouteux**
Cépages : **Melon de Bourgogne**
Rendement : **50 hl/hectare**
Vendange et vinification : **vendanges : à raisins ronds. Vinification : sélection des 1ʳˢ jus au pressoir, fermentation à jus clair après débourbage sévère. Contrôle des températures de fermentation**
Caractère : **nez fin, frais, distingué : bonne intensité aromatique (acacia, pamplemousse, citronnelle, fleurs des champs)**
Evolution : **tendre, délicat, alliant la finesse et le gras**
Observations : **cuvée sélectionnée par dégustation par 5 professionnels de la restauration et des vins. Cuvée limitée à 22 500 bouteilles numérotées**

Chéreau-Carré
Chasseloir
44690 St-Fiacre-
sur-Maine
Tél. 40 54 81 15

Appellation : **MUSCADET DE SÈVRE-ET-MAINE SUR LIE**
Nom : **CHATEAU DE CHASSELOIR, GRANDE RÉSERVE COMTE LELOUP, CUVÉE DES CEPS CENTENAIRES**
Couleur et millésime : **Or pâle avec de légers reflets verts. Millésimes disponibles : 1976, 1982, 1985, 1987, 1988**
Producteur : **Mme Edmonde Chéreau**
Terroir : **terrains métamorphiques, côteaux rocailleux**
Cépages : **un seul cépage, le Melon de Bourgogne (ou Muscadet)** / Rendement : **30 hl/hectare**
Vendange et vinification : **vendanges manuelles. Vinification sur lie : débourbage statique au froid d'une nuit. Fermentation à température moyennement basse (18-20°)**
Elevage : **en cuves ou en fûts**
Caractère : **vin plein de finesse et d'élégance, doté de beaucoup de charme. Nez très floral, et rondeur en bouche. Cuvée de grande distinction**
Evolution : **sa constitution lui assure une très belle évolution en bouteille**
Observations : **la cuvée est issue de vignes centenaires**

**Marcel Sautejeau
Domaine de
l'Hyvernière**
44330 Le Pallet
Tél. 40 06 73 83

Appellation : **MUSCADET DE SÈVRE-ET-MAINE SUR LIE**
Nom : **CLOS DES ORFEUILLES**
Couleur et millésime : **Blanc, millésime 88**
Producteur : **Mme Marcel Sautejeau**
Terroir : **côteaux**
Cépages : **Melon de Bourgogne**
Rendement : **environ 50 hl/hectare**
Mode de culture : **traditionnel**
Vendange et vinification : **vendange : mécanique. Vinification : débourbage + contrôle de température**
Elevage : **traditionnel et mise en bouteilles au printemps sur lie**
Caractère : **fraîcheur, jeunesse**
Evolution : **millésime 1988, qualité excellente, ces vins pourront vieillir pendant plusieurs années**

Domaine de la Sénéchalière

44450 Saint-Julien-de-Concelles

Tél. 40 03 72 98

Appellation : **MUSCADET "SÈVRE-ET-MAINE" SUR LIE**
Nom : **DOMAINE DE LA SÉNÉCHALIÈRE**
Couleur et millésime : **Blanc 88**
Producteur : **M. Marc Pesnot**
Terroir : **léger, caillouteux, "schisteux"**
Cépages : **Melon de Bourgogne**
Rendement : **55 hl/hectare**
Mode de culture : **traditionnel**
Vendange et vinification : **manuelle, contrôle température, sans levure**
Elevage : **cuves verrées**
Caractère : **sec, sans verdeur, un bouquet terroité et plein**
Evolution : **1 à 3 ans**
Observations : **Gros-plan, Abouriou, dégustation sur rendez-vous**

SARL de Ladoucette

125, avenue des Champs Elysées 75008 Paris

Tél. : (16-1) 46 22 33 42

Appellation : **POUILLY FUMÉ A.O.C.**
Nom : **DE LADOUCETTE**
Couleur et millésime : **Blanc**
Producteur : **SARL de Ladoucette - Château du Nozet**
Terroir : **argilo-calcaire (Marnes du Kimmeridgien sur calcaire coquille)**
Cépages : **Sauvignon Blanc**
Rendement : **55 hl/hectare**
Vendange et vinification : **50% mécanisée, 50% manuelle, traitement du raisin uniquement par gravité, triage vendange au pressoir, séparation jus de goutte et jus de presses, débourbage à froid 48 h, fermentation basse 16°/21 jours**
Elevage : **contact sur lies de fermentation 6 à 8 mois, assemblage en mai et juin avec vin du domaine et A.O.C. Pouilly**
Caractère : **Vin jeune : (6 à 18 mois) : arômes floraux intenses et persistants, bouche fraîche, agréable. Vin fait : (18 mois et plus) : bouquet riche à lente évolution, bouche pleine et ferme, 1 grand millésime se conserve 10 ans**

Autres bonnes adresses

Sauvion Sté, 44 Vallet. **Metaireau G.**, 44 Aigrefeuille. **Domaine l'Hyvernière (J. Beauquin)**, 44 La Chapelle-Heulin. **Huchon A.**, 44 Le Landreau. **Guilbaud Fres**, 44 Mouzillon. **Marquis de Goulaine**, 44 Haute-Goulaine.

Le vin au fil des saisons...

NOVEMBRE. Les brumes automnales sont définitivement installées et l'hiver commence à poindre son nez froid.
A partir du 15 de ce mois, date fatidique s'il en est, difficile de ne pas sacrifier au rite bien ancré du Beaujolais nouveau, ou de ses émules récents : Côtes du Rhône, Gaillac ou gamay de Touraine en "primeur".
Mais, par pitié, triez et tentez d'éviter — si c'est encore possible — ces primeurs dans lesquels surchaptalisation et sulfitage à la massue ont exercé irrémédiablement leurs ravages. En marge de cette institution nationale, mais aussi largement internationale (on frête aujourd'hui des charters spéciaux, bourrés du petit Beaujolais de l'année, à destination de New York ou de San Francisco), prospectez parmi d'autres rouges, plus discrets mais qui tiennent au corps : bons vins de Bergerac (notamment le *Pécharmant*) et du Roussillon (*Collioure* bien sûr, mais aussi *Côtes du Roussillon-Villages,* moins chers et souvent de qualité). En blanc, pour escorter choucroutes et autres cochonnailles chaudes de saison, entrez dans la danse des trois "grands" d'Alsace *(Tokay, Riesling et Gewurztraminer).*

DÉCEMBRE. Mois de la fête, où tout se conjugue au superlatif, il est l'apothéose de l'année dans nos verres. Après une éventuelle diète préparatoire, faites donner les grandes orgues vineuses ! Si vous en avez les moyens, immolez les plus beaux fleurons de nos terroirs à vins.
En Bordeaux : fine fleur des grands châteaux dans les appellations communales médocaines *(Margaux, Pauillac, Saint-Estèphe, Saint-Julien)* ; crus prestigieux de Saint-Emilion, de Pomerol ou des Graves ; ineffables et somptueux *Sauternes* et *Barsac.* Mais de belles alternatives existent, à moindre coût, dans les rangs serrés des "bourgeois" du Haut-Médoc, ou dans les autres appellations liquoreuses du Bordelais — déjà citées.
En Bourgogne : grands crus rouges de la Côte de Nuits *(Bonnes-Mares, Chambertin, Richebourg, Musigny...)* et leurs homologues de la Côte de Beaune, en rouge *(Corton)* comme en blanc *(Charlemagne, Montrachet...).* Là encore, le choix est immense, et à prix (relativement) plus modéré, parmi les "premiers crus" des deux Côtes. Toujours dans la série des "grands", vous pouvez également sacrifier à quelques Côtes du Rhône de haute volée, dans le genre *Hermitage* ou vieux *Châteauneuf,* ou — plus original encore — à des vins blancs aussi rares qu'inestimables : les fastueux Anjou *(Coulée-de-Serrant, Quarts-de-Chaumes),* les Alsaces de "vendanges tardives", tout aussi divins sur le foie gras que le Sauternes.
En apéritif, bien sûr, vous pratiquerez le mythologique *Champagne* dans ses innombrables déclinaisons, au sommet desquelles se situent les belles et dispendieuses "cuvées spéciales" des grandes maisons de Reims ou d'Epernay.
Un dernier mot au sujet de toutes ces nobles bouteilles, qui sont un peu la quintessence du génie de la vigne : elles constituent un tel capital de plaisir que les recommander seulement en fin d'année est commettre une sorte de crime de lèse-majesté.

Petits vins ligériens

Classés V.D.Q.S., ils escortent modestement les gloires de la vallée de la Loire mais, pour beaucoup, possèdent une typicité pleine de charme. Suivons-les d'amont en aval du grand fleuve.

Aux portes de Gien renaît lentement le méconnu vignoble des *Coteaux du Giennois :* ses vins de gamay et de sauvignon, quoique simples, sont francs et agréablement fruités. Plus bas, en pays berrichon, subsiste le petit vignoble de *Châteaumeillant,* qui conserve une discrète notoriété grâce à son vin gris, fait en majorité de gamay. En aval d'Orléans, on découvre, dispersées parmi les cultures maraîchères, les vignes qui produisent le *Vin de l'Orléanais,* dont les rouges furent extrêmement réputés au XVIIe siècle. Aujourd'hui, la vedette revient au gris meunier, un vin rose pâle issu du pinot meunier, vif et léger, à boire en primeur.

En bordure de Sologne, non loin de Chambord, se récolte sur des sols argilo-sablonneux, le *Cheverny.* Les vins blancs, lorsqu'ils proviennent du cépage romorantin, sont particulièrement plaisants : alertes et parfumés, ils mériteraient sans doute un meilleur classement. Un peu plus au sud, dans l'Indre, lui répond le *Valençay,* autre vin anobli par un nom de château : là aussi les blancs, dans lesquels entre le menu pineau, ont un style fort agréable. En sautant sur l'autre rive et en remontant jusqu'à la vallée du Loir, on rencontre, entre Vendôme et Montoire, les *Coteaux du Vendômois :* les vins sont ici légers, frais et peu maniérés, avec une mention pour les gris, à base de pineau d'Aunis.

Sur la rive gauche, au sud de Saumur, vivote tranquillement le vignoble oublié de Thouars (Deux-Sèvres). Les *Vins du Thouarsais,* dont la production est infime, ont une allure rustique et sont pleins de franchise ; comme dans le Saumurois voisin, les blancs proviennent du chenin, et les rouges des deux cabernets. Au nord-ouest de Poitiers, le vignoble du *Haut-Poitou* connaît actuellement un net regain grâce à la dynamique coopérative de Neuville-de-Poitou. Celle-ci produit des vins rouges friands et fringants (de gamay et de cabernet) et des vins blancs très typés de leur cépage (sauvignon et chardonnay).

Passé l'Anjou, on croise encore, aux confins du pays nantais, le vignoble des *Coteaux d'Ancenis,* dont l'aire d'appellation chevauche celle du Muscadet. La région fournit surtout un rouge de gamay, fruité et assez mordant (le ''beaujolais breton''). Le *Gros-Plant,* rustique petit frère du Muscadet, et les *Fiefs vendéens,* vins rouges et blancs frais et fruités (gamay, chenin), complètent cette gentille cohorte des petits vins de Loire, qu'il faut aller découvrir sur place, et verre en main.

Paul et Martine Le Quéré
Le Quéré / Angers (Maine et Loire)

*P*aul et *Martine Le Quéré* seront en pleine mutation lorsque ce guide sortira des presses : en effet, ils quittent leur établissement réputé, de la place du Ralliement à Angers, pour le boulevard Mal Foch (N° 3) dans la même ville.

Ancien élève de l'Ecole Hôtelière de Tours (et de Robuchon chez Jamain à Paris), lauréat de plusieurs prix culinaires prestigieux — Taittinger, Prosper-Montagné, La Reynière — Paul Le Quéré, Clé d'Or de la Gastronomie Française, a 3 toques au Gault et Millau, 2 étoiles au Bottin Gourmand, 3 points à la Bible des Restaurants de France, etc. Son épouse Martine est reconnue comme l'une des meilleures "sommelières" de la région et citée (entre autres) dans le Bottin Gourmand.

Paul Le Quéré, comme nombre de chefs que nous avons rencontrés, privilégie les crus de sa région : le rouge d'Anjou de Brissac, le Champigny (près de Saumur), le Bourgueil, le Chinon, le St-Nicolas-de-Bourgueil, le Savennières, les Côteaux-de-l'Aubance, les Côteaux de Layon, la Coulée de Serrant (vin presqu'aussi rare que le Château-Grillet dans les Côtes-du-Rhône).

L'établissement travaille surtout avec des produits de la mer : saumon de Loire au rouge de Brissac, rougets de roche à la crème au vin de Savennières, queues de langoustines ou homard au Cabernet, sandre au vin de Chinon, mais aussi des sautés de bœuf au Chinon, des gigues d'agneau aux champignons et au Saumur, etc.

Même le dessert fait appel au vin : pommes tapées trempées 24 h dans le Champigny et cuites très lentement : deux à trois heures ! Mais la cave de Paul Le Quéré compte néanmoins tous les Grands crus de France et d'ailleurs : 12 000 bouteilles environ ! Dont un Côteaux-de-Layon de 1882 qui, paraît-il, a très bien supporté d'avoir traversé un siècle !

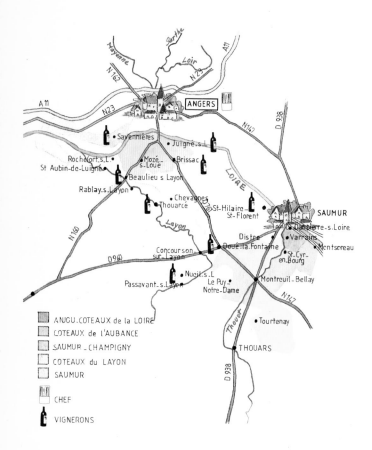

9, place du Ralliement
49100 ANGERS
Tél. 41 87 64 94

Hôtel-Restaurant : Le Quéré.
3 étoiles NN. Chambres : 350 F à 650 F.
Fermeture hebdomadaire : vendredi soir + samedi.
Visites de caves organisées.
Télévision, mini-bar, téléphone dans les chambres.
Ascenseur. Parking-Garage.
Jardin. Parc.
Chiens admis.
A compter du printemps 1990, Hôtel-restaurant Le Quéré, bd Mal Foch, ANGERS.
Menus : 150 F à 300 F.
Carte : 350 F.
Cartes bancaires : Diners Club, Carte Bleue, American Express, Eurocard.

ignobles Touchais
A.R.L.
5, av. Gal-Leclerc
9700
oué-La-Fontaine
él. 41 59 14 06

Appellation : **COTEAUX-DU-LAYON**
Nom : **MOULIN TOUCHAIS**
Couleur et millésime : **Blanc 69**
Producteur : **Vignobles Touchais**
Terroir : **argile carbonifère**
Cépages : **Chenin**
Rendement : **30 hl/hectare**
Mode de culture : **traditionnel**
Vendange et vinification : **manuelle, thermorégulation**
Elevage : **en cuves, mise en bouteilles tôt dans l'année, vieillissement en caves**
Caractère : **d'un jaune vert, or brillant aux arômes de miel, pêche et abricot**
Evolution : **30 ans et plus**
Observations : **dégustation et visite des importantes caves de vieillissement sur rendez-vous. Tél. 41 59 14 06. Nombreux autres millésimes à découvrir (plus jeunes et plus vieux)**

Daviau Frères
Domaine
le Bablut
9320
Brissac-Quince
él. 41 91 22 59

Appellation : **CABERNET ANJOU**
Nom : **DOMAINE DE BABLUT**
Couleur et millésime : **Cabernet Anjou Rosé 59**
Producteur : **MM. Daviau**
Terroir : **schistes**
Cépages : **Cabernet franc** / Rendement : **35 hl/hectare**
Vendange et vinification : **manuelle et traditionnelle**
Elevage : **cuves et fûts**
Caractère : **ce vin évoluera tranquillement pour devenir merveilleux et somptueux. Robe orangée, dorée et ombrée. Nez très puissant de fruits secs, d'abricots, de miel et de noix. Grande richesse, finesse, rondeur, harmonie et esprit**
Evolution : **On le dit : "Une pièce rare"**
Observations : **Coteaux de l'Aubance ; Anjou sec chenin, macération pelliculaire ; Anjou villages Château de Brissac ; vieux millésimes**

Jacques Boivin
iticulteur
Château de Fesles
9380 Thouarcé
él. 41 54 14 32

Appellation : **BONNEZEAUX (Blanc liquoreux)**
Nom : **CHATEAU DE FESLES**
Couleur et millésime : **Blanc 87**
Producteur : **M. Jacques Boivin**
Terroir : **côteaux de schiste, exposé plein Sud**
Cépages : **chenin** / Rendement : **25 hl/hectare**
Vendange et vinification : **manuelle par tris successifs en surmaturité**
Elevage : **fermentation lente en cuves et en fûts**
Caractère : **un vin charpenté, long en bouche, élégant et riche. Il se boit seul en apéritif ou sur un foie gras**
Evolution : **longévité exceptionnelle 30 ans et plus**
Observations : **autres vins : Anjou rouge, cépage Cabernet "Vieilles Vignes" ; Anjou blanc sec de Chenin ; Rosé de Loire sec. Dégustation sur rendez-vous. Tarif sur demande**

S.C.E.
Château du Breuil
Le Breuil
9750
Beaulieu/s-/Layon
él. 41 78 32 54 &
41 78 31 87

Appellation : **COTEAUX DU LAYON (Village Beaulieu)**
Nom : **CHATEAU DU BREUIL**
Couleur et millésime : **Blanc 88**
Producteur : **M. Marc MORGAT**
Terroir : **argiles et schistes**
Cépages : **Chenin blanc** / Rendement : **25-30 hl/hectare**
Vendange et vinification : **manuelle par tris successifs. Thermo-régulation**
Elevage : **en cuves, vieillissement en bouteilles**
Caractère : **très fruité, puissant. Queue de paon en fin de bouche**
Evolution : **15 à 20 ans**
Observations : **ouverture de la cave tous les jours sauf dimanche. Dégustation sur rendez-vous. Autres vins : Côteaux du Layon, millésimés depuis 1959. Anjou rouge (médaille d'or 88 - Paris), Anjou villages, Anjou Gamay rosé, sec et demi-sec. Blancs secs : Chardonnay, Sauvignon, Gris-Fumé**

G.A.E.C. reconnu
Lebreton V.
Domaine
le Mont Gilet
9130
uigné/s-/Loire
él. 41 91 90 48

Appellation : **ANJOU VILLAGES**
Nom : **DOMAINE DE MONT GILET**
Couleur et millésime : **Rouge 87**
Producteur : **GAEC LEBRETON V.**
Terroir : **argilo-schisteux à schiste pur**
Cépages : **Cabernet Franc et Cabernet Sauvignon** / Rendement : **55 hl/hectare**
Vendange et vinification : **manuelle, vinification traditionnelle**
Elevage : **en cuves**
Caractère : **vin d'œnologie lente caractérisé par les fruits rouges au nez, avec une bonne structure veloutée**
Evolution : **vin de moyenne garde 6-8 ans**
Observations : **Nous produisons des vins blancs et rosés secs : Anjou Blanc et Rosé de Loire, ainsi que du vin blanc liquoreux : Côteaux de l'Aubance. Dégustation tous les jours.**

**Château
de Passavant S.A.**

Passavant-sur-Layon
49560
Nueil/s-/Layon
Tél. 41 59 53 96

Appellation : **CRÉMANT-DE-LOIRE**
Nom : **LES MOULINS DE VENT**
Couleur et millésime : **Blanc de blanc 85**
Producteur : **M. Jean David, Château de Passavant**
Terroir : **schiste**
Cépages : **Chenin - Chardonnay**
Rendement : **50 hl/hectare**
Mode de culture : **désherbage et enherbement**
Vendange et vinification : **manuelle, méthode champenoise**
Elevage : **dans les caves au Château de Passavant**
Caractère : **brut**
Observations : Anjou rouge, Anjou villages, Blanc Anjou sec, Côteaux Layon, Rosé de Loire (sec)

**Bouvet Ladubay
S.A.**

Rue de l'Abbaye
49400 St-Hilaire-
St-Florent
Tél. 41 50 11 12

Appellation : **SAUMUR**
Nom : **BOUVET LADUBAY "TRÉSOR" BRUT**
Couleur et millésime : **Blanc**
Producteur : **Bouvet Ladubay**
Terroir : **argilo-calcaire**
Cépages : **Chenin et Chardonnay** / Rendement : **40 à 60 hl/hectare**
Vendange et vinification : **manuelle, vinification en fûts de chêne neufs**
Elevage : **1 an en fûts de chêne neufs, puis vinification champenoise traditionnelle en bouteilles 3 ans**
Caractère : **très élégant, grande finesse, bulles extrêmement fines. Equilibré et charpenté sans excès, vineux avec les arômes délicats**
Evolution : **entre 2 et 4 ans**
Observations : **cuvée exceptionnelle, production très limitée.** Autres Crus : **Bouvet Saphir brut vintage 86, Bouvet Brut, Bouvet Rosé, Bouvet Rubis.**

**S.C.E.V.
P. et Y. Soulez**

Château
de Chamboureau
49170 Savennières
Tél. 41 77 20 04

Appellation : **SAVENNIÈRES**
Nom : **CLOS DU PAPILLON**
Couleur et millésime : **Blanc 86**
Producteur : **S.C.E.V. Pierre et Yves Soulez**
Terroir : **schistes bruns évolués**
Cépages : **Chenin 100 %** / Rendement : **25 hl/hectare**
Mode de culture : **traditionnel**
Vendange et vinification : **manuelle par tris. Contrôle de température. Présence de sucres résiduels 13 g/litre**
Elevage : **en cuves, mise en bouteilles au printemps**
Caractère : **très charnu, avec beaucoup de gras**
Evolution : **grande garde 10 à 15 ans**
Observations : autres productions de la propriété : Savennières : Château de Chamboureau, Domaine de la Bizolière. Savennières, Roche aux Moines, Grand Cru.

Autres bonnes adresses

Mme Bizard (Château d'Epire), 49 Savennières. **M. Joly,** 49 Savennières. **Jolly Frères,** 49 Murs Erigne. **Tijou Pierre Yves** 49 Beaulieu-sur-Layon. **Lalane Jacques,** 49 Rochefort. **Renou René,** 49 Thouarce. **Delhumeau Frères,** 49 Martigne-Briand

Les millésimes

	Bordeaux	Bourgogne	Champagne	Loire	Rhône	Alsace
1949	♡ ♡ ♡ ♡	♡ ♡ ♡ ♡	♡ ♡ ♡	♡ ♡ ♡	♡ ♡ ♡	♡ ♡ ♡ ♡
1950	♡ ♡	♡	♡ ♡ ♡	♡ ♡	♡ ♡	♡ ♡
1951	♡	♡	♡	♡	♡	♡
1952	♡ ♡ ♡	♡ ♡ ♡	♡ ♡ ♡	♡ ♡	♡ ♡ ♡	♡ ♡
1953	♡ ♡ ♡ ♡	♡ ♡ ♡	♡ ♡ ♡	♡ ♡ ♡	♡ ♡	♡ ♡ ♡
1954	♡	♡ ♡	♡ ♡	♡	♡ ♡	♡
1955	♡ ♡ ♡	♡ ♡	♡ ♡ ♡ ♡	♡ ♡ ♡	♡ ♡	♡ ♡ ♡
1956	♡			♡	♡	♡
1957	♡	♡ ♡		♡ ♡	♡ ♡ ♡	♡ ♡
1958	♡	♡		♡	♡ ♡	♡
1959	♡ ♡ ♡ ♡	♡ ♡ ♡ ♡	♡ ♡ ♡	♡ ♡ ♡ ♡	♡ ♡	♡ ♡ ♡ ♡
1960	♡	♡	♡ ♡	♡	♡	♡
1961	♡ ♡ ♡ ♡	♡ ♡ ♡	♡ ♡ ♡	♡ ♡ ♡	♡ ♡ ♡	♡ ♡ ♡ ♡
1962	♡ ♡ ♡	♡ ♡ ♡	♡ ♡ ♡	♡ ♡	♡ ♡ ♡	♡ ♡
1963						
1964	♡ ♡ ♡	♡ ♡ ♡	♡ ♡ ♡	♡ ♡ ♡	♡ ♡	♡ ♡ ♡
1965				♡		
1966	♡ ♡ ♡	♡ ♡ ♡	♡ ♡ ♡	♡ ♡	♡ ♡	
1967	♡ ♡	♡ ♡		♡ ♡	♡ ♡	♡ ♡
1968						
1969	♡	♡ ♡ ♡ ♡	♡ ♡ ♡	♡ ♡	♡ ♡ ♡	♡ ♡ ♡
1970	♡ ♡ ♡	♡ ♡	♡ ♡ ♡	♡ ♡	♡ ♡	♡ ♡
1971	♡ ♡ ♡	♡ ♡ ♡	♡ ♡ ♡	♡ ♡ ♡	♡ ♡	♡ ♡ ♡
1972	♡	♡		♡	♡ ♡	♡
1973	♡ ♡	♡	♡ ♡ ♡	♡ ♡ ♡	♡ ♡	♡ ♡ ♡
1974	♡	♡	♡	♡	♡	♡ ♡
1975	♡ ♡ ♡		♡ ♡ ♡	♡ ♡	♡	♡ ♡
1976	♡ ♡	♡ ♡ ♡	♡ ♡	♡ ♡ ♡	♡ ♡ ♡	♡ ♡ ♡ ♡
1977	♡	♡	♡	♡	♡	♡
1978	♡ ♡ ♡	♡ ♡ ♡ ♡	♡ ♡ ♡	♡ ♡ ♡	♡ ♡ ♡ ♡	♡ ♡
1979	♡ ♡ ♡	♡ ♡	♡ ♡	♡ ♡	♡ ♡	♡ ♡ ♡
1980	♡ ♡	♡	♡ ♡	♡ ♡	♡ ♡	♡
1981	♡ ♡ ♡	♡ ♡	♡ ♡	♡ ♡	♡ ♡	♡ ♡ ♡
1982	♡ ♡ ♡	♡ ♡	♡ ♡ ♡	♡ ♡	♡ ♡	♡ ♡
1983	♡ ♡ ♡	♡ ♡	♡ ♡	♡	♡ ♡ ♡	♡ ♡ ♡ ♡
1984	♡ ♡	♡ ♡		♡		♡
1985	♡ ♡ ♡	♡ ♡ ♡ ♡	♡ ♡ ♡	♡ ♡ ♡	♡ ♡ ♡	♡ ♡ ♡ ♡
1986	♡ ♡ ♡	♡	♡	♡ ♡	♡	♡
1987	♡ ♡	♡	♡	♡ ♡	♡	♡ ♡

♡ année passable   ♡ ♡ bonne année   ♡ ♡ ♡ très bonne année   ♡ ♡ ♡ ♡ année exceptionnelle

Jean-Claude Rigollet
Le Plaisir Gourmand / Chinon (Indre-et-Loire)

Jean-Claude Rigollet aime tant le vin de Chinon où il s'est installé qu'il est devenu vigneron. Il a acheté une vigne d'un hectare et demi, le Clos de l'Echo, dont la production est réservée aux clients de son restaurant et... au vieillissement. Son activité de vigneron ne le fait cependant pas négliger le Plaisir Gourmand qu'il a créé il y a six ans dans une belle maison du XVIIIe siècle au pied des impressionnantes ruines du Château de Chinon. Une maison où l'élégance du cadre s'associe parfaitement à celle de la cuisine.

De cette cuisine Jean-Claude Rigollet aime peu parler : *"Il n'y a que deux sortes de cuisine,* dit-il, *la bonne et la mauvaise. J'espère faire la bonne."*

L'étoile qu'il a obtenue au Michelin début 1985, alors qu'il avait créé le Plaisir Gourmand en novembre 1983 seulement, devrait le rassurer comme les commentaires flatteurs de tous les guides et de ses clients.

Tout le monde s'accorde à reconnaître sa passion pour un métier, qu'il a appris et pratiqué dans de bonnes maisons, et son souci de faire plaisir à ses hôtes. Tout le monde apprécie sa cuisine "classique, évolutive", aux solides bases régionales que l'on retrouve dans le lapereau en gelée, l'émincé de saumon aux courgettes ou le cuissot de lapereau au sang à l'ancienne.

Jean-Claude Rigollet est plus bavard sur les vins et particulièrement sur ceux de Chinon dont il propose 45 sortes, de 1947 à 1988, s sa carte au large choix avec un bel accent sur la Touraine.

Cet amour du vin local n'est pas de circonstance, il est raisonné : *"Le Chinon,* dit-il, *est franc et évolue de remarquable manière. C peut le boire jeune et, en ce qui concerne les grandes années, le conserver jusqu'à quarante ans et plus. Jeune, il a un parfum de framboi et se marie fort bien au poisson. Cinq ans plus tard, il est devenu un autre personnage. En vieillissant, il prend des arômes de sous-bc pour devenir un parfait compagnon du gibier."*

Bien qu'il ne produise que du rouge, Jean-Claude Rigollet apprécie aussi le Chinon blanc, issu du cépage Chenin et qui peut vieillir longtemp

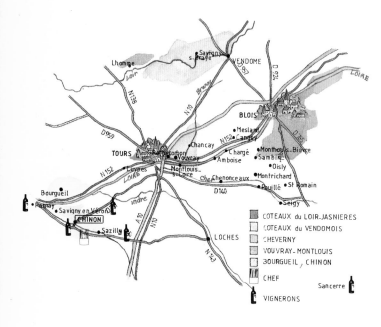

2, rue Parmentier
37500 CHINON
Tél. 47 93 20 48

Restaurant : Plaisir Gourmand.
Fermeture annuelle : 2e quinzaine de novembre et févrie
Fermeture hebdomadaire : dimanche soir et lundi.
Visites de caves organisées.
Chiens admis.
Menus : 150 F, 200 F, 280 F.
Carte : 250-300 F.
Cartes bancaires : Carte Bleue, Eurocard.

Autres bonnes adresses

M. J. Talluau, 37 St-Nicolas-de-Bourgueil. **M. P.J. Druet,** 37 Bourgueil. **Château de Ligre,** 37 Ligre. **M. Huet,** 37 Vouvray. **M**
D. Filliatreau, 49 Chaintres.

ouly Dutheil

2, rue Diderot

7500 Chinon

él. 47 93 05 84

Appellation : **CHINON**
Nom : **CLOS DE L'ECHO**
Couleur et millésime : **Rouge 87**
Producteur : **Couly Dutheil**
Terroir : **argilo-calcaire**
Cépages : **Cabernet franc**
Rendement : **45 hl/hectare**
Mode de culture : **traditionnel**
Vendange et vinification : **manuelle - traditionnelle**
Elevage : **cuves de chêne provenant des forêts régionales**
Caractère : **rond et ample, gingembre et tabac**
Evolution : **grande garde**
Observations : **autres belles bouteilles : en blanc Les Chanteaux, en rouge la Baronnie Madeleine et les Gravières.**

.C.E.A.

harles Joguet

iticulteur

7220 Sazilly

él. 47 58 55 53

Appellation : **CHINON A.O.C.**
Nom : **CUVÉE DES VARENNES DU GRAND CLOS**
Couleur et millésime : **Rouge 87**
Producteur : **S.C.E.A. Charles Joguet**
Terroir : **silico-calcaire**
Cépages : **Cabernet Franc**
Rendement : **45 hl/hectare**
Mode de culture : **traditionnel**
Vendange et vinification : **vendanges manuelles. Classique du Cabernet Franc en Val de Loire**
Elevage : **partiellement fûts de chêne**
Caractère : **semi garde - nuances végétales - arômes épicés vanillés - vif, étoffé, déjà harmonieux**
Evolution : **plénitude vers 3-4 ans, peut se garder 15 ans**

.A.R.L. Domaine

lga Raffault

oguinet

avigny-en-Véron

7420 Avoine

él. 47 58 42 16

Appellation : **CHINON**
Nom : **LES PICASSES LES PEUILLES - LA PAPELINIÈRE**
Couleur et millésime : **Rouge 88**
Producteur : **Domaine Olga Raffault**
Terroir : **argilo-calcaire et sable**
Cépages : **Cabernet Franc**
Rendement : **45 hl/hectare sur une période de 10 années**
Mode de culture : **traditionnel**
Vendange et vinification : **manuelle - traditionnelle**
Elevage : **cuves inox puis fûts de bois**
Caractère : **tannique souple**
Evolution : **très longue**
Observations : **ce vin particulièrement fruité est assuré d'une bonne garde.**

oseph

alland-Chapuis

.P. 24

ué

8300 Sancerre

él. 45 54 06 67

Appellation : **SANCERRE**
Nom : **CLOS LE CHÊNE MARCHAND**
Couleur et millésime : **Blanc 88**
Producteur : **M. Joseph Balland**
Terroir : **calcaire**
Cépages : **Sauvignon**
Rendement : **50 à 60 hl/hectare**
Vendange et vinification : **régulation de temperature**
Elevage : **inox et cuves émaillées**
Caractère : **sec et fruité avec arômes persistants en bouche**
Evolution : **1 à 5 ans**
Observations : **Joseph Balland, vigneron de père en fils depuis 1650, est situé sur le territoire de la commune de Bué. La devise buétonne : "Des Vins du Sancerrois, celui de Bué est Roi".**

douard

isani-Ferry

hâteau de Targé

9730 Parnay

él. 41 38 11 50

Appellation : **SAUMUR-CHAMPIGNY**
Nom : **CHATEAU DE TARGÉ**
Couleur et millésime : **Rouge**
Producteur : **M. Edouard Pisani-Ferry**
Terroir : **calcaire**
Cépages : **90% Cabernet Franc et 10% Cabernet Sauvignon**
Rendement : **50-60 hl/hectare**
Mode de culture : **traditionnel**
Vendange et vinification : **cuves inox thermorégulées**
Elevage : **partiellement en bois**
Caractère : **mauve, violette, nez de fraise, framboise ou petites mûres**
Evolution : **garde le charme de sa fraîcheur dans les 3-4 ans**
Observations : **vin de qualité exceptionnelle**

Bernard Robin
Le Relais / Bracieux (Loir-et-Cher)

*B*ernard Robin est Tourangeau ; autrement dit, à Bracieux, où selon Alexandre Dumas, vécut Porthos, il est chez lui. Son Relais, qui fut effectivement, dans le passé, un véritable relais de diligence, est mentionné dans tous les guides gastronomiques.

Ce jeune chef, installé dès l'âge de 29 ans depuis le 1er juillet 1975 à Bracieux, n'a pas fait la traditionnelle Ecole Hôtelière mais il a eu la chance d'apprendre son métier chez de bons maîtres et de bien profiter de leur enseignement.

Un don inné pour la cuisine fit le reste. Aujourd'hui, son Relais figure au Bottin Gourmand avec deux étoiles, au Michelin avec deux étoiles (l'une obtenue en 1979, l'autre, en 1982) au Gault et Millau avec trois toques ainsi qu'au Champérard. Sur sa carte on trouve, selon la saison, du brochet au Vouvray ou au Cheverny, le gibier apprêté au Chinon, le filet de carpe d'étang de Sologne à la Chambord au Romorantin blanc, la sole à la nage au Vouvray, etc.

Parmi les autres spécialités non vinées de la maison, celles que relèvent tous les guides, citons la gelée de lapereau aux herbes potagères et au foie gras, l'effeuillée de saumon frais au beurre de céleri branche, les filets de pigeonneau rôtis, l'émincé de bœuf à l'huile de noix, la blanquette de lotte aux huîtres, le levreau au vinaigre de framboise, la fricassée de gigot aux petits légumes, etc. Et une nouveauté de riche saveur : la queue de bœuf au hach parmentier et aux truffes fraîches !

Sa cave est bien entendu occupée en grande partie par les productions du terroir : vins de Loire, pas uniquement, mais en écrasante maj rité. Environ 30 000 bouteilles parmi lesquelles prédominent les Chinon, Cheverny, Vouvray, Layon, Muscadet, Pouilly, Saumur, Bou geuil, Montlouis, Sancerre... les meilleurs crus et les plus âgés s'adressant aux préparations culinaires les plus élaborées, les moins connu et les plus jeunes étant destinés à accompagner les plats un peu plus simples.

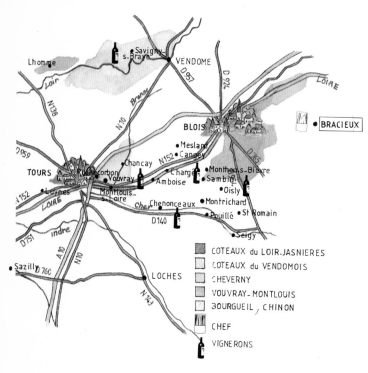

1, avenue de Chambord
41250 BRACIEUX
Tél. 54 46 41 22

Restaurant : Le Relais.
4 étoiles.
Fermeture annuelle : du 20 décembre à fin janvier.
Fermeture hebdomadaire : mardi soir et mercredi tout la journée.
Visites de caves organisées. Parking. Jardin.
Chiens admis.
Menus : 175 F, 250 F, 350 F.
Carte : 400 F.
Cartes bancaires : Carte Bleue, American express, Eurocard.

Sommelier : Mme ROBIN.

COTEAUX du LOIR-JASNIERES
COTEAUX du VENDOMOIS
CHEVERNY
VOUVRAY-MONTLOUIS
BOURGUEIL / CHINON
CHEF
VIGNERONS

Autres bonnes adresses

M. J.M. Courtioux, 41 Les Montils. **M. Ch. Tessier,** 41 Contres. **M. F. Huguet,** 41 St-Claude-de-Diray. **M. J. Preys,** 41 Meusne/Selles-s. Cher. **M. H. Sinson,** 41 Meusne/Selles-s.-Cher. **M. R. Montigny,** 45 Mareau-au-Prés. **M. H. Marionnet,** 41 Soings-en-Sologne. **M. Paulat,** 58 Saint-Père. **M. J. Gigou,** 72 La Chatre-s.-le-Loir. **M. R. Denis,** 37 Azay-le-Rideau. **M. D. Moyer,** 37 Husseau. **M. B. Courson** 37 Vouvray. **M. C. Pinon,** 37 Vernou-s.-Brenne. **M. D. Martin,** 36 Reuilly. **M. J.P. Gilbert,** 18 Mennetou-Salon. **M. Crochet L.,** 18 Bue/Sancerre. **M. Bailly Reverdy et Fils,** 18 Bue/Sancerre. **M. Reddem,** 58 Pouilly-s.-Loire. **M. J.C. Dagueneau,** 58 Pouilly-s.-Loire. **M. G Chesneau,** 41 Sambin. **M. Berger et Fils,** 37 St-Martin-le-Beau. **M. Courtemanche,** 37 St-Martin-le-Beau. **M. Poniatowski,** 37 Vouvray. **M. C. Lafond,** 36 Reuilly. **MM. G. et J.L. Petillat,** 03 St-Pourçain-s.-Sioule. **M. Lanoix,** 18 Beaumerle/Châteaumeillant

G.A.E.C.
reconnu
de La Roche
''La Roche''
41120 Sambin
Tél. 54 20 28 26

Appellation : **CHEVERNY**
Nom : **CUVÉE DE LA GARDE**
Couleur et millésime : **Rouge 88**
Producteur : **Maison Père & Fils G.A.E.C. de La Roche**
Terroir : **silico-argileux**
Cépages : **Pinot noir, Gamay, Cot**
Rendement : **50 hl/hectare**
Mode de culture : **sol travaillé**
Vendange et vinification : **mécanique, macération courte avec maîtrise des températures, stabilisation par le froid**
Caractère : **fraîcheur des arômes**
Evolution : **à boire de 1 à 5 ans**
Observations : **autres vins : Cheverny Sauvignon (blanc), Cheverny Pinot Noir (rouge). Dégustation à la cave.**

G.A.E.C. Minier
Les Monts
41360 Lunay
Tél. 54 72 02 36

Appellation : **COTEAUX DU VENDOMOIS**
Nom : **COTEAUX DU VENDOMOIS**
Couleur et millésime : **rose pâle 88**
Producteur : **G.A.E.C. Minier**
Terroir : **argilo-calcaire et très caillouteux**
Cépages : **Pineau d'Aunis**
Rendement : **55-60 hl/hectare**
Mode de culture : **traditionnel**
Vendange et vinification : **mécanique et artisanale**
Elevage : **cuves et fûts**
Caractère : **goût fruité et légèrement poivré, très long en bouche**
Evolution : **boire jeune dans les 15 jours**

Château
de Chenonceau
37150
Chenonceaux
Tél. 47 23 90 07

Appellation : **TOURAINE**
Nom : **CHATEAU DE CHENONCEAU**
Couleur et millésime : **Rouge 88**
Terroir : **argilo-siliceux**
Cépages : **Cabernet**
Rendement : **50 hl/hectare**
Mode de culture : **vigne palissée sur fil de fer**
Vendange et vinification : **manuelle**
Elevage : **fûts de chêne neufs**
Caractère : **fin, floral, équilibré**
Evolution : **bonne garde**
Observations : **cuves à pigeage**

Jean-Marie Penet
Domaine
de la Presle
41700 Oisly
Tél. 54 79 52 65

Appellation : **TOURAINE**
Nom : **SAUVIGNON DOMAINE DE LA PRESLE**
Couleur et millésime : **Blanc 88**
Producteur : **M. Jean-Marie Penet**
Terroir : **sol argilo-siliceux**
Cépages : **Sauvignon**
Rendement : **60 hl/hectare**
Vendange et vinification : **mécanique, contrôle des températures**
Elevage : **cuves inox**
Caractère : **vin fruité et aromatique**
Evolution : **vin à boire dans les 5 ans, car c'est sa fraîcheur qui en fait une de ses qualités**
Observations : **autres vins : Gamay Rouge, Cabernet rouge, Pineau d'Aunis rosé, Crémant de Loire. Dégustation à la cave. Ouvert tous les jours, sauf dimanche.**

Ph. Foreau
Viticulteur
Le Clos Naudin
37218 Vouvray
Tél. 47 52 71 86

Appellation : **VOUVRAY**
Nom : **DOMAINE DU CLOS NAUDIN**
Couleur et millésime : **Blanc 86**
Producteur : **M. Philippe Foreau**
Terroir : **sol argilo-siliceux**
Cépages : **Chenin** / Rendement : **33 hl/hectare**
Vendange et vinification : **vendanges manuelles par tris. Fermentation en fûts de chêne de 300 l**
Elevage : **soutirages classiques, collage et mise en bouteilles vers le 15 avril**
Caractère : **robe jaune paille. Arômes nets de pomme et de mangue avec des notes de miel. Très belle attaque en bouche avec du fruit. Equilibré avec un très beau final**
Evolution : **peut se boire actuellement sur son fruit. Grand potentiel de vieillissement (10 ans)**
Observations : **autres vins : demi-sec et moelleux**

Jean-Claude Dray
La Renaissance./ Magny-Cours (Nièvre)

Fils d'une famille de cinq enfants, Jean-Claude Dray a dû, tout jeune, mettre la main à la pâte pour participer à la préparation des repas. Il y a pris goût et tout naturellement est entré en cuisine.

Apprentissage au Ritz, perfectionnement dans la Nièvre, puis retour à Paris, notamment chez Raymond Oliver et, en 1963, c'est la reprise d'une affaire fermée à Magny-Cours, une petite localité proche de Nevers, qui s'endort après que la Nationale 7 ait été déviée.

Le succès de la maison aurait pu être assuré par une solide cuisine du terroir destinée à la clientèle locale d'éleveurs et d'agriculteurs. L'ambition de Jean-Claude Dray était autre. Il voulait se distinguer tout en assurant la promotion des produits régionaux.

En mettant la cuisine classique au goût du jour, en se faisant une spécialité de la merveilleuse viande des bœufs charollais, des abats, du jambon du Morvan, des poissons de Loire, il a fait de la maison villageoise discrète et cossue, un rendez-vous gourmand.

Inconditionnel de la viande de la région, Jean-Claude Dray l'est également du vin : Pouilly et Sancerre.

"*J'apprécie*, dit-il, *le Pouilly Fumé parce qu'il est le vin de mon département et qu'il contribue à sa renommée. On ne trouve dans aucun autre vin blanc cette saveur de fumé.*

Le Sancerre blanc plus sec et plus fruité dégage mieux son arôme que le Pouilly. Il a un goût caractéristique de pierre à fusil, il se rapproche des Bourgogne mais n'est pas un vin de garde, il donne son maximum au bout de trois ou quatre ans.

Le Sancerre rouge est un vin de l'année qui s'est beaucoup amélioré. Il est très agréable frais et jeune s'il est produit en fûts de chêne qui lui conservent son bouquet."

Jean-Claude Dray recommande le Pouilly Fumé avec les poissons comme son sandre crème de ciboulette ou le jambon du Morvan en saupiquet. Pour les coquilles Saint-Jacques, il préfère le Sancerre Blanc alors qu'il marie le rouge avec la viande de bœuf et les abats comme son rognon de veau au Sancerre et sa côte de bœuf charollais... fabuleuse.

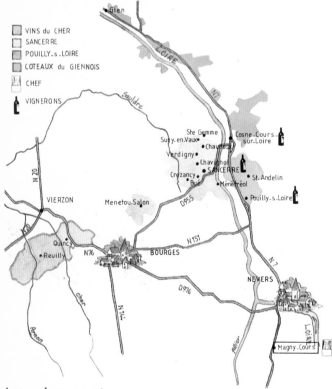

VINS du CHER
SANCERRE
POUILLY-s-LOIRE
COTEAUX du GIENNOIS
CHEF
VIGNERONS

Le Bourg
58470 MAGNY-COURS
Tél. 86 58 10 40

Hôtel-restaurant : La Renaissance.
3 étoiles. 10 chambres : 280 F à 580 F.
Fermeture annuelle : février début mars.
Fermeture hebdomadaire : dimanche soir et lundi.
Visites de caves organisées.
Télévision, téléphone dans les chambres.
Parking-Garage. Jardin.
Chiens admis.
Menus : 180 F à 420 F.
Carte : 280 F à 600 F.
Petit-déjeuner : 65 F.
Cartes bancaires : Carte Bleue, American express, Eurocard.

Autres bonnes adresses

M. S. Dagueneau, 58 Saint-Andelain. **M. J.C. Chatelain,** 58 Saint-Andelain. **M. J. Pabiot,** 58 Pouilly-sur-Loire. **M. G. Saget,** 58 Pouilly-sur-Loire. **M. P. Moreux,** 58 Pouilly-sur-Loire.

S.C.E.A.
Hubert Veneau
Domaine
des Ormousseaux
Saint-Père
58200
Cosne-sur-Loire
Tél. 86 28 01 17

Appellation : **COTEAUX DU GIENNOIS**
Nom : **DOMAINE DES ORMOUSSEAUX**
Couleur et millésime : **Rouge 87**
Producteur : **M. Hubert Veneau**
Terroir : **sol argilo-calcaire**
Cépages : **Pinot**
Rendement : **50 hl/hectare**
Mode de culture : **traditionnel**
Vendange et vinification : **contrôle des températures**
Elevage : **fûts de bois**
Caractère : **léger, fruité**
Evolution : **bonne garde**
Observations : **autres productions : Côteaux du Giennois rosé, Pouilly-Fumé "Château de la Roche".**

Pascal Jolivet
18, rue
Ferdinand Gambon
58150
Pouilly-sur-Loire
Tél. 86 39 10 59

Appellation : **POUILLY-FUMÉ**
Nom : **CUVÉE PASCAL JOLIVET 1986 (tirage 4000 bouteilles)**
Couleur et millésime : **Blanc 86**
Producteur : **M. Pascal Jolivet**
Terroir : **très calcaire**
Cépages : **Sauvignon**
Rendement : **45 hl/hectare**
Vendange et vinification : **vin de première presse, vinification traditionnelle sous contrôle de température**
Caractère : **très élégant, concentration, longueur en bouche**
Evolution : **entre 2 et 5 ans**
Observations : **nouvelles installations prévues à Sancerre, lieu dit "Les Franches" à partir du 1ᵉʳ janvier 1990. Dégustation sur rendez-vous. Autres vins : Sancerre blanc "Clos du Roy", Sancerre blanc "Clos du Chêne Marchand".**

S.A. Michel Redde
& Fils
La Moynerie
58150
Pouilly-sur-Loire
Tél. 86 39 14 72

Appellation : **POUILLY FUMÉ**
Nom : **CUVÉE MAJORUM LA MOYNERIE**
Couleur et millésime : **Blanc 85-86**
Producteur : **S.A. Michel Redde & Fils**
Terroir : **argilo-calcaire et argilo-siliceux**
Cépages : **Sauvignon** / Rendement : **60-70 hl/hectare**
Vendange et vinification : **mécanique, vinification à température thermorégulée**
Elevage : **en cuves inox, en cave climatisée**
Caractère : **vin sec**
Evolution : **Pouilly Fumé de grande conservation, voire 10 ans et plus**
Observations : **vignoble de la Moynerie au cœur de l'aire d'appellation. La Cuvée Majorum est produite dans les vieilles vignes du Domaine de la Moynerie, les mieux exposées, de faible rendement et seulement les meilleures années. C'est une cuvée forcément limitée. La sélection de la Cuvée est faite au moment de la vendange.**

Lucien Crochet
S.A.
Place de l'Eglise
Bué
18300 Sancerre
Tél. 48 54 08 10

Appellation : **SANCERRE**
Nom : **CLOS DU CHÊNE MARCHAND**
Couleur et millésime : **Blanc 88**
Producteur : **M. Lucien Crochet**
Cépages : **Sauvignon**
Rendement : **52 hl/hectare**
Mode de culture : **traditionnel**
Vendange et vinification : **vendange manuelle, fermentation longue à basse température**
Elevage : **élevé en cuves inox et émaillées**
Caractère : **vin sec, bien équilibré, arômes typés Sauvignon. Bonne persistance en bouche**
Evolution : **à boire jeune dès juin 1989, mais peut se garder plusieurs années**
Observations : **autres produits : Sancerre rouge A.C. 1987 "Clos du Roy", Sancerre rouge A.C. 1985 "Cuvée Prestige L.C.", Sancerre blanc A.C. 1986 "Cuvée Prestige L.C.".**

Maurice et
Dominique Roger
Place du Carrou
Bué
18300 Sancerre
Tél. 48 54 10 65

Appellation : **SANCERRE**
Nom : **DOMAINE DU CARROU**
Couleur et millésime : **Rouge 88**
Producteur : **M. Dominique Roger**
Terroir : **argilo-calcaire (jusqu'à 30% de calcaire)**
Cépages : **Pinot noir**
Rendement : **50 hl/hectare**
Mode de culture : **traditionnel**
Vendange et vinification : **vendange manuelle, cuvaison longue**
Elevage : **fûts de chêne de 600 litres appelés "demi-muids" : ancienne et traditionnelle méthode sancerroise**
Caractère : **belle robe, équilibré, fruit de pinot noir bien marqué**
Evolution : **bonne garde**
Observations : **cave ouverte tous les jours, sauf dimanche.**

Jean-Pierre Bruneau
Bruneau /Ganshoren (Belgique)

73, avenue Bronstin
B 1080 GANSHOREN
Tél. (2) 427 69 78

Restaurant : Bruneau.
Fermeture annuelle : mi-juin à mi-juillet, Noël au Nouvel An.
Fermeture hebdomadaire : mardi soir et mercredi - jeudi fériés.
Chiens admis.
Menus : 2 750 FB.
Carte : 3 200 à 3 700 FB.
Cartes bancaires : Diners Club, Carte Bleue, American Express, Eurocard.

Les bonnes adresses de Jean-Pierre Bruneau

Château Margaux, 33 Margaux. **M. Pavelot J.M.,** 21 Savigny-les-Beaune. **M. J.B. Condom,** 33 Margaux. **Château Lunch Bages,** 33 Pauillac. **Domaine Weinbach,** 68 Kaisersberg. **Château Pichon,** 33 Pauillac. **Château Climens,** 33 Barsac. **Château Figeac,** 33 Saint-Emilion. **Château Malartic Lagravière,** 33 Léognan. **Domaine des Baumard,** 49 Rochefort-sur-Loire.

Pierre Romeyer
Maison de bouche NV / Hoeilaart (Belgique)

Groenendaalsesteenweg 109
1990 HOEILAART
Tél. (2) 657 05 81

Restaurant: Maison de bouche NV.
Fermeture annuelle : tout le mois de février, 1re quinzaine août.
Fermeture hebdomadaire : dimanche soir et lundi.
Jardin. Parc. Chiens admis.
Menus : 2 800 FB, 3 100 FB.
Cartes bancaires : Diners Club, Carte Visa, American Express, Eurocard.

Les bonnes adresses de Pierre Romeyer

M. Michelot, 21 Meursault. **M. Roulot,** 21 Meursault. **M. Bize,** 21 Savigny. **M. Tortochot,** 21 Gevrey-Chambertin. **M. Roumier,** 21 Chambolle. **M. Leflaive,** 21 Puligny-Montrachet. **M. Guigal,** 69 Ampuis. **M. Trimbach,** 68 Ribeauville. **Madame la Comtesse d'Estutt d'Assay,** 58 Pouilly-sur-Loire.

*En pays de vin, la bonne cuisine est toujours au rendez-vous, notre sélection de 40 chefs de renom en apporte la confirmation. Cependant, de nombreux restaurateurs passionnés sont également de **véritables ambassadeurs de leur vignoble**. Nous vous livrons une liste non exhaustive, par régions vinicoles, d'étapes gourmandes de qualité, à découvrir ou redécouvrir.*

(suite de la page 139)

BOURGOGNE (La Côte Chalonnaise)

CHALON-SUR-SAONE	71100 "LE MOULIN DE MARTOREY"	Jean-Pierre GILLOT
CHALON-SUR-SAONE	71100 "SAINT GEORGES"	Gérard & Yves CHOUX
MERCUREY	71640 "HOTELLERIE DU VAL D'OR"	Jean-Claude COGNY
TORCY	71210 "LE VIEUX SAULE"	Christian HERVE
TOURNUS	71700 "GREUZE"	Jean DUCLOUS
TOURNUS	71700 "LE REMPART"	Jean-Paul et Céline MARION

BOURGOGNE (Maconnais)

PONT DE VAUX	01190 "LE RAISIN"	M. CHAZOT
CLUNY	71250 "BOURGOGNE"	Jean-Claude GOSSE
LA CROIX BLANCHE	71960 "RELAIS DU MACONNAIS"	M. LANNUEL
MACON	71000 "AU ROCHER DE CANCALE"	Jean-François MABON

BEAUJOLAIS

THOISSEY	01140 "CHAPON FIN" et rest. "PAUL BLANC"	MM. BLANC-MARINGUE
CHENAS	69840 "DANIEL ROBIN"	Daniel ROBIN
SAINT JEAN D'ARDIERES	69220 "CHATEAU DE PIZAY"	Daniel LOBJOIE
TARARE	69170 "JEAN BROUILLY"	Jean BROUILLY
ROMANECHE-THORINS	71570 "MARITONNES"	Guy FAUVIN
DARDILLY	69570 "LE PANORAMA"	M. ALLAROUSSE
COLLONGES AU MONT D'OR	69660 "PAUL BOCUSE"	Paul BOCUSE

COTES DU FOREZ - COTE ROANNAISE

ROANNE	42300 "RESTAURANT TROISGROS"	Pierre TROISGROS

COTES DU RHONE SEPTENTRIONALE

CHARMES SUR RHONE	07800 "LA VIEILLE AUBERGE"	Jean-Maurice GAUDRY
GRANGES LES VALENCE	07500 "AUBERGE DES TROIS CANARDS"	M. GRIFFON
TAIN L'HERMITAGE	26600 "REYNAUD"	Jean-Marc REYNAUD
VALENCE	26000 "PIC"	Jacques PIC
CONDRIEU	69420 "BEAU RIVAGE"	Georges HUMANN
ROCHES DE CONDRIEU	38370 "LE BELLEVUE"	Jean BOURON

COTES DU RHONE MÉRIDIONALE

FONTVIEILLE	13990 "LA CUISINE AU PLANET"	Hervé ESCAUX-FERARY
VERQUIERES	13670 "LE COUPE CHOU"	M. & Mme J.-L. RAVOUX
GRANE	26400 "GIFFON"	Patrick GIFFON
MALATAVERNE	26780 "LE MAS DES SOURCES"	Jean-Marie PICARD
POET-LAVAL	26260 "LES HOSPITALIERS"	Yvon MORIN
BAGNOLS SUR CEZE	30200 "LE FLORENCE"	Philippe & Solange ROZIER
LES ANGLES	30133 "ERMITAGE MEISSONNIER"	Michel MEISSONNIER
AVIGNON	84000 "BRUNEL"	Robert BRUNEL
AVIGNON	84000 "HIELLY"	Pierre HIELLY
AVIGNON	84000 "SAINT DIDIER"	Christian ETIENNE
CAVAILLON	84300 "NICOLLET"	Alain NICOLLET
CHATEAUNEUF DU PAPE	84230 "HOST. CHATEAU DES FINES ROCHES"	Henri ESTEVENIN
GIGONDAS	84190 "HOSTELLERIE LES FLORETS"	Mmes GERMANO & BERNARD
LE PONTET	84130 "AUBERGE DE CASSAGNE"	Jean-Michel GALLON
SEGURET	84110 "LA TABLE DU COMTAT"	Franck GOMEZ

COTEAUX DES BAUX

LES BAUX DE PROVENCE	13520 "LA CABRO D'OR"	R. THUILIER & J.A. CHARIAL
LES BAUX DE PROVENCE	13520 "LA RIBOTO DE TAVEN"	MM. & Mmes NOVI-THEME

JURA

DIVONNE-LES-BAINS	01220 "CHATEAU DE DIVONNE"	Guy MARTIN
BESANÇON	25000 "LE MUNGO PARK"	CHOQUANT/ROTSHI
ECOLE-VALENTIN	25480 "LE VALENTIN"	M. MAIRE
BONLIEU	39130 "LA POUTRE"	M. MOUREAUX
LES ROUSSES	39220 "LE FRANCE"	Roger PETIT
LONS-LE-SAUNIER	39000 "AUBERGE DE CHAVANNES"	Pierre CARPENTIER
MOUCHARD	39330 "CHALET BEL AIR"	Bruno GATTO

VINS DU BUGEY ET DE SAVOIE

BELLEGARDE/VALSERINE	01200 "AUBERGE DE LA FONTAINE"	Claude RIPERT
BELLEGARDE/VALSERINE	01200 "LA BELLE EPOQUE"	Michel SEVIN
BOULIGNEUX	01330 "AUBERGE DES CHASSEURS"	Paul DUBREUIL
BOURG-EN-BRESSE	01000 "JACQUES GUY"	
BOURG-EN-BRESSE	01000 "LE MAIL"	Roger CHAROLLES
LOYETTES	01980 "LA TERRASSE"	Gérard ANTONIN
MEXIMIEUX	01800 "CLAUDE LUTZ"	M. & Mme LUTZ
NANTUA	01130 "HOTEL DE FRANCE"	M. & Mme Paul PAUCHARD
SAINT-JUST	01250 "LA PETITE AUBERGE"	Mme P. BERTRAND
ALBERTVILLE	73200 "CHEZ UGINET"	Eric GUILLOT
ALBERTVILLE	73200 "MILLION"	Philippe MILLION
CHAMBERY	73000 "LA VANOISE"	Philippe LENAIN
LE BOURGET DU LAC	73370 "LE BATEAU IVRE"	Jean JACOB
LE BOURGET DU LAC	73370 "OMBREMONT"	Pierre-Yves CARLO
ST-JULIEN-EN-GENEVOIS	74160 "LA DILIGENCE" "LA TAVERNE DU POSTILLON"	Robert FAURE
SEYSSEL	74910 "ROTISSERIE DU FIER"	Pierre MICHAUD
THONON-LES-BAINS	74200 "LE PRIEURE"	Charles PLUMEX

PROVENCE ET COTE D'AZUR

ANTIBES	06600 "BACON"	Etienne et Adrien SORDELLO
ANTIBES	06600 "LA MARGUERITE"	D. SEGUIN & G. TRANCHANT
CAGNES-SUR-MER	06800 "LE CAGNARD"	M. et Mme BAREL
JUAN-LES-PINS	06160 "AUBERGE DE L'ESTEREL"	Christian PLUMAIL
JUAN-LES-PINS	06160 "LA TERRASSE"	François et Jean BARACHE
MOUGINS	06250 "FERME DE MOUGINS"	Henri SAUMANET
SAINT MARTIN DU VAR	06670 "J.F. ISSAUTIER"	Jean-François ISSAUTIER
VENCE	06140 "AUBERGE DES TEMPLIERS"	Patrice LOPEZ
AIX-EN-PROVENCE	13100 "LE CLOS DE LA VIOLETTE"	Jean-Marc BANZO
BEAURECUEIL	13100 "RELAIS SAINTE VICTOIRE"	MM. JUGY et BERGES
SALON DE PROVENCE	13300 "RESTAURANT ROBIN"	Francis ROBIN
GRIMAUD	83310 "LA BRETONNIERE"	M. COURONNE
GRIMAUD	83310 "LES SANTONS"	Claude GIRARD
LE LAVANDOU	83980 "AU VIEUX PORT"	M. GALLON
SAINT-TROPEZ	83990 "LE CHABICHOU"	Michel ROCHEDY
SAINT-TROPEZ	83990 "LE MAS DE CHASTELAS"	D. SULITZER & G. RACINE
TOULON	83000 "LE BISTRO DES PRINCES"	M. MATHERON
TOURTOUR	83690 "LES CHENES VERTS"	Paul BAJADE

LANGUEDOC-ROUSSILLON

GARONS	30128 "ALEXANDRE"	Michel KAYSER
LE GRAU DU ROI	30240 "LE SPINAKER"	Mme CAZAL
NIMES	30000 "L'ENCLOS DE LA FONTAINE"	C.L. CREAC'H
SAINT COME	30870 "LA VAUNAGE"	M. VILLANUEVA
FLORENSAC	34510 "LEONCE"	Jean-Claude FABRE
GIGNAC	34150 "RESTAURANT CAPION"	Jacqueline CAPION
LA GRANDE-MOTTE	34280 "ALEXANDRE AMIRAUTE"	Paul & Michel ALEXANDRE
MONTPELLIER	34000 "LE CHANDELIER"	Jean-Marc FOREST
MONTPELLIER	34000 "L'OLIVIER"	Michel BRETON

*En pays de vin, la bonne cuisine est toujours au rendez-vous, notre sélection de 40 chefs de renom en apporte la confirmation. Cependant, de nombreux restaurateurs passionnés sont également de **véritables ambassadeurs de leur vignoble.** Nous vous livrons une liste non exhaustive, par régions vinicoles, d'étapes gourmandes de qualité, à découvrir ou redécouvrir.*

ST-MARTIN-DE-LONDRES	34380 "LES MUSCARDINS"	Thierry ROUSSET
VIALAS	48220 "CHANTOISEAU"	Patrick PAGES
BANYULS-SUR-MER	66650 "LE SARDINAL"	Ely BUXEDA
COLLIOURE	66190 "LA FREGATE"	Yves COSTA
PERPIGNAN	66000 "LE CHAPON FIN"	Emmanuel FERNANDEZ

SUD-OUEST PÉRIGORD

LAGUIOLE	12210 "MICHAL BRAS LOU MAZUC"	Michel & Ginette BRAS
BERGERAC	24100 "LE CYRANO"	Jean-Paul TURON
LE BUGUE	24260 "L'ALBUCA"	Christian ROUFFIGNAC
LES EYZIES-DE-TAYAC	24620 "LE CENTENAIRE"	MM. SCHOLLY & MAZERE
MONBAZILLAC	24240 "CLOSERIE SAINT-JACQUES"	Désiré CROS
TREMOLAT	24510 "LE VIEUX LOGIS"	GIRAUDEL/DESTORD
GRATENTOUR	31150 "AU POIDS GOURMAND"	Jean-Claude PLAZOTTA
CONDOM	32100 "LA TABLE DES CORDELIERS"	M. MELLUT
PLAISANCE	32160 "RIPA ALTA"	Maurice COSCUELLA
GEAUNE	40320 "HOTEL DE FRANCE"	M. SENAC
GRENADE SUR L'ADOUR	40270 "PAIN ADOUR ET FANTAISIE"	Didier OUTILL
CAHORS	46000 "LE BALANDRE"	Gilles MARRE
LACAVE	46200 "LE PONT DE L'OUYSSE"	Daniel CHAMBON
LAMAGDELAINE	46090 "MARCO"	Claude MARCO
AGEN	47000 "LA CORNE D'OR"	Jean-Louis LOISILLON
POUDENAS	47170 "A LA BELLE GASCONNE"	Richard & M. Claude GRACIA
POUDENAS	47170 "VIEUX MOULIN DE POUDENAS, LA BELLE GASCONNE"	Richard & M. Claude GARCIA
PUYMIROL	47270 "L'AUBERGADE"	Michel TRAMA
JURANÇON	64110 "RUFFET"	
PAU	64000 "PIERRE"	M. CASAU
ST-ETIENNE DE BAIGORRY	64430 "ARCE"	Emile & Pascal ARCE
ALBI	81000 "HOSTELLERIE SAINT ANTOINE"	Jacques & J. François RIEUX
CORDES	81170 "LE GRAND ECUYER"	Yves THURIES
REALMONT	81120 "NOEL"	N. GALINIER & J.P. GRANIER
BRIAL	82700 "DEPEYRE"	Louisette & Jacques DEPEYRE
MONTAUBAN	82000 "CUISINE D'ALAIN HOTEL ORSAY"	Alain BLANC

BORDELAIS

BORDEAUX	33000 "LA TUPINA"	J.P. XIRADAKIS
CARBON BLANC	33560 "MARC DUMUND"	
CREON	33670 "LE PREVOT"	M. KINTS
PAUILLAC	33250 "CHATEAU CORDEILLAN-BAGES"	M. Pierre PALLAIRDON
ST-ÉMILION	33330 "HOSTELLERIE DE PLAISANCE"	M. QUILAIN

COGNAC

COGNAC	16100 "L'ECHASSIER"	MM. LAMBERT & GOERN
COGNAC	16100 "LES PIGEONS BLANCS"	M. TACHET
ST FORT SUR LE NE	16130 "LE MOULIN DE CIERZAC"	M. LABOULY
SAINTES	17100 "LE LOGIS SANTON"	M. SORILLET
SAINTES	17100 "MANCINI"	M. F. BATY
SAINTES	17100 "RELAIS DU BOIS ST GEORGES"	M. J. EMERY

VAL DE LOIRE

CHINON	37500 "AU PLAISIR GOURMAND"	J.C. RIGOLLET
JOUE LES TOURS	37300 "CHATEAU DE BEAULIEU"	M. LOZAY
LANGEAIS	37130 "HOTEL HOSTEN LE LANGEAIS"	J.J. HOSTEN
LE GRAND-PRESSIGNY	37350 "L'ESPERANCE"	Bernard & Paulette TORSET
LUYNES	37230 "DOMAINE DE BEAUVOIS"	
MONTBAZON	37250 "LA CHANCELIERE"	J.L. HATET & J. DE POUS
MONTBAZON	37250 "L'ORANGERIE"	Denise OLIVEREAU-CAPRON

MONTLOUIS S/LOIRE	37270 "ROC EN VAL"	Th. REGNIER
TOURS	37000 "BARRIER"	
TOURS	37000 "JEAN BARDET"	
BLOIS	41000 "LA BOCCA D'OR"	
BLOIS	41000 "HOSTELLERIE DE LA LOIRE"	
CLISSON	44190 "LA BONNE AUBERGE"	M. POIRON
NANTES	44000 "LE COLVERT"	M. MACOUIN
NANTES	44000 "L'ENCLOS DE LA CRUAUDIERE"	M. DURAND
NANTES	44000 "LES MARAICHERS"	M. PACREAU
NANTES	44000 "MON REVE", "BASSE GOULAINE"	
NANTES	44000 "TORIGAI"	M. TORIGAI
ORVAULT	44700 "LE DOMAINE D'ORVAULT"	M. BERNARD
PAULX	44270 "LES VOYAGEURS"	Louis CLAVIER
ST SEBASTIEN SUR LOIRE	"LE MANOIR DE LA COMETE"	M. THOMAS-TROPHIME
ANGERS	49000 "LE LOGIS"	
ANGERS	49000 "LE QUERE"	M. & Mme LE QUERE
ANGERS	49000 'LE TOUSSAINT"	M. Michel BIGNON
CHAMPTOCEAUX	49270 "AUBERGE DE LA FORGE"	Paul POUVERT
FONTEVRAUD-L'ABBAYE	49590 "LA LICORNE"	Jean CRITON
LES ROSIERS	49350 "JEANNE DE LAVAL"	Michel AUGEREAU
ST SYLVAIN D'ANJOU	49480 "AUBERGE D'EVENTARD"	

NIVERNAIS

SANCERRE	18300 "LA TOUR"	F. FOURNIER

CHAMPAGNE

REIMS	51100 "L'ASSIETTE CHAMPENOISE"	
REIMS	51100 "LE CHARDONNAY"	
REIMS	51100 "LE FLORENCE"	
CHALONS-SUR-MARNE	51000 "AUX ARMES DE CHAMPAGNE"	
EPERNAY	51200 "LA BRIQUETERIE"	Georges GUILLON
MONTCHENOT	51500 "LE GRAND CHEF"	Françoise & Alain GUICHAOUA
SEPT-SAULX	51400 "LE CHEVAL BLANC"	Bernard ROBERT

CORSE

AJACCIO	20000 "A TINELLA"	Mme MULTEDO
AJACCIO	20000 "L'AMORE PIATTI"	Mme MAESTRACCI
BASTIA	20200 "L'AVEZZI"	M. DE CASALTA
BASTIA	20200 "LE ROMANTIQUE"	M. RONCAGLIA
BOCOGNANO	20136 "L'USTARIA"	Mme ALBERDI
CALVI	20260 "L'ILE DE BEAUTE"	M. CAUMEIL
CANARI	20217 "SAINT FLORENT"	

J'adresse tous mes remerciements pour leurs encouragements et leur participation au Carnet Gourmand du Vignoble Français à Georges Blanc, Françoise Bonnevaux, Jacques Poncet, Roger Aubery, Alain Lamotte, Alain Picton.

Je tiens aussi à souligner la qualité, la simplicité et la gentillesse de l'accueil de tous les chefs de cuisine et vignerons rencontrés lors de la préparation de cet ouvrage.

B. Bonnevaux

EDITIONS JULIEN
MAS HATTO
La Plaine - 30150 Roquemaure

Régie et diffusion :
HVI SARL ANNEXE BP 12
30400 Villeneuve-lès-Avignon
Tél. 90 25 27 34 - Fax 90 25 31 74

Directeur de la publication :
Bernard Bonnevaux et Laurence Bonnevaux

Comité de rédaction :
Bernard Bonnevaux, Michel Mastrojanni, MM. Joubert, Girard, Gouloubinsky (d'Ecosud)

Maquette, cartes, illustrations :
Nicole Lucas

Portrait :
Jean-Paul Billes

Photocomposition :
Digitale Compo

Photogravure :
Graphi 4

Réalisation imprimerie façonnage :
Impression Jacques Poncet, Espace Comboire, 38130 Echirolles, 76 09 22 16

Dépôt légal 3e trimestre 1989
ISBN 2-9503977-0-0